꽃은 젖어도
향기는 젖지 않는다

꽃은
젖어도
향기는
젖지않는다

도종환의
나의 삶,
나의 시

도종환 글
이철수 그림

한겨레출판

나의 삶, 나의 시

나는 권세 있고 유복하고 많이 배운 부모 밑에서 태어나지 못했습니다. 그러나 어머니로부터 선한 심성을 물려받을 수 있었습니다. 그래서 고마웠습니다.

나는 어려서부터 부모와 떨어져 친척 집에서 자랐습니다. 어머니, 아버지가 보고 싶어 편지를 자주 썼습니다. 편지 앞에 계절 인사를 쓰기 위해 바람과 별과 구름과 계절의 변화를 민감하게 살폈고, 그래서 자연을 섬세하게 바라보는 눈을 갖게 되었습니다.

가난해서 중·고등학교를 다니는 동안 참고서 한 권을 사 보지 못했습니다. 그래서 친구들이 문제집을 풀고 있을 때 매일 도서관으로 달려가서 책을 읽었습니다.

대학 진학을 앞두고 있을 때, 내가 원하는 대학을 가고 싶다고 말하면 보내줄 수 있는지 상의할 부모가 옆에 계시지 않았습니다. 그래서 등록금이 면제되는 지방 국립사범대학에 진학했고, 화가가 되고 싶던 꿈을 접어야 했습니다. 그 좌절이 문학으로 방향을 틀게 했습니다. 지금까지도 내 문학을 밀고 가는 가장 큰 힘은 좌절입니다.

이미 만들어져 있는 틀 속으로 들어가기보다 새로운 것을 만들고,

도전해보고 싶었습니다. 그래서 눈 밖에 나고 미움과 따돌림을 받았지만 도전하고 깨지고 다시 시작하던 열정이 있어서 청춘의 날들을 뜨겁게 보냈습니다.

나는 뛰어난 실력이나 재주가 있는 사람이 아닙니다. 눈에 띄는 특별한 인물이나 앞서가는 사람도 아니어서 나를 눈여겨보아주는 이들도 없었습니다. 이른 봄에 피어 사랑받는 봄꽃은 아니지만, 가을 들판의 구절초처럼 늦게라도 혼자 꽃피고자 했습니다. 늦게 꽃피어도 오래오래 아름답고자 했습니다.

오월 광주민중항쟁 때 나는 군복을 입은 군인으로 시민군과 대치해야 했습니다. 그러나 나는 부당한 사격명령을 따르지 않고 내 양심의 명령을 따르고자 했으며, 소총의 실탄을 거꾸로 장전한 채 그 오월의 밤을 견디었습니다.

결혼한 지 채 몇 년 되지 않아 아내가 암에 걸려 돌아오지 못할 곳으로 가고 말았습니다. 울면서 시 많이 썼습니다. 그리고 내가 울면서 쓰지 않은 시는 남들도 울면서 읽어주지 않는다는 걸 알게 되었습니다.

삼십대 초반에 분에 넘치는 시인의 이름을 얻었고, 그 명성이 돈이 된다는 것도 알았습니다. 그러나 그렇게 얻은 명성을 돈을 버는 데 쓰지 않고 의로운 일에 쓰고자 했습니다.

　승진과 출세가 보장되는 안정된 길을 가지 않고, 바보같이 징계와 좌천과 해직이 기다리고 있는 길을 선택했습니다. 박사과정을 수료하던 해에 감옥에 갔습니다. 내가 원하는 곳이 아니라 나를 필요로 하는 곳으로 갔습니다.

　민주화를 위해 독재 정권과 싸우면서 수많은 집회와 시위와 농성에 참여했지만 나는 화염병과 각목은커녕 돌멩이 하나도 손에 들어보지 못한 허약한 사람이었습니다. 옳은 일, 의로운 일에 동참하고 연대하되 거칠어지지 말아야 한다고 내 시가 내게 말하는 소리를 따르고자 했습니다.

　경찰에 끌려가고 철창에 갇히고 온갖 모욕을 당했지만 폭력으로 대항하기보다 내가 상처받고 피 흘리고 박해받음으로써 그들의 거짓과 위선과 부당함이 드러나게 하는 방식으로 나는 불의와 싸웠습니다.

　그리하여 마침내 우리가 원하던 것을 이루게 되었을 때 나는 다시 낮은 곳으로 내려갔습니다. 대학교 겸임 교수직을 내놓고 시골 중학교로 가기로 했습니다. 어떤 학생을 가르치느냐보다 어떤 교사로 사느냐가 더 중요하다고 생각했기 때문입니다.

정권이 교체되고 가까운 이들이 권력의 자리에 앉게 되었을 때, 나는 병든 몸을 치유하기 위해 산으로 들어가야 했습니다. 처음엔 원망스럽기도 하고 답답하기도 했지만 그게 얼마나 다행스러운 일인지 나중에 알게 되었습니다.

나는 아시아의 작은 나라, 그것도 남북으로 분단된 나라의 지방에서 태어나 오랫동안 시골에서 살았습니다. 중심에 있지 않고 변두리에 있었습니다. 그러나 별이 그러하고, 숲의 나무들이 그러하듯 내가 있는 곳을 세상의 중심, 우주의 중심으로 바꾸고자 했습니다.

아직도 내 시를 제대로 된 문학으로 인정하고 싶어 하지 않는 평론가와 문인이 많다는 걸 압니다. 그들이 이야기하는 약점과 부족한 점이 내 시에 있다는 걸 나도 압니다. 그들의 말이 옳다고 생각합니다. 그래서 그것을 극복하기 위해 부단히 노력할 것입니다.

나라고 왜 흔들리지 않았겠습니까? 그러나 이 세상 모든 꽃들이 그러하듯 흔들리면서 꽃을 피우는 겁니다. 흔들리다가 제자리로 돌아와 꽃 한 송이를 피우듯 그렇게 살았습니다.

살면서 수많은 벽을 만났습니다. 어떤 벽도 나보다 강하지 않은 벽은 없었습니다. 그러나 벽에서 살게 되었다는 걸 받아들이고, 벽에서 시작하는 담쟁이. 원망만 하지 않고, 쉽게 포기하지 않고, 비슷한 처지에 있는 잎을 찾아가 손을 잡고 연대하고 협력하여 마침내 절망적인 환경을 아름다운 풍경으로 바꾸는 담쟁이처럼 살기로 했습니다.

가난과 외로움과 좌절과 절망과 방황과 소외와 고난과 눈물과 고통과 두려움으로부터 내 문학은 시작되었고, 그것들과 함께 여기까지 왔습니다. 그것들이 없었다면 나는 시인이 되지 못했을 겁니다. 고맙게 생각합니다. 그 많은 아픔의 시간을. 거기서 우러난 문학을. 나의 삶, 나의 시를.

2011년 가을 구구산방에서

도종환

1

내 시의 꽃밭

지금도 내 마음의 마당 끝에는 꽃밭이 있습니다.

내가 산맥을 먼저 보고 꽃밭을 알았다면

그 꽃밭은 시시해 보였을 겁니다.

그러나 꽃들을 알고 난 뒤에 산맥을 보았기 때문에

산 너머를 동경할 수 있었습니다.

아직도 꽃을 보면 가던 걸음을 멈추곤 합니다.

그래서 내 시에는 꽃의 향기가 묻어 있습니다.

다행이라고 생각합니다.

그런 소박한 향기가 묻어 있는 것이.

도종환의
나의 삶,
나의 시

내 시의 꽃밭

　　4월 어느 날 하루 종일 비가 내리는 날이었습니다. 거리를 걸어가는데 어디서 달콤한 향기가 번져오는 게 아니겠습니까. '어디서 오는 향기일까?' 하고 걸음을 멈추고 주위를 둘러보니 골목 끝에 라일락 나무 한 그루가 서 있는 게 보였습니다. '라일락 향기인가 보다' 하고 생각하며 그 꽃 옆으로 걸어갔습니다. 꽃이 지나가는 나에게 향기를 흘려보낸 건 내게 할 이야기가 있기 때문일 거라고 생각했습니다. 향기는 꽃의 언어 아닙니까? 우리는 우리 식의 음성언어를 사용하여 의사를 전달하지만 꽃은 빛깔과 향기로 누구를 부르기도 하고, 자기 존재를 알리기도 하고, 자기들끼리 소통하기도 하지요. 벌은 춤으로 동료들에게 어디에 꿀이 있는지 알려주고, 개미는 페로몬으로 적의 침입을 알리지 않습니까? 저마다 자기 언어가 있는 것이지요.

　　'나를 부른 이유가 무얼까?' 하고 생각하며 라일락 옆을 서성이다가 '꽃은 진종일 비에 젖어도 향기는 젖지 않는다'라는 꽃의 말을 들었습니다. '그 이야기를 하려고 나를 불렀구나' 하고 생각했습니다.

그 자리에서 꽃의 말을 베껴 적었습니다. 라일락은 하루 종일 비에 젖으면서도 제 빛깔을 그대로 지니고 있었습니다. 연보라색이라 비에 젖으면 금방 지워질 것 같은 여린 빛인데도 제 빛깔을 잃지 않고 있었습니다.

아니 내일 또 비에 젖어도 제 빛깔과 향기를 지니고 있을 것이고, 내년 봄에 다시 비에 젖어도 제 빛깔, 제 향기를 잃지 않으리란 생각이 들었습니다. '나는 라일락 한 송이보다 잘 살고 있는 것일까' 하는 생각을 했습니다. '세월의 빗발에 젖으며 나는 내 빛깔과 향기를 얼마나 많이 잃어버렸던가' 하는 생각을 했습니다. 그런 생각들이 모여 〈라일락꽃〉이란 시를 쓰게 되었습니다.

꽃은 진종일 비에 젖어도
향기는 젖지 않는다
빗방울 무게도 가누기 힘들어
출렁 허리가 휘는
꽃의 오후

꽃은 하루 종일 비에 젖어도
빛깔은 지워지지 않는다
빗물에 연보라 여린 빛이
창백하게 흘러내릴 듯
순한 얼굴

꽃은 젖어도 향기는 젖지 않는다

꽃은 젖어도 빛깔은 지워지지 않는다

— 졸시 〈라일락꽃〉 전문

나는 길을 가다 아름다운 꽃을 보면 걸음을 멈춥니다. 꽃이 나를 부른 이유가 있을 거라고 생각합니다. 티 없이 푸른 하늘을 보면 일을 멈춥니다. 저녁노을이 붉게 타오르는 장면을 보면 책을 덮습니다. 사물뿐 아니라 어떤 현상, 사람, 감동적인 장면을 만나면 그 속으로 빠져듭니다. 내가 그 사물, 그 장면과 만나게 된 이유가 있을 거라고 생각합니다. "흔들리지 않고 피는 꽃이 어디 있으랴", "여백이 없는 풍경은 아름답지 않다", "희망의 바깥은 없다", "푸르게 절망을 다 덮을 때까지 / 바로 그 절망을 잡고 놓지 않는다", 이런 시구절은 대개 그런 순간과 만나면서 그 자리에서 베껴 적은 언어들입니다.

첫 시집 《고두미 마을에서》를 냈을 때 사람들은 웬 풀이름, 꽃 이름이 이렇게 많이 등장하느냐고 물었습니다. "시골에 오래 살아서 그래요" 하고 대답했습니다.

태어나기는 청주시 변두리인 운천동 산직말에서 태어났지만 부모님이 바로 증평(장뜰)으로 이사를 가셨기 때문에 증평군 증평읍 대동 단군전 아랫동네에서 자랐습니다. 거기서 열한 살 때까지 살았으니까 내 의식과 무의식 속에 내재된 어린 시절의 기억은 증평읍의 풍경들입니다. 우리 집에서 조금 내려가면 고모네 집이 있었습니다. 고모네 집은 마당도 컸고 뒤뜰도 넓었습니다. 그 집에서 고종사촌 형제들과 많이 어울려 놀아서 그런지 우리 집에 대한 기억보다 고모네 집에 대한 기억이 더 많습니다. 가장 오래된 기억은 할머니가 돌아가셔서 고모들이 울면서 마당으로 달려오던 모습입니다. 서너 살 무렵의 일입니다. 또 하나 오래 남아 있는 기억 중 하나가 고모네 집 마당가에 있던 꽃밭입니다. 그 꽃밭에는 채송화, 분꽃, 과꽃, 봉숭아, 맨드라미, 달리아가 가득했습니다. 모두 다 내 기억 속에 가장 오래 각인되어 있는 꽃들입니다. 어디서나 그 꽃을 보면 걸음을 멈추곤 합니다.

내가 분꽃씨만한 눈동자를 깜빡이며
처음으로 세상을 바라보았을 때
거기 어머니와 꽃밭이 있었다
내가 아장아장 걸음을 떼기 시작할 때
내 발걸음마다 채송화가 기우뚱거리며 따라왔고

무엇을 잡으려고 푸른 단풍잎 같은 손가락을
햇살 속에 내밀 때면
분꽃이 입을 열어 나팔소리를 들려주었다

왜 내가 처음 본 것이 검푸른 바다 빛이거나
짐승의 윤기 흐르는 잔등이 아니라
과꽃이 진보랏빛 향기를 흔드는 꽃밭이었을까

민들레만하던 내가 달리아처럼 자라서
장뜰을 떠나온 뒤에도 꽃들은 나를 떠나지 않았다
내가 사나운 짐승처럼 도시의 골목을 치달려갈 때면
거칠어지지 말라고 꽃들은 다가와 발목을 붙잡는다

슬픔에 잠겨 젖은 얼굴을 파묻고 있을 때면
괜찮다 괜찮다고 다독이며
꽃잎의 손수건을 내민다

지금도 내 마음의 마당 끝에는 꽃밭이 있다
내가 산맥을 먼저 보고 꽃밭을 보았다면
꽃밭은 작고 시시해 보였을 것이다
그러나 꽃밭을 보고 앵두나무와 두타산을 보았기 때문에
산 너머 하늘이 푸르고 싱싱하게 보였다
꽃밭을 보고 살구꽃 향기를 알게 되고
연분홍 그 향기를 따라가다 강물을 만났기 때문에
삶의 유장함에 대해 생각하게 되었다

내가 처음 눈을 열어 세상을 보았을 때
거기 꽃밭이 있었던 건 다행이었다
지금도 내 옷소매에 소박한 향기가 묻어 있는 것이

— 졸시 〈꽃밭〉 전문

　나는 충청도의 소읍에서 자랐습니다. 장엄한 산이 웅장하게 버티고 있는 산악도 아니고 푸른 파도가 넘실대는 바닷가 마을도 아닌 비산 비야의 시골이었습니다. 그래서 어머니를 보고 꽃밭을 보며 자랐습니다. 단군전 넓은 마당과 골목을 따라 풍물을 치며 동네를 도는 마을 사람들의 뒤를 따르며 덩실덩실 춤을 추던 기억이 있습니다.

아리랑 고개를 넘어서 퉁퉁골 방죽까지 잠자리를 잡으며 놀러 다니던 길에는 작은 개울이 흘렀고 그 개울에는 피라미, 송사리, 미꾸라지가 많았습니다. 찰방거리는 개울물 소리에 발을 담그고 있는 게 좋았습니다. 과수원까지 가다가 묏등에 덜렁 누워 쪼이는 눈부신 햇볕의 희디흰 빛이나 깻잎이 손에 닿았을 때 나는 고소한 향이 좋았습니다.

한국전쟁이 끝나고 백마고지 전투 그 참혹한 백병전에서 아버지가 살아 돌아오신 이듬해에 나는 태어났습니다. 가난하고 살기 힘들었지만 내겐 평화로운 어린 시절이었습니다. 그러나 그 평화로운 시절은 거기서 끝나고 열 살 이후 내 삶은 가난과 시련과 좌절과 고통의 연속이었습니다. 세상은 살기 힘들었고 순박하던 심성은 수시로 거칠어지기 일쑤였습니다.

그러나 그때마다 거칠어지지 말라고 꽃들은 다가와 발목을 붙잡곤 합니다. 슬픔에 잠겨 젖은 얼굴을 파묻고 있을 때면 괜찮다 괜찮다고 다독이며 꽃들이 손수건을 건넵니다. 꽃에게서 위안을 받고 눈물을 삭입니다. 지금도 내 마음의 마당 끝에는 꽃밭이 있습니다. 내가 산맥을 먼저 보고 꽃밭을 알았다면 그 꽃밭은 시시해 보였을 겁니다. 그러나 꽃들을 알고 난 뒤에 산맥을 보았기 때문에 산 너머를 동경할 수 있었습니다. 아직도 꽃을 보면 가던 걸음을 멈추곤 합니다. 그래서 내 시에는 꽃의 향기가 묻어 있습니다. 다행이라고 생각합니다. 그런 소박한 향기가 묻어 있는 것이.

두 번의 전쟁

    2009년 7월 큰아버지의 유해가 65년 만에 일본에서 돌아왔습니다. 유해라고 했지만 사실은 한 주먹의 뼛가루와 몇 올의 머리칼이었습니다. 큰아버지(도해봉, 1919년생)는 1942년 봄 스물네 살의 젊은 나이에 태평양전쟁에 강제 동원되어 전쟁터로 끌려갔습니다. 큰아버지가 끌려간 곳은 남태평양 팔라우제도 앙가우르 섬이었습니다. 그 섬의 노천 광산 등에서 2년간 강제 노역에 시달리다가 1944년 3월 미군의 팔라우제도 1차 공습이 있던 날 비행기 폭격으로 돌아가셨습니다.

  청원군 북일면 오동리 고향집에는 20대 초반의 젊은 아내와 어린 딸 하나가 있었습니다. 서운이란 이름의 딸은 제대로 먹지 못해 어린 나이에 죽었고, 남편 죽고 자식마저 잃은 젊은 아내는 스물몇 살에 청상과부가 되었습니다. 큰아들을 잃고 상심한 할아버지는 술을 드시고 죽어버리겠다고 철로 위에 누우실 때가 있었고, 가세는 더욱 기울었습니다.

한일회담을 한다는 이야기가 들리자 큰아버지의 유해라도 찾게 해 달라고 관청을 드나들던 아버지는 자주 문전박대를 당했습니다. 몇 년 전에도 일제하 강제 동원 피해자 진상규명위원회가 만들어졌다는 이야기를 듣고 신고를 했습니다. 정부에서는 강제 동원되어 희생되었 다는 근거 자료를 가족들에게 제출해서 증명하라고 요구했습니다. 60 년 이상 세월이 흐르는 동안 남북 간의 전쟁이 있었고, 고향을 떠나왔 으며, 도시 빈민이 되어 여기저기 옮겨 다니며 연명하는 동안 자료라 는 것은 아무것도 남아 있을 수가 없었습니다. 징병령, 총동원령 같은 명령을 내린 이들은 있었지만, 면 서기의 명령에도 허리를 조아려야 했던 사람들은 명령을 내린 이의 이름을 기억할 수 없었고, 죽음을 증 언할 수 있는 이들은 세상을 뜬 지 오래였습니다.

국가는 무너지고, 나라 잃은 국민은 전쟁터로 끌려가 죽었는데, 국 가는 죽은 국민에 대해 아무런 책임도 지지 않으려고 하는 세월을 살 았습니다. 큰아버지 유골은 일본 도쿄 시내 유텐지라는 사찰에 있었 습니다. 그곳에는 일제의 남양척식주식회사에서 앙가우르 섬으로 끌 고 갔다가 죽은 조선인들의 출신 지역과 나이와 신분, 사망 일자와 사 망 지역을 정리한 피징용 사망자 연명부 문서가 있었습니다. 아직도 돌아오지 못한 채 방치된 조선인 유골이 일본 곳곳에 널려 있어도 이 나라는 조상의 유골을 찾아오는 일에 적극적이지 않습니다.

아직도 남태평양 짙푸른 파도 근처를 떠돌거나
폐광 뒷산이나 바닷가에 버려진 채
돌아오지 못하는 수천수만의 영혼을

내 땅으로 데려오려고 애쓰지 않는 이 조국을

아직도 의무만을 강요할 뿐 책임에 대해 몰염치한

이 나라를 언제까지 조국이라고 불러야 하는지

조국 불인정 소송이라도 하고 싶었습니다.

— 졸시 〈환국〉 중에서

아버지가 큰아버지의 유골함을 안고 오던 날 장대비가 억수같이 쏟아졌습니다. "저게 통곡의 눈물이 아니라면 저렇게 쏟아질 리가 없다"고 아버지는 말씀하셨습니다. 큰아버지보다 아홉 살 아래인 아버지는 7남매의 차남으로 태어나셨습니다. 아버지는 청원군 북일면 주중리의 강습소 유리창 너머로 학생들이 공부하는 모습을 들여다보며 도막 연필을 주워 혼자서 한글을 익히셨습니다. 그러다가 강습소의 이철원 선생님이란 분의 권고로 주중리 강습소와 개량서당, 청주 대성강습소 등을 옮겨 다니며 글을 배웠으나 때론 농사철이라서, 때론 왜놈들 교육 배운다는 이유로 큰아버지가 책보를 빼앗아 못 가게 하는 바람에 중단할 수밖에 없었습니다.

학교를 못 가는 대신 큰아버지가 만들어준 지게를 지고 팔결다리 아래 제방 쌓는 곳에서 하루 35전에서 40전씩을 받는 품팔이꾼이 되어 어린 시절부터 막노동을 했습니다. 남들이 점심을 먹을 때면 남이 보이지 않는 곳에 가 앉아 있다 점심 시간이 끝나면 다시 일을 시작하곤 했으며, 저녁이면 짚신을 꼭 한 켤레씩 삼아야 이튿날

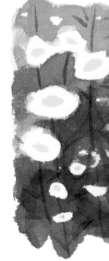

신고 나가 일할 수 있었다고 합니다. 메밀가루를 쑥잎에 무쳐 먹고 아카시아꽃을 먹고 풀떼기를 쑤어 먹어가면서 일제가 물러갈 때까지 부황이 든 얼굴로 소년 시절을 보내야 했습니다.

일제가 물러가고 난 뒤에는 좌우익의 혼란 속에서 정당이 무엇인지 사상이 무엇인지 모르는 채 마을 청년 전체가 보도연맹 사건으로 죽을 뻔했다가, 인민군과 의용군으로 끌려다니다가 탈출하여 방위병 감찰이 되었다가, 마침내는 큰아버지를 죽게 했던 미군 군복을 입고 동족상잔의 전쟁터를 누비는 길을 걸어오셨습니다.

전쟁 기간에는 수많은 마을 사람과 친척, 형제들이 찢기고 갈리고, 후퇴하던 국군 총에 맞아 죽고, 들이닥친 인민군에게 악질 반동으로 몰려 죽고, 살아남기 위해 부상자들을 나르고 일을 거들었다가 밀고 올라오는 국군에게 인민군 협조자라고 고문당해 죽고, 의용군을 따라갔다가 죽고, 후퇴하던 국군이 집 근처에 남겨두고 간 로켓포 불발탄

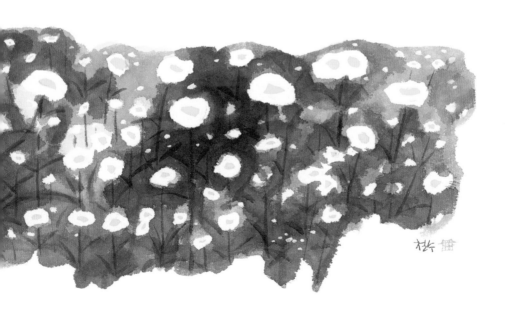

을 주워 두드리다 폭파되는 바람에 사촌 한 분과 조카, 조카딸이 그 자리에서 죽는 일도 있었습니다. 몸을 피했다가 돌아와 보니 집에서 기르던 개가 군인의 시체를 뜯어 먹고 있더라는 처절한 전쟁이었습니다. 그러나 어떻게든 살아남아야 하는 전쟁이었습니다.

삼월이었지, 네 에밀 두고 입대한 것이.
부산 보충대서 보초를 서며 소금바람 마시다
그렇지, 그게 카투사 1기였단다.
미 제25사단 14연대 2대대 E중대
혹 몰라 남양군도나 오키나와를 거쳐
네 큰아버지와도 싸운 그 군대였는지 몰라
미군부대 배속된 벙어리 한국군이 돼
참호나 파고 포탄이나 나르고
그들은 먼발치에 서서 껌을 씹으며
포탄을 날리고 있었어.
씨레이션 먹는 법이나 사과 씹는 법을 배우며
참말이지 한없이 부끄러웠느니라.
망초 대궁만 끝없이 널린 춘천 시가를 지나며
중동부전선 아마 백마고지 언저리쯤
포탄을 날리는 곳 말고 포탄이 떨어지는 곳에 서서
산병호를 파며
야전삽 끝에 찍혀 나오는 백골을 뽑아내며
애빈 구체적인 적에 대해 생각했지.

(…)

뒤숭숭한 소문은 임진강 따라 흘러내리고
애빈 밤마다 척후조장이 되어
칼빈 M₂를 들고 적을 찾아다녔다.
그 깜깜한 참나무숲 어디선가
안전장치를 풀도록 명령을 내리고 있는
크고 확실한 적을 찾아다녔다.

— 졸시 〈삼대 4. 산병호〉 중에서

제대 후 아버지는 잠결에도 비명에 가까운 큰 소리를 지르시는 일이 많았습니다. 그 때문에 같이 자던 식구들이 놀라서 깨는 밤도 많았습니다. 스무 살이 넘어서까지 나는 그 소리를 듣고 살았습니다. 잠을 자다가도 만나는 두려움과 공포는 어둠 속에서 갑자기 포탄이 터지고 총소리가 쏟아지고 동료들이 죽어 나가던 백마고지, 그 처절한 살육이 끝없이 반복되던 전쟁의 기억 때문은 아닐까 하는 생각을 합니다. 낮에 다시 살기 위해 참호를 파는 동안 동료들의 해골이 야전삽 끝에 찍혀 나오던 전쟁터에서 살아 돌아오긴 했으나 어둠 속에 잠기기만 하면 되살아나는 공포의 기억에서 비롯된 비명이었을지도 모른다는 생각을 합니다.

아버지는 할아버지가 작은아버지의 지병을 치료하려고 전답을 모두 헐값으로 팔아버려 농사지을 땅 한 뙈기 없는 걸 보고 살길을 찾아 청주시 운천동 산직말로 나오셨습니다. 나는 전쟁이 끝난 이듬해 산직말의 이 오막살이집에서 태어났습니다. 방으로 들어가려면 허리를 잔뜩 굽히고 들어가야 하는 작은 초가집이었습니다. 이 동네는 현존하는 세계 최고의 금속활자인 직지심체요절을 찍은 흥덕사 터가 있는 동네입니다. 동네 사람들이 논에서 불상을 줍기도 했고 아주머니들이 모여서 빨래를 하던 널따란 돌이 신라시대의 비석인 것이 확인되기도 했던 청주시 변두리 동네입니다.

까마득하던 날의 수제비

청주에서 일을 찾아 증평으로 오신 아버지는 크고 작은 사업을 시작하셨습니다. 다른 지방에서 곡물을 사다 파는 일도 하셨고, 군납을 하기도 했습니다. 나는 강보에 싸인 채 증평으로 와서 열한 살까지 살았습니다. 증평에서 살던 10여 년은 내게 여러 가지 행복한 기억을 남겨주었습니다. 그러나 그 행복한 장면들은 열몇 살에 끝나고 말았습니다. 아버지가 군납을 하다 크게 실패하는 바람에 집안은 거덜이 나고 말았습니다.

갑자기 찾아온 파탄으로 식구들은 뿔뿔이 흩어져야 했습니다. 아버지와 어머니는 강원도 원주로 떠나셨습니다. 무일푼에 적수공권으로 울면서 헤어져야 하는 이별이 찾아온 것입니다. 나는 외가에 몸을 의탁하게 되었고, 앞 못 보는 할아버지도 모시고 갈 수 없어 둘째 고모 댁에 부탁하고 떠나야 하는 이별이었습니다. 그때 진 빚을 다 갚지 못해 동업을 했던 이가 수십 년 동안 찾아다니며 빚 독촉하는 걸 지켜보기도 했습니다. 청주에서 중학교를 다닐 때 아버지와 동업을 했던 이가 학교로 찾아와 아주 친절하고 다정한(?) 목소리로 아버지 있는 곳을 물어보던 기억이 있습니다.

나는 그림 그리는 걸 좋아했습니다. 초등학교 때도 신문지에 크레용으로 무언가를 그리는 게 좋았고, 중학교 때는 만화를 곧잘 그렸습니다. 내가 그린 만화를 동네 애들이 5원, 10원씩 주고 사 가기도 했습니다. 미술 시간에 크리스마스카드를 그려 그것으로 문화원에서 전시회를 열어 불우이웃돕기 바자회를 한 적이 있는데, 다른 친구들의 카드는 보통 500원에 팔렸지만, 내 것은 2,000원, 3,000원에 나가곤 했습니다.

종례가 끝나면 나는 도서실로 달려가 책을 읽었습니다. 내가 다니던 청주중학교는 도내에서 제일 크고 좋은 도서실을 갖추고 있었는데, 완전 개가식으로 운영했습니다. 그래서 먼저 들어간 사람이 자기 마음에 드는 책을 직접 골라 올 수 있었습니다. 도서실 서가에 들어가 이 책 저 책을 뒤적이는 일이 참 좋았습니다. 문학 전집, 공상과학 소설, 〈학원〉 같은 학생 잡지에서 과학 잡지까지 닥치는 대로 읽었습니다.

친구들이 문제집을 풀고 있을 때 도서실에서 책을 읽었습니다. 나도 참고서나 문제집 한 권씩만 있으면 얼마나 좋을까 하고 바랐지만 참고서를 사줄 아버지가 옆에 있지 않았습니다. 친구들이 수학여행을 갈 때 같이 갈 수 없었고, 내일 소풍을 간다고 도시락을 싸달라고 말할 어머니가 곁에 없어서 그냥 빈손으로 소풍을 따라갔다 오곤 했습니다. 수학여행을 갈 형편이 안 되는 애들은 학교에 나와 있었는데 그중에 하루 정도 여행을 다녀올 형편이 되는 애들은 돈을 걷어 선생님이 속리산으로 데리고 갔습니다. 거기도 갈 수 없는 애들 몇은 남아서 정구장 롤러로 선생님들이 정구를 치는 정구장 바닥 다지는 일을 했습니다. 진종일 커다란 시멘트로 된 롤러를 끌면서 정구장을 밀고 나니, 선생님은 다시 운동장가에 심어져 있는 나무의 송충이 잡는 일을 시켰습니다. 친구들이 여행을 떠난 텅 빈 운동장 한 귀퉁이에서 송충이를 잡아 깡통에 넣던 일은 상처가 되어 오래 남아 있습니다.

아버지, 어머니는 1년에 두 번 방학 때가 되어야 볼 수 있었습니다. 아버지, 어머니가 보고 싶을 때는 편지를 썼습니다. 어떤 때는 눈물을 질금거리며 '부모님전 상서'를 썼습니다. 국어 선생님이 가르쳐준 대로 계절 인사 몇 줄을 쓰기 위해 계절의 변화를 세심히 살폈고, 비가 오는지, 무슨 꽃이 피는지, 별이 어떻게 떴는지를 살피곤 했습니다. 그렇게 주위의 정경에 관심을 갖는 것이 글 쓰는 일을 하며 살아가는 데 아주 중요하다는 사실을 그때는 몰랐습니다.

편지를 받으면 아버지는 답장을 보내주시곤 했는데, 편지는 올 때마다 주소가 바뀌었습니다. 편지 봉투에 쓰여 있는 주소를 들고 방학 때면 아버지, 어머니를 찾아갔습니다. 외롭다는 생각, 혼자 있다는 생각, 가난 때문에 받았던 상처가 나를 글 쓰는 사람이 되게 했는지도 모른다는 생각을 합니다.

외가에서 먹여주고 돌봐주셔서 3년간 중학교를 다닌 뒤 원주에 있는 고등학교로 진학했습니다. 성적에 따라 학교를 어디로 갈 것인지 생각하기보다 그냥 아버지, 어머니와 같이 지내며 학교를 다니고 싶은 마음이 더 컸습니다. 고등학교에 입학했을 때 어머니와 아버지는 원주시 변두리인 태장동에 살고 계셨습니다. 구멍가게를 하기도 하고 국수틀을 돌리기도 하던 아버지는 거기서도 정착하지 못하고 떠돌았

습니다. 그러다 경기도 어딘가로 또 떠나시고 어머니가 원주 근교로
멸치 장사를 다니며 겨우겨우 살아가고 있었습니다.

　고등학생인 나는 멸치 장사를 나간 어머니를 기다리며 저녁 준비를
했습니다. 팔다 남은 멸치로 국물을 우려내며 수제비를 끓이는 날이
많았습니다. 땅거미가 지고 어머니가 오실 때를 기다리며 부엌에 올
려놓은 냄비에선 오래 물이 끓어도 어머니의 귀가가 늦어지는 날이
있었습니다. 그러면 기다리던 동생들과 노래를 불렀습니다.

　"엄마가 섬 그늘에 굴 따러 가면 / 아기가 혼자 남아 집을 보다가 /

바다가 불러주는 자장노래에 / 팔 베고 스르르르 잠이 듭니다" 하는 노래를 부르다가 눈물이 맺히곤 했습니다. 그 노래는 엄마를 기다리는 아기를 노래하기도 하지만, "다 못 찬 굴 바구니 머리에 이고 / 엄마는 모랫길을 달려" 오듯이 엄마도 아기가 걱정되어 달려오고 있을 거라고 믿는 마음이기도 했습니다. 노래를 불러도 불러도 어머니는 오지 않고 기다리다 허기에 지친 동생들은 들마루에 쓰러져 잠이 들었습니다. 잠든 동생들의 얼굴 위로 어둠이 점점 짙게 내려앉고 있었습니다.

둔내장으로 멸치를 팔러 간

어머니는 오지 않았다.

미루나무 잎들은 사정없이 흔들리고

얇은 냄비에선 곤두박질치며

물이 끓었다.

동생들은 들마루 끝 까무룩 잠들고

1군 사령부 수송대 트럭들이

저녁 냇물 건져 차를 닦고 기름을 빼고

줄불 길게 밝히며

어머니 돌아오실

북쪽길 거슬러 달려가고 있었다.

경기도 어딘가로 떠난 아버지는 소식 끊기고

이름 지을 수 없는 까마득함들을

뚝뚝 떼어 넣으며 수제비를 끓였다.

어둠이 하늘 끝자락 길게 끌어

허기처럼 몸을 덮으며 내려오고 있었다.

국물이 말갛게 우러나던 우리들의 기다림

함지박 가득 반짝이는 어둠을 이고

쓰러질 듯 문 들어설 어머니 마른 멸치 냄새가

부엌 바닥 눅눅히 고이곤 하였다.

— 졸시 〈수제비〉 전문

그래도 그때는 매일 저녁 팔다 남은 멸치 부스러기를 넣어 끓인 국물에 수제비 정도는 끓여 먹을 수 있었습니다. 아버지를 찾아 어머니마저 떠난 뒤에는 먹을 양식이 있다 없다 했습니다. 아르바이트해서연탄을 사기도 했지만 그것으로 연명하기는 힘들었습니다. 저녁을 굶고 학교에 남아 밤공부를 하다 허기를 못 참아 있는 돈을 다 털어 마련할 수 있는 것이 건빵 한 봉지뿐이던 날도 있었습니다. 쌀이 떨어진걸 보고 친구들이 자루를 들고 여러 친구 집을 다니며 한두 됫박씩 걷어다 마루에 던져두고 간 날도 있었습니다.

수업료를 안 낸 사람이 나 혼자라서 교무실에 불려갔는데, 언제까지 낼 수 있느냐고 묻는 담임선생님 질문에 대답할 수가 없었습니다. 언제까지 줄 수 있는지 물어볼 어머니, 아버지가 옆에 있지 않았기 때문입니다. 학교에서 자전거를 타고 돌아오다 사는 게 너무 힘들어서강둑에 자전거를 세워놓고 쪼그려 앉아 울었습니다.

서정주 시인은 "나를 키운 건 팔 할이 바람이었다"고 노래했는데, 나를 키운 건 팔 할이 가난함과 외로움이었습니다.

원주는 추운 곳이다

　　청주에서 완행버스를 타고 강원도 원주까지 가는 길은 참 멀었습니다. 지금은 승용차로 두 시간 반 정도면 가는 길이지만 옛날에는 대여섯 시간 이상 걸렸습니다. 버스의 창틈이나 환풍구로 들어오는 겨울바람에 발이 꽁꽁 얼어붙곤 했습니다. 증평, 음성, 충주를 지나 소태재를 넘으면 양안치라는 고개가 있습니다. 그 고개를 넘어야 원주로 갈 수 있었습니다. 방학이 되면 그 고개를 넘어 아버지가 있는 원주로 갔다가 그 고개를 넘어 다시 청주로 오곤 했는데 겨울에 양안치 고개를 넘던 기억이 강한 이미지로 남아 지워지지 않습니다.

　　양안치는 적수공권으로 고향 떠난 아버지 찾아 열몇 살 어린 나이에 내가 혼자 강원도 땅으로 들어서며 처음 만난 고개였다 백마령 넘고 목행과 목계 지날 때까지도 겨울 들녘과 나루터 감싸 안고 돌아 흐르는 강물이 아름다워 참을 만했는데 소태재 넘으면서 온몸

을 조여오는 바람에 몸이 덜커덕덜커덕 소리를 내며 떨렸다 돌멩이
를 만지고 있는 듯 딱딱하게 얼어가는 발 발이 시려 발가락 꼼지락
거릴 때마다 눈물이 맺혔다

(…)

양안치를 넘은 것이 내 인생에 거센 바람 몰아치는 많은 고개가
있을 것임을 미리 알려주는 첫 여행이란 걸 그땐 몰랐다 어렵게 고
개를 넘고 나면 또 고개를 만나고 그 고개 다 넘어서 만나는 것 또
한 낯설고 차가운 풍경 경계의 눈초리 늦추지 않는 시선 새로 만나
는 쓸쓸함과 눈발처럼 날아와 언 몸을 때리는 가난 그리고 끝없는
바람 그런 것들이 될 것임을 그땐 몰랐다 내 생의 남은 날들이 그럴
것임을 그땐 몰랐다

— 졸시 〈양안치 고개를 넘으며〉 중에서

눈 쌓인 산길 바로 아래는 낭떠러지가 이어지고 있었고, 고갯길 옆
산 쪽으로는 밤새 쌓인 눈의 무게를 견디지 못한 소나무들이 가지를
부러뜨린 채 기울어져 있었습니다. 우두둑 하고 가지가 꺾이는 소리
를 들을 때도 있었습니다. 그런 고개를 버스는 거의 기다시피 해서 넘
곤 했습니다. 그 고개를 겨우 넘고 나면 몇 개의 검문소가 기다리고
있었는데, 총을 든 군인들이 버스 안으로 들어와 승객들을 검문하곤
했습니다. 이런 낯설고 으스스한 풍경을 지나야 원주로 들어갈 수 있
었습니다.

어려서 경험한 이 겨울 여행은 앞으로 내 인생에 이보다 더 험한 수
많은 고개가 기다리고 있을 것임을 미리 알려주려는 신탁 같은 것은

아니었나 하고 생각할 때가 있습니다. 지금도 "고개 앞에 서면 언제나 큰 싸움을 앞에 둔 사람처럼 주먹이 쥐어지"고 "결연한 자세로 돌아서고 몸이 먼저 긴장하는 이유는 무엇일까" 하는 생각을 합니다. "낯선 곳을 떠도는 눈발처럼 허망하고 시리고 쓸쓸한 것들도 저희끼리 모여 단단해지며 나뭇가지를 꺾던 기억이 떠오르고 낯선 곳에도 언제나 낯선 곳에서 다시 시작하는 길이 있다는 걸 기억하"(졸시 〈양안치 고개를 넘으며〉 중에서)게 됩니다.

그렇게 고개를 넘어 다니다 아버지, 어머니가 계신 곳에서 함께 지내고 싶은 생각에 나는 원주에서 고등학교를 다니기로 하였습니다. 그 당시 원주는 장일순 선생과 지학순 주교가 계시던 곳이었습니다. 반유신 민주화 운동의 메카였습니다. 1965년 지학순 주교가 원주교구의 초대 교구장으로 부임해오시면서 장일순 선생과 만나 한국의 교회와 사회를 바꾸는 일을 시작하셨던 것입니다. 3년 뒤인 1968년 장일순 선생은 신용협동조합 운동을 시작하셨고, 내가 고등학교 2학년이던 1971년에는 원주 MBC의 경영권을 쥐고 있던 5·16 재단의 부정부패를 규탄하는 가두시위가 열리곤 했습니다.

1974년에 민청학련 사건으로 사형을 선고받은 김지하 시인도 원주 캠프의 일원이었습니다. 김지하 시인의 뒤에는 장일순 선생이 계셨습니다. 아니 박경리 선생도 외롭게 소설을 쓰고 계셨습니다. 그러나 고등학생이던 내게 원주는 추운 도시로 각인되어 있었습니다.

원주는 추운 곳이다 겨울이 아닌 때도 춥다* 아버지는 몇 달째 소식이 없고 수업료 때문에 교무실에 불려갔다가 혼자 오는 초겨울

저녁길 핸들도 더 이상 내 손을 잡을 수 없을 정도로 몸이 굳어 강둑에 자전거를 세워놓고 쪼그려 앉아 울었다 종일 별로 먹은 게 없었으므로 더 추웠다 도시 주변엔 총을 든 군인들이 많아서 냉랭하였고 한번 얼어붙으면 개천의 얼음도 사람도 몸을 잘 풀려 하지 않았다

동네 한쪽 벌판 가운데는 고아원이 있었고 나보다 더 큰 고아들이 떼로 몰려다니다 골목에서 슬쩍 내 사타구니를 훑고는 낄낄거리며 빠져나갔다 물 건너 학성동 재석이네 동네에 사는 여자들은 한낮이 될 때까지 자고 느직하게 물가에 나와 벗은 채 몸을 씻었다 강둑 이쪽에 엎드려 그 여자들의 거웃을 구경하곤 했다

그림을 그리고 싶었지만 배가 고파서 접어야 했다 사랑채에 사는 여학생은 나보다 더 추워 1학년을 다니다 말고 극장 매표소에 앉아 있었다. 영화 구경 할 돈은 없고 극장 주위를 맴돌며 간판을 그리며 살까 하는 생각을 했다 그 시인의 아버지가 군인극장에서 영사기를 돌렸다는 건 아주 뒷날에야 알았다

쫓기는 시인을 숨겨 주곤 했다는 성당의 종소리도 그때는 듣지 못했다 내가 둑길을 따라 태장동에서 개운동까지 타고 다니는 녹슨 자전거 종을 따르르르릉 하고 울리느라 잘 듣지 못했을 것이다 역전 근처나 군고구마 파는 길가에서 장일순 선생을 만났다 해도 알아보지 못했을 것이다 나는 장 선생보다 장작불에 탄 고구마 얼굴의 한쪽 그늘을 쳐다보고 있었을 것이다

원주는 추운 곳이다 겨울이 아닌 때도 춥다 어깨 부빌 거리도 없고 기대어 볼 만한 언덕도 없었다* 어머니가 아버지를 찾아 떠난 뒤

에는 더 그랬다 온기 잃은 칙칙한 교련복 한 벌 휑뎅그렁하게 걸려 있는 빈 방을 나도 어떻게 위로해 줄 수 없어 자주 자위를 하곤 했다 아무도 없어서 나도 아버지 어머니를 찾아 원주를 떠난 뒤에도 발에 박힌 얼음은 오래 남아 살을 찌르곤 했다

그 추운 곳에서 박 선생님은 어떻게 소설에만 매달렸을까 매달릴 것이 아무것도 없던 나는 오랫동안 그쪽을 쳐다보려 하지 않았다 친구들이 패싸움을 하다 자전거 체인 줄에 맞고 무릎을 꿇은 단구동 쪽은 돌아보기만 해도 찬바람이 몰려왔으므로 에돌아 다녔다

외로움이 한 사람의 생을 밀고 가는 도시 너무 추워 스스로 온기를 만들어 내야 하는 도시 이제 슬픔도 적빈도 고양이 울음도 다시 살갑게 다가오는 도시 공중전화 박스에 들어가 그 여자에게 사라진 군인극장 근처로 나와 달라고 고등학생 목소리로 속삭이고 싶은 아픈 사랑의 도시, 원주

— 졸시 〈원주〉 전문

시에서 * 표시를 한 두 곳은 박경리 선생의 시 〈객지〉에 나오는 부분입니다. 박경리 선생이 그랬듯이 내게도 원주는 추운 곳이었습니다. "외로움이 한 사람의 생을 밀고 가는 도시"였습니다.

박경리 선생이 "나를 지켜주는 것은 / 오로지 적막뿐이었다"고 말씀하신 곳, 대문 밖에는 늑대와 여우와 까치독사와 하이에나가 으르렁거려 문을 걸어 잠그고 혼자 소설을 쓰신 곳, 원주는 내게도 사방이 짐승들과 적막과 매서운 바람뿐인 도시였습니다. "내 영혼이 / 의지할 곳 없어 항간을 떠돌고 있을 때"였고, "내 영혼이 / 뱀처럼 배를 깔

고 갈밭을 헤맬 때"였습니다. 그래서 그분들이 "산마루 헐벗은 바위에 앉아 / 나를 바라보고 있"(박경리, 〈우주 만상 속의 당신〉 중에서)으리라는 생각을 하지 못했습니다.

장일순 선생이 봉산동 집에서 시내까지 20분이면 족한 거리를 두세 시간씩 걸으며 길가의 좌판 장수, 식당 주인, 농사꾼, 소매치기를 가리지 않고 살림살이며 세상 사는 이야기를 하셨다지만, 나는 원주에서 그분을 직접 뵙지 못했습니다. 난초 그림을 오래 그리셨으면서도 길거리 군고구마 장수가 쓴 '군고구마'라는 글씨가 절박함으로 보나 따뜻함으로 보나 정말로 살아 있는 생명력 있는 글씨라고 말씀하셨습니다. 그러나 그 군고구마 리어카 앞에서 무위당 선생을 만났어도 그때는 알아보지 못했을 겁니다.

사랑채에 사는 여자애가 고등학교를 그만두고 군인극장 매표소에 앉아서 표를 파는 걸 알고는 극장 주위를 맴돌곤 했는데, 그 극장에서 김지하 시인의 아버지가 영사기를 돌리고 있다는 걸 그때는 몰랐습니다.

화가가 되고 싶던 열망과 플랜더스의 개

"어떻게 해서 시인이 되었어요?" 하는 질문을 받을 때가 있습니다.

나는 "길을 잘못 들어서 시인이 되었어요" 하고 대답합니다.

그러면 사람들이 웃습니다. 나는 어릴 때 나중에 크면 그림 그리는 일을 하며 살 거라고 생각했습니다. 나는 어려서부터 그림 그리는 걸 좋아했습니다. 초등학교 때는 도화지가 부족하면 신문지에다 크레용으로 그림을 그렸습니다. 초등학교 5, 6학년 때나 중학교 때는 만화에 폭 빠져 있던 때이기도 해서 만화 그리는 걸 좋아했습니다. 내가 그린 만화를 동네 애들이 5원이나 10원을 주고 사 가기도 했습니다.

중학교 때 미술 선생님은 재미있는 분이셨습니다. 똑같은 이야기도 재미있게 하셔서 미술 시간에는 늘 웃음이 넘쳐났으며, 실력도 좋아 아이들이 잘 따랐습니다. 수업 중에 설명을 하시면서 힘들이지 않고 칠판에 슥슥 그림을 그리시면 우리는 분필이 만들어내는 형상에 감탄하며 공책에 따라 그리곤 했습니다.

방학 숙제로 유명한 화가들의 그림을 모아오는 숙제를 내주신 적이 있는데, 외사촌 형들이 사용하고 쌓아둔 미술 교과서나 잡지 같은 데서 그림을 모아 스크랩하면서 인상파 화가들의 그림에 매료되기도 했습니다. 모네의 〈수련〉, 고갱의 〈타히티 여인들〉, 고흐의 〈자화상〉이나 〈해바라기〉 등이 특히 인상적이었습니다. 쿠르베의 〈돌 깨는 사람들〉이 주는 묵직한 사실주의 그림의 무게나 자코메티의 조각이 주는 가늘고 긴 인체로 형상화한 독특한 아름다움도 좋았지만 고갱의 그림이 주는 원색의 강렬함과 원시성에 더 끌리곤 했습니다.

황토색이나 붉고 노란 원색으로 처리한 〈타히티 여인들〉의 그림을 그대로 모방하여 그려보기도 하고, 미술 선생님께 배운 대로 화학 염료를 사용하여 유리판을 얇게 파 나가며 그 선들 위에 채색을 입힌 타히티 여인들을 만들기도 했습니다. 그런 방식으로 김홍도의 〈맹호도〉를 유리판에 새겨보기도 했습니다. 귀를 자른 채 얼굴 한쪽을 흰 붕대로 싸매고 있는 고흐의 눈빛과 〈자화상〉의 바탕이 된 붉은색은 강렬하게 사람을 잡아끄는 매력이 있었습니다.

한번은 수업 중에 인상주의 선구자인 마네가 〈풀밭 위의 점심〉이란 작품을 출품했다가 낙선했는데 그 작품들로 낙선자 전시회를 열었다는 이야기를 하신 적이 있습니다. 선생님의 이야기를 들으면서 낙선자 전시회라는 이름이 얼마나 멋있어 보이던지요. 기존의 체제나 구조에 편입되려 하지 않고 자신들의 예술 세계를 지켜나가는 배짱이나 불온함이 마음에 들었습니다. 역사적·신화적 배경이 없는 인물 그림을 그리거나 데생이나 색채, 원근, 명암 같은 기본을 지키지 않고 미완성 초벌 그림처럼 희미한 순간의 인상만 그려놓았다고 조롱당하고

멸시를 받았음에도 그 경멸의 언어를 기꺼이 자기들의 이름으로 삼은 인상파 화가들의 자세가 멋있어 보였습니다.

겨울에는 미술 시간에 그린 크리스마스카드와 연하장을 모아 문화원 전시관에서 바자회를 연 적이 있습니다. 학생들이 그린 그림이지만 선생님과 어른들이 많이 사주셨습니다. 대개 카드 한 장에 500원에 사주셨는데 제 그림은 3,000원에 팔렸다고 미술 선생님이 좋아하셨습니다. 그때는 성탄절이나 연말연시가 다가오면 크리스마스카드나 연하장을 보내는 것이 큰 인사 중 하나였습니다.

그때부터 해마다 12월이 되면 나는 직접 크리스마스카드를 그려서 친구나 어른들께 보내곤 했습니다. 녹색의 색지에 한 척의 정박한 거룻배나 장승의 토속적인 아름다움, 겹쳐지며 뻗어나가는 산의 능선과 그 위를 나는 몇 마리의 학을 그려 채색해 흰 카드지에 붙이면 예쁜 카드가 되었습니다. 도시락 상자를 만드는 얇은 직사각형의 나뭇조각을 불에 달군 쇠로 지져서 다양한 모양을 만든 다음에 그걸 붙이고 간단한 삽화를 곁들여 새로운 연하장을 만들기도 했습니다. 작은 소품

일 뿐이지만 정성을 들여 직접 만든 작품이라서 받는 사람들이 좋아했습니다. 고등학교 때 그린 그림 중 한 점은 원주시와 자매결연한 미국의 어느 도시에 걸리기도 했습니다.

그러나 정작 대학에 진학해야 할 때는 미대에 갈 수가 없었습니다. 미대는 돈이 많이 들기 때문이었습니다. 아니 미대가 아니라 대학 자체를 갈 형편이 안 되었습니다. 대학을 가겠다고 하면 보내줄 수 있는지 상의할 부모가 옆에 계시지 않았습니다. 대학 진학을 포기한 상태로 있다가 결국 국가에서 등록금 전액을 대주는 국립사범대를 선택하게 되었는데 학과를 정할 때도 돈이 제일 적게 들어 보이는 과를 골랐습니다. 그게 국어교육과였습니다. 대학은 고향에 있는 국립사범대를 선택했습니다.

그 무렵 아버지, 어머니와 동생들이 도시 빈민이 되어 여기저기를 전전하다 다시 고향인 청주로 내려와 있었기 때문입니다. 월세 2,000원짜리 단칸방에 식구들은 오글오글 모여 있었습니다. 그 윗목에 나도 고단한 영혼을 부려놓고 차갑게 앉아 있었습니다.

남아 있는 물감을 팔레트에 짜서 몇 점의 소품을 그리다가 나는 천천히 붓을 놓아야 했습니다. 영국의 여류 작가 위다의 작품 〈플랜더스의 개〉에 나오는 주인공 소년 네로를 생각했습니다. 콩쿠르에 출품한 작품은 낙선하고, 사랑하는 아로아는 만날 수 없고, 눈발은 몰아치는데, 의지할 단 한 사람 할아버지마저 세상을 뜬 뒤, 그렇게 보고 싶던 루벤스의 그림 밑에서 쓸쓸히 얼어 죽어가던 영혼을 생각했습니다.

성실하고 착하게 살아도 가난하게 죽어갈 수밖에 없는 삶, 마을 공동체에서 소외당하고, 정직해도 그 정직함을 알아주지 않는 세상, 순진한 사랑의 마음만으로는 넘을 수 없는 계급의 벽 앞에서 배척당한 뒤, 죽고 나서야 동정을 받는 한 소년의 생에 대해 생각했습니다. 외롭고 가난해서 화가가 될 수 없던 주인공 소년을. 지금도 그 소년은 내 가슴에 남아 차가운 눈밭 속을 혼자 걸어가고 있습니다.

화가가 되는 길과는 전혀 다른 길을 걷고 있다는 좌절이 나를 술 마시게 했습니다. 원하는 대학에 갈 수 없고, 하고 싶은 걸 할 수 없다는 자괴감이 나를 절망하게 했습니다. 그 절망과 좌절이 폭음과 만행으로 이어지곤 했습니다. 책가방에 소주병, 소주잔을 넣어 가지고 다니다 교수님이 돌아서서 판서를 하는 동안 술병을 꺼내 따라 마시기도 했습니다. 교정 어딘가에 쓰러져 있는 나를 친구들이 발견해서 자취방에 끌어다 놓았다는데 전혀 기억이 없는 날도 있었습니다.

그런 나를 문학에 끼가 있어서 그러는 줄 알고 선배들이 문학 동아리로 불러들이는 바람에, 그때 그만 길을 잘못 들어 문학의 길로 가게 되었습니다. 서툴고, 미숙하고, 되바라지고, 대책 없는 채, 객기로 충만한 20대가 지나가던 어느 날 중학교 때 미술 선생님이 전시회를 한다는 포스터를 길에서 보았습니다.

선생님, 모래밭이 있는 당신의 화폭을 지나 물방울 모래 한 알 버리지 않고 소중히 걸어가신 당신의 맨발을 만났습니다.

졸업식날 선생님께서 주신 만든 꽃 세 송이를 한 해가 멀게 옮기는 이삿짐마다 꾸려 넣은 것은 저도 아름다운 화가가 되리라는 소망이어서 먼지 덮이는 삶을 늦도록 뉘우치지 않았습니다.

선생님께 배운 밑그림으론 자화상을 그리기가 가장 좋아 빛과 어둠 목탄으로 새기며 오래도록 여백에 넣을 정지된 풍경을 떠올리곤 했지요.

(…)

선생님, 삶은 추상화일 수 없고 어느 아름다움도 사람의 일과 떨어져 있는 것은 없습니다. 외곬으로 떨어지는 물방울은 아름답습니다. 그러나 살아 있는 삶의 방울일 때 더 아름답지 않습니까.

십오 년 가까이 못 뵈온 선생님을 오늘 화랑에서 그림으로만 뵈옵고 물러갑니다.

— 졸시 〈화랑에서〉 중에서

미술 선생님은 그때 물방울을 그리고 계셨습니다. 극사실주의로 그리는 물방울은 아름다웠습니다. 그러나 나는 화가의 길을 가고 있는 선생님의 그림이 불온하지 않아서 마음에 들지 않았습니다. 나의 생각도 삶도 불온하기 짝이 없던 시절이었습니다.

내 어린 날의 빙하기

 가난했기 때문에 고독했습니다. 가난하다는 것과 고독하다는 것은 물론 별개의 문제입니다. 그렇지만 20대가 된 나는 가난했기 때문에 고독하게 살았습니다. 가난했기 때문에 남들과 잘 어울리고 싶어 하지 않았습니다. 가난은 내 성격을 점점 내성적이고 폐쇄적인 곳으로 끌고 갔습니다. 옆집에 사는 동기와도 별로 이야기하고 싶지 않았고, 고개를 돌려 사람들을 보려고도 하지 않았습니다. 아침 스쿨버스에서 만나는 사람들과도 말을 잘 하지 않았고, 고개를 숙인 채 시선을 내리깔거나 눈을 감고 있었습니다. 집에 오면 잘 나가지 않고 방에만 틀어박혀 니체의 《차라투스트라는 이렇게 말했다》나 이상의 소설을 읽고 있는 나를 볼 때면 아버지는 "암사내처럼 어째 저 모양이냐" 하고 한숨을 쉬셨습니다.

나도 답답할 때는 방을 나와 무심천 둑을 걸었습니다. 하류 쪽으로 걸어가다 강둑이나 논가에 앉아 노을을 바라보았습니다. 잿빛 구름에 엉긴 채 능금빛으로 타오르는 노을은 고독할 때 시간을 보내기에 좋은 무대였습니다. 노을을 보며 네로의 손에 불타는 도시 로마를 떠올렸습니다. 다 태우고 난 뒤 그 위에 새로 세우고 싶은 도시를 그려보았습니다. 고흐의 〈불타는 밀밭〉을 생각하는 동안 교회당 종소리가 들려오고 새 떼가 날아갔습니다. 화전민의 아들이 되고 싶고, 타히티에 가 보고 싶고, 붉은 포도주 한 잔을 마시고 싶었습니다. 양귀비꽃 속에 묻혀 샤갈의 〈마을 위의 여인〉처럼 떠다니는 꿈을 꾸거나, 비발디의 〈사계〉 제3악장 가을, 그 선율 속의 불의 축제를 그려보았습니다. 뒤돌아볼 틈도 없이 불꽃처럼 살다 가는 예술가들의 짧은 생을 생각했습니다.

미운 오리 새끼와 알리샤와 제롬을, 카추샤의 그 남자를, 베르테르를, 히스클리프를, 레기네와 키르케고르를 좋아했고 건드리면 터져버

릴 것 같은 시로 꽉 차 있는 시인을 생각했습니다. 그렇게 꼼짝 않고 노을을 바라보는 동안 작은 청개구리가 무릎 위로 올라와 같이 앉아 있곤 했습니다. 사람이 아닐 거라고 생각하는 것 같았습니다. 노을은 머리 뒤통수로부터 시작한 어둠에 야금야금 갉아먹히고 있었습니다. "황혼과 함께 이어 별과 밤은 오리니 / 삶은 오직 갈수록 쓸쓸하고 / 사랑은 한갓 괴로울 뿐", 이렇게 이어지는 박두진 시인의 시 〈도봉〉을 떠올렸습니다. 올 때처럼 〈이사도라〉의 음률을 그늘진 휘파람으로 따라 부르며 돌아왔습니다.

벌목을 하다 잠시 쉴 때면 자작나무에 등을 기댄 채 떨어진 자작나무 껍질 주워 편지를 쓰곤 했다 자작나무 껍질은 희고 얇아서 마

음의 몇 조각을 옮겨 적기에 알맞았다 백 년에 이백여 리씩 녹으며 후진하는 빙하가 남긴 영토를 따라 우리는 북쪽으로 올라갔다 야크와 순록과 여우가 먼저 올라갔고 늑대의 발자국을 따라 우리가 그 뒤를 따랐다

빙하기로부터 시작한 내 어린 날의 결빙이 언제 풀릴지 그때는 짐작할 수 없었다 월세 이천 원짜리 쪽방에 기거하는 동안 연탄불이 자주 꺼졌다 손도끼로 침엽수 도막을 잘게 부수어 십구공탄에 불을 붙이는 동안 삶은 매캐했고 문짝도 없는 부엌부터 일찍 어두워졌다 내가 눕는 윗목에는 그릇의 물이 바로바로 얼었고 내 몸도 밤새 달그락거렸다

추운 지방에 사는 사람들이 늘 그렇듯 나는 말이 없었다 한마을에 사는 친구와도 졸업 때까지 두세 마디 짧은 말밖에 주고받지 않았다 말을 할 때도 눈을 내리깔거나 시선을 피하는 것은 영하의 숲에 사는 이들의 특징이기도 했다 그러나 추위는 사람을 느리지만 끈질기게 만드는 힘이 있었다

흑야는 길었고 일찍 진 해는 늦게 떠올랐다 수렵을 그만둔 아버지도 정착할 곳을 정하지 못한 나도 각각 우울하였다 보드카는 추위를 이기기에 좋았다 고독한 늑대 한 마리 멀리서 측은하게 나를 바라볼 때도 있었다 그때 고독한 것들에게 보낸 자작나무 엽서는 어느 숲과 바람 속을 떠돌고 있을까 생각하는 저녁이면 어둠과 칼

바람이 친구처럼 찾아와 오래 곁에 머물곤 했다

— 졸시 〈빙하기〉 전문

아버지는 도시락 대신 소주병 하나를 싸들고 일을 나가셨고, 정착할 곳을 찾아 추운 땅으로 옮겨다니는 우리의 겨울은 언제 끝날지 알수 없었습니다. 나는 자주 우울했습니다. 그러나 빙하기를 사는 동안 추위는 사람을 끈질기게 만드는 힘이 있다는 걸 알게 되었습니다. 겨울방학 때는 나도 아버지처럼 노동을 했습니다. 엽연초 제조창에 나가 담배 가마니를 지어 나르는 동안 하루에 장갑 한 개가 다 닳아 없어지곤 했습니다. 15명이 한 조가 되어 30톤 정도를 지어 나르면 일당 600~700원을 벌었습니다. 담배 가마니를 까마득하게 실은 리어카를 끌고 커브를 돌다가 무게를 이기지 못해 허공에 붕 뜬 채 리어카 손잡이에 스무 살 청춘이 대롱대롱 매달려 있을 때도 있었습니다.

세상이 마음에 안 들었습니다. 위선과 가식과 기만과 차별에 구역질 날 때도 많았습니다. 시시포스처럼 절망적인 노동을 끝없이 되풀이해야 하는 형벌을 받은 우리의 생이 미웠습니다. "계란과 같이 자체로서 충만해 있으며 산맥과 같이 변화가 없고 정말 자기가 생각하고 선택한 대로 인생을 사는 것이 아니고 남들로 인해서 마네킹처럼 허깨비처럼 움직이고 있을 뿐인 자기 기만의 세계, 부정이나 시간성이 없고 가능하지도 않고 필연적도 아니며 설명할 수도 없고, 근거도 없으며 우연적이고 부조리하며 아둔하고 불투명한 세계"(아르투르 휩셔, 〈사르트르〉, 《헤겔에서 하이데거로》 중에서), 그런 세계가 마음에 들지 않았습니다.

이런 세상을 향한 불만을 쏟아놓을 수 있는 통로, 세상을 향한 야유 그리고 반항을 지속적으로 할 수 있는 길을 찾고 싶었습니다. 이런 불만을 해결해보려는 노력을 사르트르는 '자유'라고 불렀습니다. 사르트르는 '자유는 의식과 동의어'라고 했습니다. 의식은 지각한다는 것으로, 혼돈스러운 사물들 사이에서 하나의 형태를 잘라내고 거기에 어떤 의미를 준다는 것입니다. 어렵기 그지없는 사르트르의 철학과 소설 《구토》를 읽거나 사르트르와 관련한 자료를 공책에 옮겨 적으며 나는 "불만이 있다는 것은 어떤 가능성이 있다는 것을 내포하며 가능성이 있다는 것은 자유가 있다는 것을 말하는데, 인간은 아무것도 아니기 때문에 무엇이 되어야 할 존재, 제 스스로 제 자신을 만들어 나가야 할 존재다"라는 데 밑줄을 그었습니다. "인간에겐 자유가 있고 자기의 인생을 선택할 가능성을 갖고 있기 때문에 한 인간에겐 이미 주어진 어떤 본질이 있는 것이 아니라 각 개인은 자기의 인생을 자기가 창조할 수 있다는 것"이라는 말이 눈길을 끌었습니다.

헤르만 헤세는 "인간은 누구나 자연의 단 한 번의 귀중한 실험이다. 모든 인간의 생애는 자기 자신에 도달하기 위한 하나의 길이다. 그것은 크고 넓은 길을 찾기 위한 시도이기도 하고, 작고 좁은 오솔길의 암시이기도 하다. 어떠한 사람도 완전히 자기 자신이 된 적은 없다. 그러나 누구나 다 자기 자신이 되려고 애쓰고 있다"고 말한 바 있습니다. 자기 자신에 도달하기 위한 과정을 헤세는 알이라고 하는 세계에서 빠져나오기 위해 하나의 세계를 파괴하지 않으면 안 되는 새에 견주어 이야기합니다. 그 새는 신 곁으로 날아가는데, 그 신의 이름은 아프락사스라고 했습니다. 아프락사스는 신적인 것과 악마적인 것의 결합, 환희와 전율의 병존, 가장 신성한 것과 가장 추악한 것의 뒤섞임, 티 없는 순결성 속에 남아 있는 죄의 냄새, 그것들이 결합한 이름이라는 데 우리의 눈은 멈추어 있었습니다. 그때 우리는 스무 살을 넘긴 지 몇 해가 되지 않았습니다.

우리의 고독과 불만과 구토를 창조와 자유와 파괴로 옮길 수 있는 길이 문학이라는 걸 우리는 직감으로 알 수 있었습니다. '미운 오리 새끼'라는 문학 모임을 만든 것은 대학교 3학년 봄이었습니다. 이런 날것 그대로의 이름 속에는 서툴고 미숙하고 반항적인 우리의 모습에 대한 시니컬한 해석이 들어 있었습니다. 우리는 눈총받고 손가락질받으며 사는 존재, 아무도 눈여겨보지 않는 존재라는 의미와 '새끼'라는 말 속에 들어 있는 자조와 경멸의 언어, 불온한 태도가 있었습니다. 그러나 또 한쪽에는 언젠가 백조가 되어 푸른 하늘을 날게 될 것이라는 상승 의지도 잠재되어 있는 이름이었습니다.

미운 오리 새끼

문학 모임 이름을 안데르센의 동화 제목인 '미운 오리 새끼'로 하자고 제안한 사람은 신동인 선배였습니다. 그는 같은 과 1년 선배였고 실질적으로 모임을 이끌어가는 사람이었습니다. 글을 쓰는 사람은 글을 쓰고, 철학에 관심이 있는 사람은 철학을 말하고, 그림을 그리고 싶은 사람은 그림 이야기를 하자고 했습니다. 신 선배는 모임을 시작하면서 세 가지 방향성에 대해 이야기했습니다. 일체의 형식을 배제하자는 무형식주의, 사상의 깊이를 다지기 위한 독서와 토론, 그리고 철저한 산문 정신, 이 세 가지였습니다.

작품을 쓰기 전에 문학과 철학 서적을 읽고 토론하고 생각의 깊이를 다지는 일이 우선해야 한다고 생각한 신 선배는 다른 문학 동아리에서 글을 쓰는 문학청년들을 보며 "너희는 똥만 누려 하는 놈들이고, 우리는 밥 먹는 놈들이다"라고 말했습니다. 뱃속에 들어찬 게 있어야 나오는 것도 있는 법인데, 든 것도 없이 내놓으려 하니 힘이 드는 거라고 말하곤 했습니다.

"수천 년 동안 우리는 물고기 대가리와 빵 부스러기를 찾아다녔다. 그러나 지금 우리는 살 이유를 가지고 있다. 배우고 발견하고 자유롭게 될 이유를 가지고 있다. 삶을 위한 의미와 더 높은 목적을 찾고 추구하는 갈매기보다 더 책임 있는 자가 누구겠는가?" 조너선 리빙스턴 시걸의 《갈매기의 꿈》에 나오는 글이지만 첫 번째 문학 토론 주제로는 아주 매력적이었습니다. 이 갈매기의 입을 통해 이야기되는 자유는 에리히 프롬의 '~으로부터의 자유'와 '~을 향한 자유'에 대한 이야기로 이어졌고, 사르트르가 실존주의 개념으로 이야기한 자유, 그리고 차라투스트라의 초인, 카뮈적인 반항에 대한 의미로 넓혀져갔습니다. 그리고 그것은 신과 인간의 문제, 도스토옙스키의 소설로 넘어갔습니다.

도스토옙스키 이야기로 넘어가면서 우리는 신 선배의 독서 양과 폭에 압도되고 말았습니다. 《카라마조프의 형제들》, 《악령》, 《백치》를 이야기할 때면 연방 술만 마셔야 했습니다. 아직 읽지 않은 책들의 이름이 그 선배의 입에서 쉬지 않고 쏟아져 나와 주눅이 들곤 했습니다. 키르케고르와 사르트르와 카프카와 플라톤으로 이어지는 논쟁은 해를 넘기면서도 계속되었습니다. 나는 장용학과 손창섭과 최인훈 등 국내 소설로 방향을 틀면서 논쟁에 참여했지만 마지막엔 술로 만신창이가 되어 끝나는 날이 대부분이었습니다. 나중에는 무슨 어설픈 검객이라도 된 것처럼 저잣거리에서 친구들을 만나면 논쟁을 하려고 대들었습니다. "내 살 네 살 베이는 것 아니면 만나지 말자"고 말하기도 했습니다.

흔들리면서 가을은 온다.
칼을 보여 다오, 친구여
그대 칼의 눈부심을 보여 다오.
그대가 벤 것을 보여 다오.

무너지면서 가을은 온다.
한 손에 칼을 들고
쓰러뜨린 것들 앞에 서서 돌아보던
풀 하나 흔들리지 않는
벌판을 보여 다오.

무너뜨리기 위하여 가을은 온다.
가을에는

내 살 네 살 베이는 것 아니면

만나지 말자, 가을에는

벌판이 아니면 만나지 말자.

무너지지 않는 한 가을은 가지 않는다

이 가을 한 자루 칼이 되어

네가 오너라, 친구여.

— 졸시 〈가을 평야〉 전문

　새로운 세계를 향해 뛰쳐나가고 싶은 열망에 싸여 있었지만, 그러
나 아직 대학교 3학년인 우리는 미숙하고 서툴고 어설프기 이를 데
없는 문학청년이었습니다. 우리는 무엇보다 고독하고 순진한 낭만주
의자들이었습니다. 신 선배의 여동생이 중학교 사환으로 있었는데 그
학교 등사기를 몰래 빌려 직접 철필로 쓰고 롤러로 밀어 문집을 찍었

습니다. 문집 두 번째 호 머리말에 나는 이렇게 썼습니다.

"미운 오리 새끼. 태어나서 같은 오리들뿐 아니라 나중에는 엄마 오리에게까지 미움을 받게 된 못생긴 오리 새끼는 분명한 목소리로 이렇게 이야기하였다. '저는 기어이 넓은 바깥세상으로 나아가고 싶어요.' 애초부터 획일적 일상은 우리의 쾌적한 보금자리가 못 되었다. 모든 사람을 안전하고 간편한 항로로 인도하는 나침반 구실을 하던 인습은 안일한 거점을 제공해주는 대가로 그 획일적 일상의 늪 안에 맹목적인 복종을 강요하고 있었던 것이며, 우리의 내적 신세리티의 말살을 강요하는 집념 깊은 폭군이었던 것이다. 왜 살아야 하는가 하는 '존재 이유'를 배워야 했었다. 우린 우리 스스로가 불러들인 불안과 절망과 니힐 앞에 끊임없이 방황하고 모색하고 고민하면서 그 앞에 좌절할 줄 모르는 견고한 '자아'를 간직하여야 한다. (…) 미운 오리 새끼! 지금 우리의 계절은 가을이다. 우린 가을까지 흘러온 어린 나무들이다. 숲의 나뭇잎들이 누렇게 물들고 고동색으로 타며 바람이 심하게 불면 나뭇잎은 빙그르르 돌면서 하늘로 올라간다. 미운 오리 새끼가 처음 맞는 가을에 그랬듯이 백조의 나라를 동경해보자. 그리고 우리, 자기의 모든 것을 생명의 가장 안쪽 깊숙한 곳에 침잠시키고, 죽은 것이 아니라 기다리는 것일 뿐인 가을 나무의 생리를 배우자. 길이 좁아 찾는 이가 적다는 생명의 좁은 문—그곳이 우리가 갈 길인 것이다."

그 길을 우리끼리 갔습니다. 의욕만 앞선 채 선장도 스승도 없이 휘청거리며 갔습니다. 차가워오는 광활한 가을 하늘을 우리끼리 막막하게 날아갔습니다. 그러나 미운 오리 새끼는 현실에선 오리일 뿐이었습니다. 일상에선 무능하고 나사못 하나 만들 줄 모르는, 재주도 없는 문청이었습니다. 플라톤이 말한 것처럼 시인은 추방되어도 마땅하다고 생각했습니다. 애초 미운 오리 새끼는 자기를 오리 이상으로 생각하지 않았습니다. 백조가 아니라 그냥 못난 오리로 사는 일을 받아들여야 한다고 생각했습니다. 그렇게 살다 죽어 호숫가를 스치는 바람이 되어도 좋겠다고 생각했습니다. 그런 생각이 술을 마시게 했습니다. 술 때문에 사고도 많았고, 실수도 잘못도 셀 수 없었습니다.

신 선배의 여동생은 집안 형편이 어려워 학업을 중단하고 어린 나이에 힘든 직장 생활을 했는데, 대학생인 우리는 그 동생에게 돈을 빌려 술을 마시곤 했습니다. 문학이란 이름으로 용서받기엔 참 철없고 한심하기 짝이 없는 오빠들이었습니다. 술값이 없어 학생증이나 시계를 맡기는 일은 숱하게 많았고, 어울려 다니던 후배의 아버지가 사준 고급 가죽점퍼를 술값 대신 잡히고 온 날도 있었고, 선배가 타고 다니던 자전거를 맡기고 술을 마시기도 했습니다. 한번은 어떻게 술값을 마련할까 하다가 법대를 다니던 외사촌 형이 법이 바뀌어 쓸모없어졌다고 밀쳐둔 형법·민법에 관한 책을 외가에서 가지고 나와 책가방에 넣고는 후배들과 술집으로 몰려갔습니다. 술집 주인이 방을 드나들 때마다 마치 고시에 떨어져 속상해 술을 마시는 것처럼 상황을 꾸며대고는 대취하도록 마셨습니다. 그리고 나올 때 "이 책 없으면 난 죽는다, 오늘 이걸 맡기고 가는데 꼭 찾으러 오겠다"고 하고는 술집을 나왔습니다. 그리고 다음 날부터는 그 집을 에돌아 다녔습니다.

그해는 해마다 치르던 학생회장 선거가 폐지되고 학도호국단이 만들어져 학생회장과 학생회 간부들을 학교에서 임명하는 일이 생겼습

니다. 마침 학도호국단에서 학보사 기자인 후배를 건드린 일이 생겼
는데 그 이야기를 듣고는 학도호국단 사무실로 몰려가 사무실 집기와
책상을 다 뒤집어엎어놓고 나온 일도 있었습니다. 술에 취해 봉걸래
를 어깨에 메고는 세상을 다 청소하겠다고 소리치며 다닌 날도 있었
고, 필설로 다 형용할 수 없는 잘못을 저지르며 살았습니다.

절제되지 않은 감정의 덩어리를 안고, 다듬어지지 않은 문장으로
무작정 가고 있었습니다. 퇴폐적 낭만주의자가 되어, 세상과 유리된
채, 광활한 길을 우리끼리 감동하고, 우리끼리 눈물 흘리며 가고 있었
습니다.

한 마리 외로운 짐승 같던 시절 그리고 고은

　　　　　　　한 마리 외로운 짐승 같던 시절이 있었습니다.
내 절망을 주체하지 못해 나도 내 몸을 어두운 밤 골목이나 노을 물든
강둑, 바람 부는 산기슭 어디에 마구 팽개쳐버리고 싶은 날들이 있었
습니다. 끝없이 술을 마셔대고 노래를 부르고 비틀거리며 다시는 깨
어나고 싶지 않은 날들이었습니다. 가난이 싫고, 세상이 싫고, 내가
싫고, 내가 이렇게 살아 있다는 것이 싫은 시절이었습니다. 그런 무렵
이었습니다. 내가 고은이란 이름을 만난 것은.

　그는 자신을 구름의 아들이라 했습니다. 아버지의 아들이 아니라.
그는 문둥이가 되고 싶다고 했습니다. 죄를 저지르고 하수도 맨홀을
열고 들어가 암흑과 악취에 지쳐서 죽고 싶고, 카바레에서 어서 옵쇼
보이가 되고 싶고, 넝마주이가 집게로 집어가는 넝마가 되고 싶다고
했습니다.

　나도 그렇게 되고 싶었습니다. 구름처럼 한세상을 떠돌거나, 머리
깎고 산에 들어가 이 참혹한 세상과 결별하거나, 자신을 둘러싼 모든

것에서 벗어나 바람처럼 떠다니고 싶었습니다.

"내일 모레쯤 쓰러지면 / 귀여운 승냥이 새끼 / 내 살을 뜯어먹어라 //
오늘 개울물에 씻은 여윈 팔다리"

"미안하다 / 미안하다 // 나 같은 것이 살아서 국밥을 사먹는다"

— 고은, 〈작은 노래〉 중에서

"나 같은 것이 살아서 중얼거리는 것을 용서하기 바란다. 그보다 내가 살
아 있다는 것을 용서해 주기 바란다. (…) 저 6·25사변에서 살아남았다는
것은 나에게 있어서 죄악이다. (…) 왜 나 같은 것도 태어나서 살고 있는가
를 시골 지경리 3일장 장터에서 파는 20원짜리 허드레 순대국밥이라도 사
먹으면서 알고 싶다. 그러다가 파장 장터의 쓰레기 더미에 내던져져서 쓰
레기와 더불어 어디론가 실려 가버리고 싶다."

— 고은, 《가난한 이를 위하여》 중에서

이런 글을 읽고 며칠씩 술을 마셨습니다. 나도 그렇게 팽개쳐지고
싶었습니다. 수없는 밤을 자학하고 절망하다 고꾸라졌습니다.

"1975년 1월부터 1년 동안 소주 1,000병을 폭음했다. 이 계산은 소
설가 이문구가 했다." 이런 그의 약력을 들으며 그 정도는 나도 할 수
있겠다고 하며 술을 마셔댔습니다. 문학의 치기가 문학 그 자체라고
생각하던 나는 퇴폐적 낭만주의자였습니다.

그가 바다로 뛰어들어 자살하려다 일본 선원에게 구출되어 살아나

거나, 음독을 기도하거나, 수면제 50알을 먹고 눈 덮인 정릉 골짜기에 쓰러졌다가 살아 나오기를 거듭하면서 허무주의의 바닷가를 들락거릴 때 나도 비릿한 바다 내음을 흘리며 그 주위를 떠돌았습니다. 허무주의가 문학 그 자체라고 생각하던 시절이었습니다. 아니 허무와 황음과 절망으로부터 문학을 시작했습니다.

그리고 고은이란 이름이 쓰여 있는 책을 닥치는 대로 찾아 읽었습니다. 《우리를 슬프게 하는 것들》, 《성·고은 엣세이》, 《어디서 무엇이 되어 만나랴》, 《가난한 이를 위하여》, 《환멸을 위하여》, 《세속의 길》, 《역사와 더불어 비애와 더불어》, 《이름 지을 수 없는 나의 영가》 등의 책과 《피안감성》, 《해변의 운문집》에 실려 있는 시들을 읽었습니다.

내 당신을 처음 본 것은
당신이 목숨의 그림자 풀어 물에 던지며
물 끝 그 너머로 끝없이 떠나기만 하던
허무의 바닷가에서였습니다
나는 그때 움푹 파인 당신 발자국 주위를 떠돌던
비릿한 바닷내음 중의 하나였습니다

당신이 먼지 두터운 세상 이 아수라의 한복판에
절망을 진흙처럼 매달고 어둠 속을 걸어갈 때
나도 내 얼굴 한 쪽의 그늘을 지우지 않은 채
당신의 뒤척이는 발소리 뒤를 몰래 따라가곤 했습니다

— 졸시 〈산〉 중에서

그렇게 그의 뒤를 따라가던 어느 날, 나는 상당히 큰 혼란과 마주쳐야 했습니다. 그것은 1978년에 나온 고은의 《진실을 위하여》 때문이었습니다. 거기엔 이런 글이 쓰여 있었습니다.

"좀 더 까놓고 말한다면 오늘의 작가는 문학을 내던져버릴 줄 알아야 한다…… 문학이 너무 문학적이어서는 안 된다. (…) 오늘은 정치가 문학이고 사회가 문학이다. 존재의 심연, 사물의 본질, 영원의 광명…… 이런 것들이 무슨 잠꼬대란 말인가.

장미가 어떻고 국화가 어떻다는 말인가. 산의 놀이 어떻고 바다의 비밀이 어떻다는 말인가. 헤어진 임이 어떻다는 말인가. 천년 동안 해온 것을 아직도 그것만 한단 말인가."

"이제 우리는 떠도는 자의 꿈을 벗어나서 머무는 자의 현실로부터 그 현실이 담고 있는 많은 절망과 희열을 통해서 진실을 계발해야 하는 것이다. 중생 없이 무슨 부처이며 무슨 보리이며 무슨 선의 선지식인가. 무슨 자비인가. (…) 나는 많은 지난날의 떠돌이 체험을 가지고 있다. 그런 황홀한 방랑과 편력이 나 자신을 길러낸 것도 사실이다. 그러나 그 추억을 현실에 반조했을 때 나는 깊은 참회에 사로잡히는 것이다."

황홀한 방랑과 편력이 길러낸 사람이 이제 그 방랑을 접겠다니? 참회하고 있다니? 나는 그 말을 받아들일 수 없었습니다. 나의 시 정신은 아직도 떠돌고 있었기 때문입니다. 머무는 자가 되기엔 절망이 컸고 방황을 멈추지 못하고 있는 힘겨운 내 영혼으로는 사회와 정치와

현실의 크기는 너무 무거웠습니다. 그런 내게 그는 밀실에서 나와야 한다고 외치고 있었습니다.

"나는 문학이 예술이라는 이름으로 자기 폐소에 들어가 숨어버리는 일을 가장 부도덕하다고 본다."

"그들에게 한 사람을 더 수용할 만한 정신의 면적도 갖춰져 있지 않은 극악한 소승주의나 이기주의만이 드러난다면 그런 현상은 사회와의 삶에 대한 권리를 포기한 부도덕한 상태에 바탕을 둔다."

"문학은 저 혼자의 밀실에서 나오는 생산품이기는 하지만 그것의 진실을 표명하기 위해서는 모든 민중적 고난을 만나서 그 자신도 거기에 명예롭게 동참하지 않으면 안 된다. 만나야 한다. 겪어야 한다. 여러 사람의 진실을 자기화해야 한다. (…) 그리하여 한 달에 3만 원 벌이도 못 되는 영세 근로자들의 아픔도 알아야 한다. 엄청난 건물들의 중심가를 번영의 상징이라고 보지 않고 폐허라고 믿는 것이 시인의 일인 것이다."

— 고은, 《진실을 위하여》 중에서

나는 감당하기 어려웠습니다. 책 한 권을 다 읽으며 곳곳에 밑줄을 긋고 의문부호를 찍고 그리고 코피를 흘렸습니다. 내가 그의 뒤를 따라온 것은 이것 때문이 아니었습니다. 나는 그의 허무와 허무에서 건져 올린 반짝이는 언어들이 좋았던 것입니다. 폐결핵을 앓는 그의 시적 자아와 곁을 지키고 앉아 있는 누님의 실크빛 연애가 좋았던 것입니다.

비록 "벌레 한 마리도 위로하지 못하고 살아왔"지만, "소루쟁이 풀 한 포기 위로하지 못하고 살아왔"지만, "이 세상을 돌아다 볼 때 / 가장 쓸쓸하여서 / 나는 이 세상을 떠나기 싫"(고은, 〈눈물 한 방울〉 중에서)은 그런 기분이었습니다.

그래서 많이 갈등하고 많이 괴로워했습니다. 어떤 날은 괴로워 담뱃불로 팔뚝을 지지며 몸부림쳤습니다. 그 흔적은 지금도 왼팔, 손목 시계 밑에 희미하게 남아 있습니다. 처절한 심정으로 그의 뒤를 따라가야 한다는 결심을 하게 된 것은 그로부터 몇 해 후였습니다.

그렇게 거친 들판과 물살을 넘어
여기까지 당신을 따라왔습니다
크고 작은 언덕과 구릉도 함께 왔고
목이 갈라지도록 포효하던 짐승은 짐승대로
햇빛을 향해 달려가던 나무는 나무대로 당신 곁에
모였습니다. 저도 목마른 한 촉의 풀잎으로
당신의 골짜기 한 비탈에 몸을 내렸습니다.

— 졸시 〈산〉 중에서

2

접시꽃 당신

젊디젊은 나이에

죽음에 대해 이야기한다는 것이 황망한 일이었지만,

여기서 생이 끝나고 만다면

무엇이 가장 가슴 아픈 일일까 생각했습니다.

그나마 바르게 살아보려고 했는데 그런 날이 짧아지는 것이

가장 가슴 아픈 일이 아닌가 하는 생각이 들었습니다.

몸에 성한 곳이 있다면 주고 가자고 했습니다.

나도 그렇게 살다 가겠다고 했습니다.

도종환의
나의 삶,
나의 시

시인은 헤매는 양인가

사범대학을 졸업하자마자 그해 3월에 발령을 받았습니다. 보은읍에서도 오구니재를 넘어 버스로 한 시간 가까이 가야 하고, 옥천읍을 나오려 해도 한 시간이 걸리는 옥천군 청산면 청산고등학교로 첫 발령을 받았습니다. 스물네 살, 아직 문학청년인 젊은 나이에 고등학교 국어 선생 노릇을 시작한 것입니다.

하루에 여섯, 일곱 시간씩 계속되는 수업에 몸은 지치고, 마음은 어두운 골목을 헤매고 있었습니다. 수업 시간에 박두진 시인의 시를 가르치다가 그의 시 〈바다의 영가〉를 읽어줄 테니 들어보라고 해놓고는 "아, 바다가 죽으면 가슴도 죽는다"라는 대목에 이르러 그만 울컥 눈물이 솟아 창밖을 쳐다볼 때도 있었습니다.

고3 학생들과는 불과 다섯 살 차이밖에 나지 않았습니다. 아니 개중에는 한 살 아래인 학생도 있어서 하숙방으로 찾아와서는 "선생님 술이나 한잔하시지요?" 하는 녀석도 있었습니다. 동생 같은 녀석들한테 술 한잔을 몰래 사주기도 했는데, 소문이 학교로 흘러 들어가 곧

란한 적도 있었습니다. 하루 일과가 끝나면 혼자 술집에 들러 한잔하거나 소주병을 들고 강변에 나가 마시고 들어오는 날이 많았습니다. 그런 날은 한밤중에 깨곤 했습니다. 서정주 시인은 〈문〉이라는 시에서 "밤에 홀로 눈뜨는 건 무서운 일이다 / 밤에 홀로 눈뜨는 건 괴로운 일이다 / 밤에 홀로 눈뜨는 건 위태한 일이다"라고 했는데 한밤중에 깨어 무섭고 괴롭고 위태한 불면의 날을 보내곤 했습니다.

제자들과의 관계는 미숙한 대로 그럭저럭 헤쳐 나가는데 문제는 교사들과의 관계였습니다. 준비가 덜 된 채 학교에 나온 탓에 초임인데도 고분고분하지 못하고 말도 가려서 할 줄 몰랐습니다. 문학청년의 치기와 객기가 불쑥불쑥 튀어나올 때도 있었습니다. 역겨움을 참지 못하고 술상을 엎어버릴 때도 있었고, 쏟아지는 빗발 속에서 포효하며 울다가, 옷을 진흙 바닥에 팽개쳐버리고는 다음 날 입고 갈 옷이 없고, 일어나지도 못해 출근하지 못한 날도 있었습니다.

라이너 마리아 릴케는 〈젊은 시인에게 보내는 편지〉에서 "어떤 것이든 직업 자체는 모두가 자신에게는 까다롭고 불만스럽지 않을까 하고 숙고해보라"고 했습니다. "더 큰 자유를 내세울 수 있는 직위가 있다고 하더라도 그 자체의 내부가 크고 넓어서 진정한 삶을 가능하게 하는 위대한 사물들과 관계를 맺고 있는 직위란 없다"고 했습니다. 더 위로가 된 것은 그다음 말이었습니다. "그러나 당신의 고독은 그런 속에서도 당신에게는 의지와 고향이 될 것이며 그 고독으로 인해서 당신은 자신의 길을 발견할 것입니다." 릴케의 이 말을 공책에 옮겨 적었습니다. 그리고 더 고독하게 가기로 했습니다.

그곳에서 박 신부님을 만난 것은 참 다행이었습니다. 진초록 어둠이 내리는 6월의 저녁 퇴근길이었습니다. 박 신부님은 성당에서 학교 쪽으로 올라오고 계셨고 나는 학교에서 나오는 길이었습니다. 스쳐 지나가던 신부님이 나에게 불쑥 한마디를 던지셨습니다. 서로 인사를 나눈 적이 없는 사이였는데 신부님은 "절망하지 맙시다" 하고 말씀하시고는 뒤도 돌아보지 않고 가셨습니다. 나는 방금 들은 말을 곱씹으며 검고 긴 사제복을 입고 걸어가는 신부님의 뒷모습을 한참 쳐다보았습니다.

그러곤 성당을 찾아갔습니다. 난생처음 성당이라는 데를 들어가 보는지라 그냥 가기는 쑥스럽고 사흘들이 소주 큰 병을 사들고 가 사제관 신부님 방에서 인사를 나누었습니다. 그리고 문학, 철학, 종교를 넘나들며 신부님과 밤늦도록 이야기했습니다. 이야기를 했다기보다 내가 지적인 허세와 오만함에 들떠 혼자 떠들어대면 신부님은 대개 말없이 들어주시곤 했습니다.

내가 윤동주 시인의 이야기를 꺼내며 그가 얼마나 순수한 삶을 살고자 했는지 이야기하면, 신부님은 정치적 저항과 시대에 대해 이야기하셨습니다. 내가 고은의 시를 좋아한다고 하면 신부님은 고은 시인이 최근에 쓴 시라며 전단에 있는 시를 보여주셨습니다. 그 시는 여성 노동자들이 노동 조건 개선을 요구하다 구사대 남자들이 던진 똥물을 뒤집어쓰고 처참한 모습으로 서 있는 사진 옆에 있었습니다.

나는 내 절망도 주체하지 못하여 헤매고 있었는데 신부님은 술에 취해 돌아가는 나에게 김지하의 시집《황토》복사본이나 김지하의 옥중 양심선언문 같은 것을 손에 쥐여주셨습니다. 어떤 날은 술병을 들고 찾아가면 시국을 위해 단식을 하고 계셨고, 성당 마당에는 검은 지

프가 서 있기도 했습니다.

"시인은 헤매는 양임을 명심하라. 목자가 아니다. 시인은 헤매는 동안에 가장 많은 일을 한다. 헤매라." 나는 그런 최인훈의 소설 구절에 더 빠져 있던 때라 신부님이 주시는 팸플릿과 각종 자료보다는 성당에서 빌려온 책 중에 나오는 〈염소의 기도〉 한 구절이 더 좋았습니다. "주님 / 제가 살고픈 대로 살게 놔두세요 // 얼마 되지 않는 소탈한 자유와 황홀경 / 이름 모를 꽃들의 이상한 맛 / 그게 필요해요."

우리에 갇힌 양보다 헤매는 양, 길드는 가축보다는 산기슭을 떠도는 염소처럼 살고 싶었습니다.

그해 겨울 후배와 둘이 시화전을 하느라 문화원 화랑에 있는데 누가 와서 신문에 내 인사 발령이 났다고 하는 것입니다. 학교를 옮기겠다고 한 적이 없기 때문에 나는 조금 놀랐습니다. 그런데 교감 선생님은 자신도 어찌된 일인지 모르겠으니 교육청에 전화를 해보라는 것이었습니다. 다른 선생님들도 무슨 이유일까 하고 다들 의아해했습니다. 나는 '내가 학교 생활에 충실하지 못한 점이 있어서 그렇겠지' 하고는 교육청에도 알아보지 않은 채 짐을 싸들고 더 작은 시골 학교로 걸음을 옮겼습니다. 박 신부님과 자주 만나는 것이 좌천의 원인이라고는 꿈에도 생각하지 않았습니다.

안내면 소재지인 현리에서 중학교가 있는 인포리까지는 30분 이상 걸어야 했습니다. 어둠이 뭉턱뭉턱 내려와 산 위에 턱턱 걸터앉는 모습을 보며 혼자 하염없이 걷는 날이 있었습니다. 혼자 소주병을 들고 장계리 강가에 앉아 어두워질 때까지 술을 마시고는 강물에 빈 병을 던지곤 했습니다. 외로웠습니다.

십 리를 걸어 인포리에 도착했으나

마음을 누일 봉놋방은 없었다

오 리를 더 걸어 강가에 이르렀으나

거기도 물소리뿐이었다

거친 붓자국이 선명한 하늘은 먹물빛이었다

귀퉁이에 남은 하늘색도 회색에 가려 희미했다

붓질을 한 이는 보이지 않고 먹물만 흘러내려

산허리를 덮었다 툭 툭 던져놓은

육중한 고독의 덩어리처럼 보이는 산자락 끝에

아주 작고 흐릿하게 나는 서 있었다

오는 동안 벌판에는 가등 하나 없었다

이십대 중반을 갓 넘긴 나이여서 나도

서툴기 짝이 없었으나

세상은 툭하면 발길로 나를 걷어차곤 했다

그때마다 이젠 끝이라고 말하고 싶었으나

그것도 쉽지 않았다

등불도 노새도 없이 넘어야 할 벼룻길만 앞에 있었다

안주 없는 찬 소주를 혼자 마시곤

빈 병을 강물에 던질 때면 강물이

잠깐 몇 방울의 눈길을 내 쪽으로 던져주곤 했다

오늘도 어둠이 내리는 광막한 하늘 아래

혼자 눅눅하게 젖고 있는

또 다른 내가 어디엔가 있으리라

홀로 찬 술을 마시며

손등으로 눈물을 훔치는 이 있으리라

입술이 팽팽하게 모여 건너야 할 강 쪽을 향해

마음보다 먼저 돌출해 있는 걸 자신도 모른 채

오래 강가에 앉아 있는 이 있으리라

— 졸시 〈인포리〉 전문

첫 번째 직장 생활부터 시작된 어긋남, 좌천당하고 쫓겨나는 생활
은 거기서 끝나지 않았습니다. 27년간 교직에 있는 동안 단 한 번도
내 손으로 이동희망내신서를 써보지 못한 채 떠돌고 쫓겨나게 되는
일의 시작이었습니다.

광주라는 내 인생의 갈림길

쫓겨 간 학교에서 석 달을 근무하고 난 5월 하순, 군에 입대하게 되었습니다. 대학을 졸업하던 해에 가려고 했는데 하필 아버지가 담석증을 앓으셔서 입대를 연기해야 했습니다. 집안의 경제적인 문제를 일정 부분 책임져야 해서 대학원에 진학했고, 대학원 진학을 사유로 군 입대를 연기해놓은 상태였습니다. 스물여섯 살이었고, 아까시꽃이 하얗게 핀 5월이었습니다.

떠나오면서 아이들에게 "아까시꽃이 피어 있는 동안은 선생님을 생각하다 그 꽃이 지거든 나를 잊어라" 하고 말했습니다. 논산훈련소 연병장가에는 아까시나무가 많았습니다. 훈련을 받다 잠시 쉬는 동안 황토에 누워 아까시나무를 바라보았습니다. 아까시 꽃잎이 눈발처럼 날리고 있었습니다. 아이들에게는 저 꽃이 지거든 나를 잊으라고 말하고 왔지만 아이들이 그렇게 보고 싶을 수가 없었습니다. 수없이 군홧발에 차일 때도, 서른여섯 종류의 기합에 시달릴 때도, 장대비에 젖은 채 구보를 하며 눈물고개를 돌아올 때도, 각개전투 훈련장에서 철조망 밑을 기어갈 때도 아이들 얼굴이 떠올랐습니다. 티 없이 환한 얼굴로 웃던 여학생들의 얼굴과 천진난만하던 남학생들의 얼굴을 생각하며 황토와 자갈밭에 몸을 던지며 훈련을 이겨냈습니다.

한번은 저녁을 먹고 식판을 씻으러 갔다가 우리 소대원의 식판을 훔쳐 달아나는 이웃 소대 훈련병 때문에 식판 하나 잃어버렸다고 소대 전체가 몽둥이로 두들겨 맞고 군홧발에 차이고 내무반 침상에 부동자세로 앉아 있는 벌을 받은 적이 있습니다. 앉아 있는 자리가 이층 내무반 창가였는데, 그 와중에도 눈동자를 약간 옆으로 돌리니 이층까지 올라온 침엽수가 바람에 한가하게 흔들리고 있는 게 보였습니다. 그 순간 엉뚱하게도 조주 선사의 선문답이 떠올랐습니다.

"달마가 서쪽에서 온 뜻은 무엇입니까?"

"뜰 앞에 잣나무이니라."

눈 깜짝할 사이에 훔쳐 가고, 빼앗기고, 치고받고, 도망치고, 폭력과 욕설과 명령과 통제의 언어가 난무하는 아수라의 한복판에서 계급장 없는 군복을 입고 익명의 존재로 사육당하는 나 자신과 훈련소 귀퉁이에 한 그루 나무로 있으면서도 자유롭게 바람에 흔들리는 나무의 모습이 비교되었습니다. 어디에 있든지 가장 자연스러우면서도 자유로운 허정무위(虛靜無爲)의 상태에 이르러 있는 것, 도란 바로 그런 상태가 아닌가 싶었습니다. 그 마음을 평상심으로 갖고 살아가는 사람, 그 사람이 깨달은 사람이 아닌가 하는 생각을 했습니다.

논산 훈련소 전·후반기 교육이 끝날 때까지는 그런 생각으로 잘 견디며 지내왔는데 여천으로 자대 배치를 받고 중대 본부에서 대기하던 중에 그만 사고를 치고 말았습니다. 우리보다 조금 늦게 중대 본부에

온 어린 상급자 한 사람이 "야, 담배 한 대 주라"고 한 말을 참지 못하고 그만 욕설이 오가고 몸싸움을 하는 바람에 부대원 전체가 완전군장으로 연병장과 산기슭을 돌면서 하루 종일 기합을 받는 일이 생겼습니다. 잘 참아왔는데, 더 참았어야 했는데 내 실수, 내 잘못이었습니다. 완전군장에 오리걸음으로 능선을 오르내리던 상급자들은 내 곁을 스칠 때마다 낮은 소리로 쌍욕을 하거나 겁박의 말을 해댔습니다.

본부 인사계를 하겠느냐는 제의도 완곡하게 거절하고 산악 초소로 가겠다고 했습니다. 더 빡빡 기는 곳으로 나를 하방하는 것도 괜찮겠다 싶었습니다. 거기서 졸병 없는 취사병 노릇을 9개월이 될 때까지 했습니다. 그해 10월, 아침에 휴가를 나갔던 고참이 급히 되돌아오는 일이 있었습니다. 잘 때도 군화를 벗지 않고 누워 대기해야 했습니다. 박정희 대통령이 중앙정보부장의 총을 맞고 죽는 경천동지할 일이 벌어진 것입니다. 그래도 나는 여전히 취사병이었습니다. 얼어서 심하게 튼 손, 때를 제대로 닦지 못해 검고 가늘게 갈라진 손으로 겨울을 넘기고 이듬해 봄 4월이 되어서야 첫 휴가를 갈 수 있었습니다.

휴가를 나와서 대학에 간 제자들을 만났다가 바깥세상 돌아가는 이야기를 듣게 되었습니다. 1980년 서울의 봄, 그리고 학내 시위, 시내 진출, 이런 이야기들을 들었습니다. 귀대를 하고 나서도 5월은 뒤숭숭했습니다. 하루는 근무를 서고 있는데 무전기로 급한 전언통신이 쏟아져 나왔습니다. 9733, 9335, 7535, 7549, 9547… 이런 네 자리 숫자로 된 암호들이었는데 다 받아 적은 뒤 암호 해독판을 가져다 전통문을 풀어보니 제목은 '사격 명령'이었습니다. 1. 먼저 쏘지 말 것 2. 신체 하부 쪽을 쏠 것 등등이 차례차례 풀어져 나왔습니다. 부대에 있는 모든 무기와 탄약을 가지고 대대 본부에 집결하라고 되어 있었습니다. 그러고는 트럭에 실려 어딘가로 이동했습니다. 트럭이 부족해서인지 민간 차량을 징발해서 사용하고 있었습니다. 고향이 광주인 군인 둘이 주고받는 말을 들었습니다.

"너 정말 총 쏠 거니?"

"그러게……."

고향 사람들을 향해 어떻게 총을 쏘아야 하느냐는 말이었습니다.

고향이 광주이고 아니고를 떠나서 민간인들을 향해 총을 쏘아야 하는가? 그게 군복을 입은 우리가 할 일인가? 저들이 적인가? 나 역시 엄청난 갈등에 휩싸였습니다. 누구에게 물어보거나 상의할 수도 없었습니다.

우리가 배치받아 내린 곳은 광주에서 제법 멀리 떨어진 여수-순천 17번 국도의 어느 고갯길이었습니다. 여수 한국화약에 있는 무기와

탄약을 가지러 오는 차량을 차단하는 임무를 수행하는 거라고 했습니다. 광주 전남 지역의 예비군 무기고가 열리고 칼빈총으로 무장한 시민군 차량이 내려오는데 그걸 차단하라는 것이었습니다. 나는 삼중으로 설치한 바리케이드 앞에 M16A1 소총을 들고 서 있었습니다. 5월인데도 밤에는 무척 추웠습니다. '총을 쏘아야 할 것인가?' 고민에 고민을 거듭하던 나는 소총의 탄창 버튼을 눌러 탄창을 분리했습니다. 그리고 자동으로 발사하게 되어 있는 탄창 맨 위 실탄을 손으로 눌러 빼내어 거꾸로 끼워 넣었습니다. 맨 위에 있는 탄알을 거꾸로 장착해놓으면 방아쇠를 당겨도 총알이 나가지 않습니다. 그러고는 탄창을 밀어 넣었습니다. 탄창이 밀려들어가며 "철커덕" 하는 소리가 들렸습니다. "철커덕" 하는 소리를 들으며 잘못되면 내가 죽을 수도 있다는 생각을 했습니다. 그러나 그다음은 생각하지 않기로 했습니다. 그 상태로 5월의 밤을 견디었습니다. 며칠 뒤 군복 윗주머니에 있는 군용 수

첩에 시 한 편을 썼습니다.

사격명령이 떨어지던 날

탄창 속의 M16A1 신형 탄알처럼

징발된 민간차량에 가지런히 탑승되어

비포장도로를 달려갔다.

정갈한 저녁 바람은 예년처럼

보리수염을 쓸어가고

개인호를 파고 들어앉은 우리 앞에

인도지나의 풍문으로 듣던 안개가

호남평야를 기어오고

바리케이드 뒤에서 몰래 탄창 제일번 실탄을

거꾸로 장전하는 짧은 순간

가장 깊은 밤의 이슬이

어깨를 밀고 들어왔다.

그 밤 터무니없는 죽음의 가도에서

고려 중기의 젊은 농군을 만나고

亡伊(망이)와 亡所伊(망소이)를 만나고

鄭仲夫(정중부)의 다듬어진 칼과 普賢院(보현원)의 차디찬

화강암에 이마를 부딪고 쓰러진

그 흔한 죽음의 기록도 없는 한 야사의

문신들을 만났다.

십칠번 국도 위에서 역사를 우롱하던 바람은

한 찰나도 빼놓지 않고 피묻은

뻐꾹새 울음을 귓가에 실어오고

부대끼는 밤구름을 능선 위에 옮겨왔다.

안전장치를 풀고 방아쇠를 당겨도

이제 나의 개인화기는 발화하지

않을 것이다.

참으로 부끄럽지 않은 사람은 누구인가

역사여, 우리를 시험에 들게 하는 역사여

구름 그림자에 눌리운 이 깜깜한 오월의 국도 위에서

참으로 부끄럽지 않은 사람들은 누구인지

당신도 헤아리고 있는가.

— 졸시 〈삼대 8. 사격명령〉 전문

그렇게 요행히 그 5월을 넘겼지만 내가 군복을 입고 그때 그 자리에 서 있었다는 사실은 나를 한없이 부끄럽게 만들었습니다. 10년이 지나고 20년이 지나도 부끄러움은 지워지지 않았습니다. 그 부끄러움과 참담함이 지금까지 나를 밀고 왔는지도 모릅니다. 영화 〈박하사탕〉에 나오는 광주 장면을 볼 때도 펑펑 울었고, 〈화려한 휴가〉를 볼 때는 가슴이 터져버릴 것 같았습니다. 광주항쟁 30년이 되는 해에 민주화운동기념사업회에서 마련한 조촐한 자리에서 광주항쟁에 관한 판소리를 듣다가도 울었습니다. 광주라는 갈림길에서 내 인생은 광주 이전과 광주 이후로 갈라졌습니다.

아무렇게나 살아갈 것인가

어느 늦가을 저는 야간 근무를 하다 초소에서 몰래 박 신부님께 보내는 긴 편지를 썼습니다.

신부님,

여린 햇볕에 녹았던 서릿발을 다시 얼게 하는 밤의 냉기가 적요한 모습으로 대지를 지나고 있습니다. 가끔 산짐승의 울음소리가 신비하게 앞산 계곡을 타고 하늘로 오르고 신부님 당신의 옷빛 같은 어둠이 짙게 짙게 드리워 있습니다.

신부님,

살아 있다는 것이 눈물겹습니다. 한 술의 밥을 입안 가득히 넣고 씹는 순간 울음이 북받쳐 오릅니다. 내 떠돌며 지나온 곳마다 지은 카타콤 같은 밀실에서 올리던 묵도와 그 묵도하는 모음이 꺾여져 가는 공포로 밤 꿈은 어지럽혀져 있습니다. 무덤 속에서만 항거하고 빛을 향해 서서는 말을 잃는 서툰 진실이 부끄러웠습니다. 지하의 기도 소리들을 지상에 올려 실존하는 사원 앞에 이끌어가야겠습니다.

중이 되고 싶다고 했습니다. 혼자만 득도하고 유아각성(唯我覺性)하여 무엇을 하겠다는 뜻도 없었습니다. 비록 갈라지고 때 묻은 손이지만 노동하는 이 손의 정직함을 바라보며 좀 더 분명하게 살아야겠습니다. 파티마 성당의 풀과 나무 위에 숱하게 뿌린 내 오만의 이파리들이 썩어 새로운 한 포기 언어의 꽃을 피우는 거름이 되도록 해야겠습니다.

신부님,

어쩌면 당신의 눈동자가 이리도 오래 내게 살아 있는지요? 이렇게 고적한 밤 당신은 무엇을 위해 기도하고 있으며 나는 또 무엇을 향해 이 밤을 지키고 있는 것인지요? 이제는 꽃 하나 보이지 않고 어루러기처럼 번지는 갈대꽃, 환한 갈대꽃만이 시혼을 채찍질하는 바닷가. 언제 나는 긴긴 동면에서 깨어나 이 땅의 사람들과 함께 어깨를 마주하고 슬픔을 마주하며 걸어가려는지요? 어울려 한바탕 마당굿이라도 하며 살 수 있을는지요?

칼로 일어선 자 칼로 스러지고, 파도는 파도를 삼키고, 밀려오고 밀려가면 변함없는 것은 의로운 바람. 이 땅에 태어나 할 일을 남겨두고 나는 다만 내부로 파들어가는 조개처럼 문을 닫고 깊디깊은 심연으로만 침전해 있었습니다. 언제 구슬을 품어 이 끝없던 기다림의 아픔을 길어 올리는 신의 그물에 온몸을 드러내 놓고 설 수 있을는지요? 부끄러운 하루, 비굴한 일상의 양식으로 배를 채우고 한 덩이 떡에도 매달리는 손은 검게 그을고 때가 끼어 하루 이틀 속죄로 아니 지워질 상흔만 남습니다. 이렇게 해서 바람은 어디까지 나를 이끌어가려는 것일까요?

신부님,

오늘은 이상히도 당신의 목소리가 듣고 싶습니다. 당신의 말씀으로 하여 비어 있는 나의 이 잔을 가득 채우게 하고 싶습니다…….

몰래 그런 짓을 많이 했습니다. 몰래 편지를 쓰거나 좋은 글이 있으면 근무 중에 공책에 베껴 적었습니다. 이청준의 《조율사》, 박태원의 《소설가 구보씨의 일일》, 제임스 조이스의 《젊은 예술가의 초상》, 헤르만 헤세의 《싯다르타》, 에리히 헬레의 카프카 평전 《나는 문학이다》, 김성동의 《만다라》, 채광석 서한집 《그 어딘가의 구비에서 우리가 만났듯이》, 이런 책들을 읽고는 밑줄 그었던 구절들을 공책에 옮겨 적곤 했습니다. 그렇게 옮겨 적은 글이나 편지나 글을 써놓은 공책이 5권 정도가 되었습니다. 그 5권의 공책과 숨어서 듣던 9개의 클래식 테이프와 칫솔 1개를 들고 제대를 했습니다.

제대하고 집에 와 보니 도시 빈민으로 떠돌던 아버지는 남의 땅을 부치는 소작농이 되어 있었습니다. 청주 시내 외곽에 60만 원짜리 농가를 전세로 얻어 농사를 지으며 살고 계셨습니다. 아버지가 농약 통을 짊어지고 일어서며 취직 때문에 걱정하는 소리를 들으면서도 나는 산문집이라도 내야겠다고 생각하며 골방에 틀어박혀 슈만의 〈피아노 협주곡 A 단조〉, 시벨리우스의 교향시 〈핀란디아〉, 요한 슈트라우스의 〈빈 숲 속의 이야기〉를 게으르게 옮겨 다니며 원고 정리를 하고 있었습니다. 밤이면 견딜 수 없는 공허함, 허전함에 휩싸여 폭음을 하거나 흐린 하늘과 밤공기와 강은교의 〈허총가〉와 죽음의 냄새, 그리고 멸망과 부활 그 두 개의 유혹 사이를 헤매며 비틀거리고 있었습니다.

그러던 어느 날, 아버지가 돼지를 키우느라 이 집 저 집 음식점 잔반통에 남은 찌꺼기를 걷어 자전거에 싣고 오는 동안, 멘델스존의 교향악만 듣고 있어야 글 한 줄이 써진다고 하니 '문학은 도대체 얼마나 더 뻔뻔스러워야 하는 것인가?' 하는 생각이 들었습니다. 그런 갈등 속에서 신경림 시인의 시 〈산읍일지〉를 만나게 되었습니다.

아무렇게나 살아갈 것인가 / 눈 오는 밤에 나는 / 잠이 오지 않았다 (…) / 아이들의 코묻은 돈을 빼앗아 / 연탄을 사고 술을 마시고 / 숙직실에 모여 섰다를 하고 / 불운했던 그 시인을 생각한다 / 다리를 저는 그의 딸을 / 생각한다 먼 마을의 / 개 짖는 소리만 들을 것인가 / 눈 오는 밤에 가난한 우리의 / 친구들이 미치고 다시 / 미쳐서 죽을 때 / 철로 위를 굴러가는 기찻소리만 / 들을 것인가 아무렇게나 / 살아갈 것인가 이 산읍에서

'아무렇게나 살아갈 것인가'라고 묻는 이 물음은 낭만주의적인 태도, 개인주의를 완전히 벗지 못한 문학 습관, 거기다 절망적이고 암울한 몸짓이 문학 창작의 주요 토양이던 날들의 삶의 모습 그 자체를 되돌아보게 했습니다. 글이 안 써질 때마다 고독의 지구력이 부족한 때문이니 어쩌니 하고 떠들던 것도 삶에 대한 자신감 부족에서 온 것은 아닌가 하는 생각이 들었고 문학적 오기, 이런 것도 끝내 갑 속에 든 칼에 지나지 않는다는 생각도 했습니다.

그때부터 생전 해본 일이 없던 농사일을 하러 다니기 시작했습니다. 쓰러진 벼를 일으켜 세우며 살을 베고, 다리를 휘청거리며 볏가마니를 허리에 얹었습니다. 감자를 캐고 참깨를 털고 외양간을 치우고 인분 리어카를 끌고 마을 한복판을 지나 밭으로 갔습니다. 소똥을 치우고 오줌을 퍼 나르다가 손에 똥을 묻히면서 '멸망하라 멸망하라 공

허한 내 시여' 하고 수없이 되뇌었습니다.

들일을 다니며 가을 한 철 보냈다
뒷주머니에 찔러주던 백 원짜리
환희 담배를 꺼내 불을 붙이면
니코틴 색으로 손에 배는 고적한 피로
콩과 깨를 거두고 무 두 접 뽑아 묶어
얼지 않을 땅에 묻고 땀을 닦으며 일어서도
어설프기 짝이 없는 나의 노역
베고 또 베어 버려도 벌판은 남아 있고
지난날의 쓸쓸함도 거기 어디 남아 있고
등에 얹은 볏가마니는
지고 가야 할 나이보다 무거웠다
먼지를 털며 올려다보는 새털구름 밑으로

하늘은 배고픔처럼 어두워오는데
시간은 나를 앞질러 갈 만큼 간 걸 알겠다
돌아오는 거리에서 마른 구역질을 하고
공연히 주먹을 쥐었다 펴곤 했다
내일은 소장수 백씨네 아랫텃논
마당질을 끝내러 가야 한다
호박잎을 걷어낸 양철지붕 위에서
붉은 녹을 걷어차며 바람이 떼를 지어
종점 빈터로 몰려가는 늦가을 저녁

— 졸시 〈들일〉 전문

　문학적 진실이 삶의 진실에서 우러나와야 한다고 생각했지만 그게 시로 제대로 형상화되지 못해 삶도 시도 어설픈 채 겉돌고 있었습니다. 그래서 이런 시를 쓰고도 발표하지 못한 채 처박아두었습니다. 그

러던 어느 날 캐미닛에 들어 있는 원고 더미들을 꺼내 마당에다 옮겨 쌓았습니다. 대학 때부터 머릴 싸매고 대들었던 원고의 초고 더미들을 쌓아놓고 거기에다 불을 질렀습니다. 그런데 어머니가 지나가다 그걸 보시고는 놀라며 왜 그걸 그냥 태워 내버리느냐고 하시는 것입니다. 어머니는 원고지에 붙은 불을 끄더니 뒤란으로 가져가는 것이었습니다. 나는 아무 말을 못하고 멍하니 어머니를 지켜보았습니다. 그러더니 어머니는 뒷마당 화덕 밑에다 그것들을 넣으시는 겁니다. 화덕에다 그날 저녁에 먹을 죽을 끓이고 있었는데 죽 끓일 불쏘시개를 하시는 겁니다. 죽 한 솥을 다 끓이신 어머니는 "거 봐라 죽 한 솥 다 끓일 수 있는데 왜 아깝게 그냥 태워 내버리니" 하시는 거였습니다. 가장 절망스럽게 보낸 날들의 흔적, 가장 몸부림치며 보낸 문학청년기의 얼룩들도 죽 한 솥 끓여 먹고 나니 흔적이 없었습니다.

동인지 문단 시대와 분단시대

김수영 시인이 그랬던가요? "속도가 속도를 반성하지 않는 것처럼 / 졸렬과 수치가 그들 자신을 반성하지 않는 것처럼 / 바람은 딴 데에서 오고 / 구원은 예기치 않은 순간에 오고 / 절망은 끝까지 그 자신을 반성하지 않는다"(김수영, 〈절망〉 중에서)라고.

헤맴 10년, 절망 10년, 방황 10년. 그렇게 10년을 보내고도 "절망이 끝까지 자신을 반성하지 않는" 것처럼, 나도 반성할 줄 모른 채 졸렬과 수치 속에서 살고 있는 건 아닌가 하는 생각이 들 때가 있었습니다. 문득문득 찔레 한 송이보다 잘 살고 있는 것일까? 아까시꽃만큼이나 향기를 지니고 살고 있는 것일까? 불두화만큼은 뿌리내리고 있는 것일까? 꽃 한 송이를 보며 그 생각이 치밀어오를 때가 있었습니다. 끝까지 문학의 길을 가자던 이들은 하나둘씩 자취를 감추기 시작했습니다. 한때는 이중섭을 죽도록 좋아해서 "마누라가 창녀가 되고 자식새끼가 거지가 될 때까지 문학을 하자"고 소리치던 이들도 보이지 않았습니다. 전율도 감동도 없이 세월이 가고 있었습니다. 어느새 나이 삼십이 되어간다는 것을 자꾸 의식하게 되는 것이었습니다.

그러나 고은 시인은 "20대의 열정, 희망, 감수성, 방황, 함성 속을 지나서 30대는 그것들을 총체적으로 해체 정리하지 않으면 한 편의 시도 남길 수 없다"고 했습니다. "30대 작가란 그들 자신의 20대적 문학을 전부 약탈해서 불태워버리는 세대"라고 했습니다. "그때 비로소 '삼십이립(三十而立)'의 동양적 세대론 속에 '선다'는 의미가 분명해진다"는 것입니다.

절망과 헤맴 10년 따위를 고은 시인은 "해체하고 불태워버리라"고 했습니다. 어떻게 해체하고 정리해야 할까 고민하고 있을 때 그녀를 만났습니다. 친구를 기다리고 있다가 그녀를 보았습니다. 나는 헤맴 밖에 자랑할 게 없는데 동갑인 그녀는 삶으로 우뚝하게 서 있는 것처럼 보였습니다. 몸 전체로의 삶이었습니다. 절망에서 벗어나기 위해 몸으로 부딪치고 있었습니다. 그녀가 일하는 가게는 헤매는 이들의 아지트가 되었습니다. 우선 글쟁이들이 모였고, 모여서 시 낭송을 하면 음악 하는 이들이 피아노를 치거나 플루트를 불었습니다. 연극쟁이들이 모여 마임을 할 때도 있었고, 가난한 화가들이 개인전을 열기도 했습니다. '공간'이라는 이름의 카페에서 그녀는 어머니와 여동생과 같이 일하고 있었습니다.

김희식이라는 국문과 대학생을 만난 것도 그곳이었습니다. 한참 물이 오른 운동권 대학생인 김희식은 김창규라는 자기 선배를 소개해주었습니다. 광주항쟁 관련 유인물을 돌리려고 자전거에 싣고 가다가 붙잡혀 곤욕을 치르고 나온 전도사였습니다. '공간'에서 만나서 떠들다가 열이 오르면 근처 막걸리 집으로 자리를 옮겨서 밤늦도록 술을 마셨습니다. 거기서 다시 대구에 있는 친구들을 소개해주는 이가 있어 대구로 내려갔습니다. 배창환, 김종인, 김용락, 김윤현, 정대호, 김형근, 이런 친구들을 만났습니다. 그리고 곧 의기투합해서 청주와 대구를 오르내리기 시작했고, 정만진, 김승환, 김시천, 김성장, 정원도 등이 합류했습니다. 대구 쪽에서는 정대호 시인이 학생운동을 한 경험이 있는 문학청년이었고 나머지는 교사가 많았습니다.

'분단시대', 여러 번의 만남 끝에 우리 모임의 이름이 이렇게 지어졌습니다. '분단시대'라는 말은 강만길 선생이 《분단시대의 역사인식》이라는 책에서 쓰신 용어이기도 합니다. 강만길 선생은 "20세기 전반기의 민족사가 식민지 통치에서 벗어나는 일을 그 최고 차원의 목적으로 삼은 시대라면 20세기 후반기, 즉 해방 후의 시대는 민족 분단의 역사를 청산하고 통일 민족 국가의 수립을 민족사의 일차적 과제로 삼는 시대로 보지 않을 수 없으며, 이와 같은 역사 인식을 바탕으로 하는 경우 이 시기는 '분단시대'로 이름하지 않을 수 없다"고 하셨습니다.

구중서 선생 역시 《분단시대의 문학》이라는 책에서 "남북 역사의 모든 불행과 결핍의 근원이 바로 분단 현실 자체"에서 비롯되고 있다고 하셨고, "문학·예술은 역사와 세계 안에서 인간의 위치를 발견하고 인간의 불행과 기쁨, 필요와 능력을 밝혀주며 인간의 더 나은 운명을 개척해 나아가는 능력일 수 있어야 한다"고 하신 바 있는데, 두 분의 글과 백낙청·염무웅 선생의 글 등을 읽고 토론하면서 모임의 이름을 '분단시대'로 정하게 되었습니다. 그렇게 몰려다니다 첫 번째 동인지를 내면서 우리는 동인지 맨 앞에 이런 머리말을 썼습니다.

시는 만남이다. 안과 밖의 만남, 개인과 시대와의 만남, 자아와 그 자아를 둘러싼 상황과의 만남, 나아가서 민중적 진실과 역사적 진실의 만남, 정신적 구조와 역학적 구조와의 만남이다. 시는 그것들의 화해이어야 하고 악수이어야 한다.

시적 진실은 안에만 머물고 삶의 진실은 외면된 채 방치되어 있거나 불행한 시대와 역사는 왜곡된 파행을 계속해 가는데 시인은 폐쇄적인 자아의 성 내부에서 공허한 탄식을 되풀이하고 있어서는 안 된다.

한 시대의 삶이 비극적이라고 할 때 시가 획득한 예술성이 전혀 그 비극의 진원지를 향해 바로 서 있지 못하다면 시는 그 속에서 개인을 구제하고 소극적 감상을 되풀이하면서 결국 무엇을 하겠다는 것일까.

오늘날, 개인의 역사적 실체로서의 민족과 민족의 역사적 구성원으로서의 개인은 단절되어 있다. (…) 국토의 분단에서 시작한 그것들은 결국 민족의 분단, 진실의 분단, 진리의 분단, 시대의 분단, 정신의 분단을 가져오고 만 것이다. 우리들은 그러한 나누어진 모든 것을 향하여 근원적인 물음을 던지려 한다.

— 〈분단시대〉 제1집 머리말(1984년, 온누리출판사)

과학적으로 정돈이 덜 되어 있는 글입니다. 마음만 앞서 있고 논리가 정연하지 못한 글이기도 합니다. 내 개인적인 고백도 글 안에 들어 있고, 고은 시인의 보이지 않는 영향도 문맥에 배어 있는 걸 느낍니다. 분단시대와 분단 극복이라는 명제를 만나기는 했지만 "자본주의 세계경제를 토대로 하고 국가간 체제를 상부구조로 하며 분단 구조가 응축된"(하정일, '탈식민과 근대 극복') 복잡하고 특수한 체제, 백낙청 선생이 말씀하신 '분단 체제'의 극복이 중요한 것이라는 인식까지는 이르지 못한 상태로 출발한 문학 모임이었습니다. 그러나 그런 어설프고 서툰 통과제의를 겪으며 우리는 세상에 나왔습니다.

1980년대 전반기, 그때는 전두환 정권에 의해 정기간행물이 다 폐간되어 글을 발표할 매체가 없던 시기였습니다. 〈창작과 비평〉, 〈문학과 지성〉과 같은 우리나라의 지성을 대표하는 문학지들이 폐간되어 발행되지 못하고 있던 때였습니다. 이제 막 문단에 얼굴을 내밀려고 하는 때에 글을 발표할 매체가 폐간되고 없다는 것은 자연히 시대와 불화하는 길을 갈 수밖에 없다는 뜻이기도 했습니다. 그래서 문인들은 〈실천문학〉과 같은 부정기 간행물, 즉 무크지를 만들어낼 수밖에 없었습니다. 〈시와 경제〉, 〈오월시〉, 〈삶의 문학〉, 〈반시〉, 〈목요시〉, 〈자유시〉 같은 동인지들이 쏟아져 나오며 이른바 동인지 문단 시대를 열어갈 수밖에 없었던 것입니다.

그렇지 않아도 신춘문예나 추천 등의 등단 방식에 얽매여 신춘문예용 시에 매달리거나 추천해줄 문인의 아류가 되는 길을 택하는 것이 못마땅하던 우리는 이참에 등단제도 자체를 혁신할 필요가 있다고 생각했습니다. 문학으로 시대적·사회적 역할을 어떻게 할 것인가 하는 것이 문제이지 어떤 신문을 통해 등단했는가가 중요한 게 아니라고 생각했습니다.

나는 동인지 〈분단시대〉 창간호에 〈고두미 마을에서〉, 〈울타리꽃〉, 〈진눈깨비〉, 〈분꽃〉, 〈삼대〉(연작시) 등을 발표하면서 작품 활동을 시작했습니다. 어떻게 보면 나는 아직도 정식으로 등단하지 않은 시인이라고 할 수 있습니다. 그래도 상관없었습니다. 당시에는 그보다 더 절박한 시대적 요구가 있었기 때문입니다. 데뷔작 가운데 한 편인 〈울타리꽃〉은 이런 시입니다.

아들아, 나 죽어 이 집의 울타리가 되리라.

칼 뽑아 네 어미 아름다움 버혀 가려던

눈먼 무리 앞에 무릎 꿇 순 결코 없어

황망한 칼빛 아래 내가 죽거든

아들아, 억새풀 엉겅퀴 새 돌 눌러 날 묻지 말고

우리집 마당 가운데 나직하게 묻어다오.

혹 떨어져 나간 내 뼈 있거든

밤마다 숫돌에 갈고 갈아 화살촉 만들고

흩어져 날리는 머리칼 있거들랑

빠짐없이 추려 모아 화살줄 매어다오.

앞 못 보는 너희 아빌 핍박하러 오는 무리

날만 새면 사립문 앞에 눈 치뜨고 모이리니

내 어이 죽어선들 한적한 산그늘이나 떠돌며 다니리

아들아, 이 어민 속 붉은 꽃으로 꼭 다시 피어난다.

나 죽어도 내 집의 울타리꽃으로 피어난다.

— 졸시 〈울타리꽃〉 전문

울타리꽃은 무궁화의 다른 이름입니다. 나라꽃인 무궁화의 전설을
바탕으로 쓴 시인데 권력에 대한 저항과 져도 져도 끝없이 다시 피어
나는 민중의 끈질긴 정신을 표현해보려고 했던 시입니다. 그런데 이
시가 실려 있는 동인지 〈분단시대〉 창간호를 서울대학교 학생회에서
필독 도서로 선정하는 바람에 작품 활동을 시작하면서 경찰의 사찰을
받는 일이 동시에 시작되었습니다.

첫 시집을 내던 무렵

　　　동인지 〈분단시대〉를 내고 바쁘게 뛰어다니던
어느 날, 신경림 선생이 전화를 하셨습니다. 창작과비평사(창비)에서
시집을 내고자 하니 원고를 보내라는 전화였습니다. 전화를 받으며
얼마나 기뻤는지 모릅니다. 내 평생에 잊을 수 없는 고마운 전화 중
하나였습니다. 원고를 들고 여기저기 출판사를 쫓아다녀야 할 신인에
불과한 내게 시집을 내주시겠다고 전화하셨으니 얼마나 기쁜 일입니
까? 그것도 창비에서. 부랴부랴 원고를 정리해서 올려 보내고 난 뒤
이시영 시인의 편지를 받았습니다. 낭창낭창 휘어지는 가는 글씨로
원고지에 써 보낸 편지에는 다른 시로 바꾸었으면 하는 10여 편의 시
제목이 적혀 있었습니다. 좋은 시집을 내고자 하는 의도로 그러는 것
이니 오해 없기 바란다고 써 있었지만 낯이 뜨거웠습니다. 시집이 나
오고서 보니 바꾸길 잘했다고 생각했지만 전체적으로 부족한 데가 많
았습니다. 시집을 내면서 후기에 이렇게 썼습니다.

나는 민중이니 민족이니 역사니 하는 것을 먼 곳에서 찾지 않는다. 식민지 시절에 앗기며 한세월을 보낸 할아버지, 태평양전쟁 말기 남양군도에 징용으로 끌려가 돌아가신 큰아버지, 그 큰아버지와도 싸웠을 군대에 배속되어 분단의 전쟁을 치른 아버지, 소금장수, 이발쟁이, 날품팔이, 농사꾼 형제들, 언청이, 못난이 누이들, 분단시대를 살아가는 우리 모두와 내 이웃의 삶 속에는 생생한 역사와 아리고 한스러운 흔적들이 흉터처럼 박히어 있기 때문이다. 역사와 민중은 내 가까운 피붙이와 내 자신 속에서 늘 꿈틀거리고 있다.

(…) 시는 삶 속에, 이 땅 위에 튼튼히 뿌리를 박는 서정과 용기이어야 하리라 믿는다. 분단시대 약소 민족의 아들로 태어나 '우리가 부끄러워해야 할 것', '우리가 분노해야 할 것', '우리가 외면하지 말아야 할 것'들 속에 서서 튼튼한 시를 쓰고 싶었다.

민중문학, 민족문학이 우리 문학의 새로운 흐름을 만들어가던 때라는 것을 의식하면서, 내게 민중이 어떻게 다가와 있는지 이야기하고 싶었던 글입니다. 이 시집 안에는 〈삼대〉라는 연작시와 〈죠센데이신따이〉(조선정신대)라는 연작시가 들어 있습니다. 〈삼대〉라는 연작시를 통해서 할아버지 때부터 광주항쟁에 이르기까지 이 나라의 역사를 우리 가족사를 중심으로 이야기하고 싶었습니다. 그리고 〈죠센데이신따이〉 연작시는 애국봉사대 간호원이라고 속아서 열여섯 살에 버마 전선에 정신대로 끌려갔다 구사일생으로 살아 돌아왔으나 조국에서 더 냉대를 당하고 있는 배옥수 할머니의 사례를 중심으로 아픈 역사를 재확인하고 우리 모두를 고발하고자 했습니다.

그러나 해설을 쓰신 이동순 교수께서는 이 작품이 평면적인 서술에 그친 점을 지적하셨습니다. 다른 시들도 당시의 민중시에서 보이는 고정화된 틀과 따분한 투식들을 떠올리게 한다는 비판과, 문학의 소집단 활동이 정서의 개별성을 거부하거나 문학성을 위축시키는 강박이 된다면 그건 크게 우려할 만한 일이라는 지적도 하셨습니다. 나도 그런 우려를 의식하면서 문학성과 문학 운동성을 잘 아우르는 글을 써야겠다고 생각했지만 제대로 형상화하지 못하는 경우가 많았습니다. "시가 삶 속에, 이 땅 위에 튼튼히 뿌리를 박는 서정과 용기"이어야 한다고 믿었지만 서정과 용기를 조화시키는 일은 쉽지가 않았습니다. 문학의 서정성과 민족문학적 정신, 이 두 가지가 서로 잘 스며들게 하는 시는 말처럼 잘 써지는 게 아니었습니다. 그러면서도 삶에 튼튼히 뿌리를 내리는 시는 더욱 어려웠습니다. 의욕은 앞서 있었지만 그 앞선 의욕 때문에 어딘가 어색하거나 부자연스러운 데가 드러나곤 했습니다. 첫 시집 제목으로 삼은 시 〈고두미 마을에서〉도 그런 우려에서 자유롭지 못했습니다.

이 땅의 삼월 고두미 마을에 눈이 내린다.
오동나무 함에 들려 국경선을 넘어오던
한줌의 유골 같은 푸스스한 눈발이
동력골을 넘어 이곳에 내려온다.
꽃뫼 마을 고령 신씨도 이제는 아니 오고
금초하던 사당지기 귀래리 나무꾼
고무신 자국 한 줄 눈발에 지워진다.

복숭나무 가지 끝 봄물에 탄다는

삼월이라 초하루 이 땅에 돌아와도

영당각 문풍질 찢고 드는 바람소리

발 굵은 돗자리 위를 서성이다 돌아가고

욱리하 냇가에 봄이 오면 꽃 피어

비바람 불면 상에 누워 옛이야기 같이 하고

서가에는 책이 쌓여 가난 걱정 없었는데*

뉘 알았으랴 쪽발이 발에 채이기 싫어

내 자란 집 구들장 밑 오그려 누워 지냈더니

오십 년 지난 물소리 비켜 돌아갈 줄을.

눈녹이물에 뿌리 적신 진달래 창꽃들이

앞산에 붉게 돋아 이 나라 내려볼 때

이 땅에 누가 남아 내 살 네 살 썩 비어

고우나 고운 핏덩어릴 줄줄줄 흘리련가.

이 땅의 삼월 고두미 마을에 눈은 내리는데.

*12~14행은 단재 선생의 한시 〈가형기일〉에서 인용

― 졸시 〈고두미 마을에서―단재 신채호 선생 사당을 다녀오며〉 전문

고두미라는 동네는 충북 청원군 낭성면 귀래리의 옛 이름입니다.
청주시 근교인 그곳에 독립운동가인 단재 신채호 선생의 묘소와 사당
이 있습니다. 신규식, 신홍식 등 많은 독립운동가를 배출한 고령 신씨
문중이 그 근방에 모여 사는 곳입니다. 그런데 당시에는 찾는 이가 많

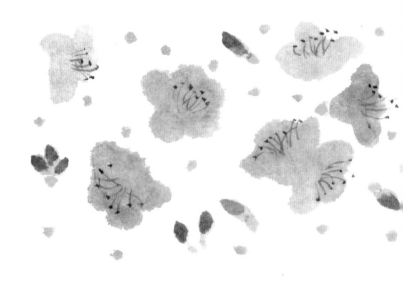

지 않고, 관리도 제대로 하지 않아 삼일절에 가 보면 문풍지가 다 찢어져 있곤 했습니다. 가장 비타협적인 독립운동 노선을 걸었고 이승만의 위임 통치 노선에 강력하게 반대했던 탓에 해방된 조국에서도 이런 대접을 받는구나 하는 생각에 속이 상했습니다. 1936년에 뤼순 감옥에서 순국하신 뒤에도 일제가 매장 허가를 내주지 않아 유해를 몰래 암매장했고, 최근까지도 국적을 회복해주지 않아 후손들은 재산권 행사를 할 수가 없었습니다. 이게 과연 해방된 나라인가 하는 생각을 하지 않을 수 없었습니다. 한번은 '분단시대' 동인들과 단재 사당을 찾아갔는데 묘소 주위에 앉아서 이야기하다 주위를 둘러보니 낯선 사람 둘이 근처를 서성이는 게 보였습니다. 형사들이었습니다. 거기까지 우리를 미행하며 따라온 것을 보고 기가 막혔습니다.

첫 시집이니 출판기념회라는 걸 하자고 해서 동인들과 선후배 문인이 모였습니다. 돌아가신 채광석 선배가 오셔서 강연을 해주셨습니다. 끓어오르는 용광로 같던 채광석 선배는 그날도 뒷주머니에 박노해의 노동시 원고를 복사해서 넣고 와 뒤풀이 자리에서 열정적으로 낭송을 하거나 혼자 몇십 분씩 노래를 해서 모인 사람들 기가 질리게 했습니다. 그런데 그 자리에 '미운 오리 새끼'의 신동인 선배도 술이 취해서 참석했습니다. 언제 터질지 모르는 폭약 같은 신 선배를 바라보며 조마조마했습니다. "이 따위를 시라고 써 가지고 출판기념회라고 이렇게 사람들 불러놓고 북 치고 장구 치고 있느냐"고 소리치며 판을 뒤집을 것 같았습니다. 신 선배는 전두환 정권 7년간 신문을 보지 않았습니다. 당시 그는 《금강경》만 읽는다고 했습니다. 그의 눈에 나는 타락한 현실의 한가운데로 빠져 들어가는 걱정스러운 사람으로 비쳤을 겁니다. 출판기념회가 끝나고 일행이 뒤풀이 장소로 옮겨가는 동안 신 선배는 마지막까지 출판기념회장에 남아 내게 걱정스러워하는 말을 했습니다.

나는 신 선배의 모습을 보며 헤르만 헤세의 《싯다르타》를 생각했습니다. 구도의 길을 끝까지 벗어나지 않았던 사문 고빈다와 현실 속으로 뛰어들어가 현실의 온갖 오탁을 경험하며 순례하는 싯다르타를 비교해보았습니다. 불도의 길에서 떠나 카마라에게 가서 애욕을 배웠고 카마스바미에게서 장사를 배워 돈을 모은 뒤 그것을 낭비하고, 위를 사랑하고 관능에 아첨하며 사는 싯다르타를 보고 고빈다는 "자네는 순례하고 있다고 말하지만 순례자의 모습이 아니네"라고 말합니다.

그러나 싯다르타는 강에서 황제의 음성과 투사의 음성과 황소의 음성과 밤새의 음성과 산모의 음성과 탄식의 음성, 이런 수천 가지 음성을 동시에 가진 강물 소리를 들으며 그것이 곧 깨달음의 소리 '옴'이라는 걸 압니다. 그걸 들을 줄 아는 것, 그 듣는 법 자체가 중요하다는 걸 배우고자 합니다. 무엇보다 중요한 것은 "세계를 사랑할 수 있는 것, 세계를 경멸하지 않는 것, 세계와 나를 미워하지 않고 세계와 나 그리고 모든 존재를 사랑과 경탄과 경외의 마음으로 바라볼 수 있는 것"이라고 말합니다. 나는 신 선배의 이야기를 들으면서 싯다르타의 그 말을 생각했습니다. 싯다르타가 거쳐 간 길과 고빈다가 지켜 간 길이 하나의 강에서 만나듯 우리도 어디쯤에선가 만나게 될 거라고 생각하며 채광석 선배가 있는 뒤풀이 장소로 내려갔습니다.

날려 보내기 위해 새들을 키웁니다

제대 후 복직한 학교는 청원군 부용면에 있는 부강중학교였습니다. 교실에서 수업을 하다 고개를 돌리면 금강 물줄기가 굽이돌아 흘러 내려가는 게 보였습니다. 가난한 아이들이 많았지만 대부분 순박했습니다. 그 아이들에게 국어 시간에 글쓰기를 가르쳤습니다. 아이들은 글쓰기를 싫어했습니다. 글은 소질 있는 애들이나 쓰는 거라고 생각했습니다. 무엇을 써야 할지, 어떻게 써야 할지 막막해하는 아이들이 많았습니다. "무엇에 대해서 써요?" 하고 물으면 네 삶의 이야기를 쓰라고 했고, "어떻게 써요?" 하고 물으면 쉽고 진솔하게 쓰라고 했습니다. 잘 만들어내는(make) 게 아니라, 살아가는 이야기를 쓰는(write) 게 글이라고 가르쳤습니다. 우선 알고 있는 이야기, 경험하고 느낀 이야기, 주변의 이야기, 가까운 사람들 이야기를 쓰도록 했습니다. 그랬더니 이런 글을 써 냈습니다.

요즈음 엄마는 일을 하러 다니신다. 그래서 아침 저녁마다 내가 밥을 해야 한다. 아침에 엄마가 밥하라고 깨워서 일어나 시계를 보면 5시 반쯤 된다. 엄마가 나에게 밥을 맡기고 일하러 갈 때 엄마의 마음은 어떠실까? (…) 그리고 어느 때는 우리집은 왜 이렇게 가난할까? 왜 우리만 이렇게 고생하며 살까? 하는 생각이 드는 때도 있다.

— 〈우리 엄마〉, 2학년 이순자

글 속에 삶의 냄새가 가득했습니다. 중학교 2학년 여학생인데 삶의 어려움과 고단함을 똑같이 나누어진 채 살아가고 있었습니다. 그러면서도 엄마를 걱정하고 있었고 가난과 숙명에 대해서도 생각하고 있었습니다. 자기가 쓴 글을 읽어보라고 하면 글을 읽다가 우는 아이가 많았습니다. 그러면 친구들이 따라서 울었습니다. 그러다 쉬는 시간이 되면 다가가 서로 위로하곤 합니다. 상을 받거나 점수를 잘 받기 위해 글을 쓰는 게 아니라 서로를 알아가고, 마음을 나누고, 정서를 아름답게 순화시키며, 삶을 가꾸어가는 게 글이라는 걸 알게 했습니다.

가르치는 내게는 아이들의 가정 형편이나 처지, 마음 상태, 이런 걸 자세히 알 수 있는 계기가 되기도 했습니다. 이오덕 선생은 "고난 속에서 살아가는 아이들에게는 슬퍼하고 괴로워하는 그들 스스로의 모습을 보여주는 것만이 위안이 되며 희망과 용기를 가지고 밝은 마음으로 살아가는 힘이 될 수 있다"고 했습니다. 이런 글도 있었습니다.

나는 가장 하기 싫은 것이 글을 쓰는 것이다. 나는 이제까지 글을 써 오라면 억지로 할 수 없이 꾸며 가지고 글을 써 냈다. 그러나 그 글은 진실된 글은 하나도 없었다. 글을 써 보면 처음에는 잘 써지다가 한두 장쯤 쓰며는 쓸 게 생각이 나지 않는다. 그럴 때 어떻게 해야 할지 모른다. 통 생각이 나지 않는 것이다. 몇 주 전에 선생님께서 반공에 대한 글짓기를 해 오라고 하셨다. 나는 그냥 지나가지 뭐 하고 글짓기를 안 해 왔다. 그런데 선생님은 반공글짓기 안 해 온 사람 나오라는 것이었다. 그땐 후회해야 소용없는 일이었다. 나와 우리 친구들은 종아리 5대씩 맞았다. 정말 아팠다. 다 때리고 난 선생님이 내일까지 다 써 와 하고 말씀하셨다. 할 수 없이 친구 것을 갖다가 베꼈다. 간신히 종아리 맞는 것은 면했다.

— 〈반공글짓기〉, 2학년 이춘우

이 아이는 가장 하기 싫은 것이 글을 쓰는 것이라는 내용의 글을 썼는데 발표를 하고 난 뒤 아이들로부터 굉장히 많은 박수를 받았습니다. 아이들도 비슷한 억압을 경험하고 있기 때문일 것입니다. '억지로', '할 수 없이', '꾸며 가지고' 쓰는 글이 얼마나 문제가 많은지 아이들이 더 잘 알고 있었습니다. 강요에 의해 맹목적으로 가식의 글을 쓰기 때문에 진실된 글이 없다고 하는 말은 곧 글은 진실되어야 한다는 뜻이기도 합니다. 당시에는 행사를 위해 강요당하는 글쓰기가 많았습니다. 사회 정화나 정의 사회 구현을 위한 글짓기를 내일 아침까지 해오라고 하면 아이들은 집에 가는 길에 현금 뭉치를 주워 갈등하고 고민하다 지서에 갖다 주었더니 참 기뻤다고 이야기를 만들어냅니다. 그리고 상을 받습니다. 정직한 마음을 갖게 하기 위한 글짓기 대회에서 거짓으로 만들어낸 이야기를 글로 써서 상을 받는 것이지요.

이런 "어른들의 억압에서 해방시켜서 자극을 주고 어른들의 잔재주를 가하지 않고 그들 자신이 창조한 것을 응시하게 한다면 장래의 인

류는 얼마나 훌륭한 가능성을 갖게 될 것인가?" 하고 프뢰벨은 말한 바 있습니다.

꼬마 아이들은 분꽃이 심어져 있는 길을 지나다 꽃을 하나 따서 귀에다 살짝 넣고 귀고리라며 좋아한다. 나도 그 아이들처럼 한 송이 따 귀에다 살짝 넣어본다. 분꽃의 향기는 참 좋다. 학교까지는 40~50분이 걸린다. 아이들은 매일 만나면서도 무슨 할 얘기가 그렇게 많은지 여기저기서 까르르 하고 웃는 소리가 난다.

―〈등교길〉, 2학년 김영미

분꽃 한 송이를 따서 귀에 걸고 오는 아이를 상상해보았습니다. 밝게 웃으며 걸어오는 동안 쏟아지는 웃음소리를 떠올려보았습니다. 그들이 환하고 활기차게 자랄 수 있는 환경을 만들어주기 위해서는 무

엇을 해야 할까 생각했습니다.

혜경이의 집안 사정을 알게 된 것도 혜경이가 쓴 〈보고픈 엄마〉라
는 글 때문이었습니다. 초등학교에 들어가기 전부터 엄마가 집을 나
가 엄마 없이 살면서 명절만 되면 엄마가 보고 싶어 운다는 글이었습
니다. 말이 없고 조용한 성격에 얼굴이 순하고 곱고 몸은 허약한 아이
였습니다.

그런데 3학년이 되자 혜경이가 학교에 나오지 않았습니다. 가정방
문을 가 보니 혜경이 아버지는 10년째 병고에 시달리고 있고, 정상적
으로 생활하기 어려운 삼촌네 식구까지 열 식구가 한집에 모여 살고
있었습니다. 1학년에 입학한 남동생 시웅이를 학교에 보내는 일도 힘
겨워 혜경이, 혜영이 두 자매가 학교를 그만두고 대전에 있는 공장에
나가기로 했다는 것입니다. 혜영이는 초등학교를 졸업하고 한 해 쉬
었다가 올해 중학교에 들어오려고 했는데 어쩔 수 없이 둘 다 학업을

중단하고 공장으로 갔다고 했습니다. 그 공장이 어디냐고 여쭈니 혜경이 할머니는 대전터미널 근처라고만 하셨습니다. 일요일 날 대전터미널 근처를 찾아다녔습니다. 공터나 아파트 지하실에 있는 봉제 공장들은 영세하기 이를 데 없었습니다. 몇 군데 허탕을 치고 성남동 굴다리 밑 대성산업사에서 혜경이를 만났습니다. 두 자매는 블라우스 공장에서 일하고 있었습니다. 혜경이는 핀을 꽂는 시아게(끝손질) 일을 하고, 혜영이는 하루 종일 가위질만 하고 있었습니다. 초등학교를 졸업한 나이, 중학교 2학년을 마친 나이에 공장 일을 한다는 건 너무 무리한 일이라고 생각했습니다. 내가 학비를 대줄 테니 학교로 가자고 했습니다. 그랬더니 "저희 둘이 벌어서 남동생 학비를 대야 해요. 저를 돕는 셈 치고 시웅이를 도와주세요" 하고는 혜경이는 두 시간을 앉아서 울었습니다. 혜경이가 2년 동안 한 번도 도시락을 싸오지 못했다는 걸 나는 늦게서야 알았습니다.

혜경이를 끝내 데려오지 못하고 돌아온 뒤 저녁에 온누리출판사 김용항 사장과 김창규 전도사를 만났습니다. 혜경이 자매의 사정을 이야기했더니 "몰라서 도와주지 못하는 건 어쩔 수 없지만 알고 있는데 그냥 있을 수는 없다"면서 아이들을 데리러 가자고 하는 겁니다. 학생들이 쓴 글을 모아 온누리출판사에서 《이 땅의 아이들》이란 제목으로 책을 내기로 했는데, 그 책의 선인세를 받아서 삼남매의 학비를 마련해보기로 했습니다. 밤차로 다시 대전으로 내려갔습니다. 혜경이에게 "너희 삼남매가 졸업할 때까지 학비를 책임질 테니 집으로 가자"고 했더니, 그 소리를 들은 혜경이가 픽 쓰러지는 것이었습니다. 놀라서 급하게 혜경이를 둘러업고 병원으로 갔습니다. 다행히 얼마 후 혜경이가 깨어나 둘을 데리고 왔습니다. 〈스승의 기도〉는 그 학교에서 아이들이 졸업식을 끝내고 썰물처럼 빠져나간 텅 빈 운동장을 바라보며 쓴 시입니다.

날려 보내기 위해 새들을 키웁니다
아이들이 저희를 사랑하게 해주십시오
당신께서 저희를 사랑하듯
저희가 아이들을 사랑하듯
아이들이 저희를 사랑하게 해주십시오
저희가 당신께 그러하듯
아이들이 저희를 뜨거운 가슴으로 믿고 따르며
당신께서 저희에게 그러하듯
아이들을 아끼고 소중히 여기며
거짓 없이 가르칠 수 있는 힘을 주십시오
아이들이 있음으로 해서 저희가 있을 수 있듯
저희가 있음으로 해서
아이들이 용기와 희망을 잃지 않게 해주십시오
힘차게 나는 날갯짓을 가르치고
세상을 올곧게 보는 눈을 갖게 하고
이윽고 그들이 하늘 너머 날아가고 난 뒤
오래도록 비어 있는 풍경을 바라보다
그 풍경을 지우고 다시 채우는 일로
평생을 살고 싶습니다

아이들이 서로 사랑할 수 있는 나이가 될 때까지

저희를 사랑하게 해주십시오

저희가 더더욱 아이들을 사랑할 수 있게 해주십시오

— 졸시 〈스승의 기도〉 전문

혜경이가 먼저 졸업하고 남은 두 남매 학비를 대주다가 부족해 내 큰아이 돌잔치 해줄 돈을 수업료로 내고 돌잔치는 식구들끼리 저녁 한 끼 먹는 걸로 대신하기도 했고, 그 학교를 떠나면서 받은 전별금을 선배인 윤종현 선생께 수업료로 내달라고 맡기고 왔습니다. 《이 땅의 아이들》이란 책은 나중에 《한국의 아이들》이란 이름으로 일본 아주(亞洲)출판사에서 번역·출간되기도 했습니다.

접시꽃 당신

　　아내가 토혈을 한 것은 첫아이를 낳고 난 이듬 해 봄이었습니다. 모내기를 하려고 이른 아침부터 집안이 부산한 날이었습니다. 병원에서는 십이지장궤양이라고 했습니다. 의사도 크게 걱정할 건 아니라고 해서 입원 치료를 한 뒤 벼가 조금 자랐을 때 집으로 돌아왔습니다. 그런데 가을걷이를 할 무렵 아내는 또 토혈을 했습니다. 의사는 천공이 생겨서 피가 고였다 넘어오는 것 같으니 수술을 하자고 했습니다. 그런데 뱃속에 아이가 있는 것이었습니다. 수술을 하게 되면 아이를 지워야 했습니다. 그렇게 되면 이중으로 어려운 수술을 해야 하는데 아내가 그것을 감당할 수 있을까 걱정이 되었습니다. 그리고 환자도 살리고 아이도 살릴 수 있는 길은 없을까 하는 생각을 하게 되었습니다. 의사는 그러면 수술을 하는 대신 약물 치료를 하면서 방법을 찾아보자고 했습니다.

　　겨울을 지내고 무사히 딸아이를 낳았습니다. 겨우 몸을 추스른 뒤 병원에 갔는데 의사는 이상하다면서 소견서를 써줄 테니 서울로 가보라는 것이었습니다. 아무래도 암인 것 같다고 했습니다. 1년이 넘게 병원을 다니면서 검사를 받고 치료를 해왔는데 이제 와서 암이라니 무슨 말이냐고 했지만, 의사 말대로 서울에 있는 큰 병원에 가서 다시 자세히 검사를 해보는 일이 우선이었습니다.

암 전문 병원인 원자력병원으로 가서 검사를 해보니 마찬가지로 암이라는 결과가 나왔습니다. 갑자기 담벼락이 기울며 무너져 그걸 손으로 받치고 있는 것 같은 심정이었습니다. 길어야 6개월 아니면 한두 달밖에 살지 못할 수도 있다고 했습니다. 희망이 없다는 말이었지만 희망을 버릴 수는 없었습니다. 거대한 암 병동인 원자력병원에서 만나는 환자들도 거의 희망이 없는 채 병과 싸우는 사람들이었습니다. 그러나 병원 복도나 정원을 오고 가는 환자들은 마지막까지 희망을 놓지 않고 싸우고 있었습니다. 아니 절망을 만나면 더욱더 희망을 붙들고 놓지 않게 되는 게 인간의 본능적인 모습임을 보여주고 있었습니다. 희망이 있는 싸움을 하고 싶었습니다. 희망이 있는 싸움을 한다면 평생이 걸려도 할 것 같았습니다. 암 병동의 현관 뒤쪽 날바닥에 앉아 "희망을 가진 싸움은 얼마나 행복하랴 / 빛이 보이는 싸움은 얼마나 행복하랴"(졸시 〈암병동〉 중에서), 그런 시를 썼습니다.

항암 치료는 견딜 수 없는 고통을 견뎌야 하는 일이었습니다. 암세포를 억제하기 위한 약물이 정상 세포도 공격하기 때문에 그걸 견뎌내야 하는 일은 엄청난 고통을 동반하는 일이었습니다. 몸은 무너지는데 체력이 뒷받침되어야 견딜 수 있는 모순된 상황에 놓이게 됩니다. 정신력이 아무리 높은 사람도 견디기 힘든 고통이 수시로 찾아왔습니다. 진통제를 맞아야 견딜 수 있는 시간이 점점 짧아져 갔습니다.

그래서 항암 치료를 일주일 정도 받으면 퇴원하여 3주 정도 몸을 추스른 다음 다시 치료를 받으러 올라가곤 했습니다. 그 기간은 집에 내려와 있거나 청주에 있는 병원에서 지냈습니다. 한번은 낯모르는 아주머니와 할머니들이 문병을 오셨습니다. 막내 고모가 다니는 성당에서 오신 분들이었습니다. 그분들은 환자의 손을 잡고 간절히 기도하셨습니다. 그분들 뒤에 앉아 있다가 이른바 민중시를 쓴다는 나는 저분들처럼 남의 아픔을 향해 저렇게 간절히 기도하는 마음으로 시를 썼던가 하는 생각이 들었습니다. '저분들처럼 내 이웃이 아파할 때 내 발로 찾아가 보았던가', '찾아가 손을 잡고 진심으로 위로하면서 아파해 보았던가', '그런 마음으로 이웃을 위한, 민중을 위한 문학을 한 적이 있었던가' 하는 반성이 들었습니다. 문학은 목소리나 선언으로 하는 게 아니라 진정성으로, 간절한 마음으로, 진심 어린 행동으로 하는 것이어야 할 텐데 나는 그렇게 문학을 하고 있는가, 그런 생각이 들었습니다. 세상에는 나약하지 않으면서도 온유하고, 비굴하지 않으면서도 겸손한 삶이 있는 것인데, 나는 선악의 이분법, 강온의 이분법, 저항 아니면 비굴이라는 도식으로 세상을 보아온 것은 아닐까 하는 생각이 들었습니다. 민중시야말로 민중에게 배워야 하는 것이었습니다.

아내가 고통스러워하는 모습을 보며 어떻게든 살려야겠다고 백방으로 뛰어다녔습니다. 암을 이긴 이들이 썼다는 약 이야기를 들으면 전국 어디든 찾아갔습니다. 그러면서 정작 당사자에겐 병명을 정확히 말하지 못하고 있었습니다. 의사는 본인에게 병명을 알려주라고 했습니다. 그런데 차마 입에서 말이 떨어지지 않아 말을 하지 못하고 자꾸

미루기만 하고 있었습니다. 그러다 더 미룰 수 없게 된 날 어떤 방식
으로 말해야 할 것인지를 고민하며 밤을 새우다시피 했습니다. 옥수
수 잎에 빗방울이 투두둑 떨어지는 밤이었습니다. 아침에 시내버스를
타고 학교로 출근하는 동안에도 내내 그 생각을 했습니다. 그러다 청
주시를 빠져나온 버스가 청원군 부용면 어디쯤을 지날 때였습니다.
시골집 담벼락에 줄지어 핀 하얀 접시꽃이 눈에 들어왔습니다. 몸에
서 계속 피가 빠져나가며 창백해져 있는 아내의 얼굴이 그 꽃과 겹쳐
보였습니다. 빈 도서실로 올라가 종이에 아내에게 해줄 말을 쓰기 시
작했습니다. "옥수수잎에 빗방울이 나립니다 / 오늘도 또 하루를 살
았습니다 / 낙엽이 지고 찬바람이 부는 때까지 / 우리에게 남아 있는
날들은 / 참으로 짧습니다" 이렇게 시작하는 시를 울면서 썼습니다.
내가 울면서 쓰지 않은 시는 남들도 울면서 읽어주지 않는다는 것을
나중에 알게 되었습니다.

보다 큰 아픔을 껴안고 죽어가는 사람들이

우리 주위엔 언제나 많은데

나 하나 육신의 절망과 질병으로 쓰러져야 하는 것이

가슴 아픈 일임을 생각해야 합니다

콩댐한 장판같이 바래어가는 노랑꽃 핀 얼굴 보며

이것이 차마 입에 떠올릴 수 있는 말은 아니지만

마지막 성한 몸뚱아리 어느 곳 있다면

그것조차 끼워 넣어야 살아갈 수 있는 사람에게

뿌듯이 주고 갑시다

기꺼이 살의 어느 부분도 떼어주고 가는 삶을

나도 살다가 가고 싶습니다

— 졸시 〈접시꽃 당신〉 중에서

그때 우리는 서른두 살이었습니다. 젊디젊은 나이에 죽음에 대해 이야기한다는 것이 황망한 일이었지만, 여기서 생이 끝나고 만다면 무엇이 가장 가슴 아픈 일일까 생각했습니다. 그나마 바르게 살아보려고 했는데 그런 날이 짧아지는 것이 가장 가슴 아픈 일이 아닌가 하는 생각이 들었습니다. 몸에 성한 곳이 있다면 주고 가자고 했습니다. 나도 그렇게 살다 가겠다고 했습니다. 병상에서 이 시를 읽어주며 나는 울었지만 아내는 울지 않았습니다. 그리고 아내는 자기가 죽거든 눈을 다른 이에게 기증해달라고 말했습니다.

낳은 지 네 달 조금 넘은 딸아이를 두고 아내는 세상을 떴습니다. 아들 녀석도 세 살이었습니다. 아내를 청원군 가덕면 인차리 가덕공원묘지 옥수수밭 옆에 묻은 날은 칠석날이었습니다. 그해 여름에는 비가 많이 내렸습니다. 한 남자로서 한 여자에게 너무 잘못했다는 생각이 많이 들었습니다. 가난한 사람끼리 만나서 가난하게 살았지만 아내가 결혼반지를 빼서 대학원 등록금을 마련하는 동안, 나는 옷 한 벌 해주지 못했습니다. 속이 아파 잘 먹지 못하는 걸 보고 매일 우유 하나씩 사들고 오는 게 전부였습니다. 병상에 누워 그동안 당신의 뒷모습만 보면서, 그 뒷모습을 용서하면서 살았다고 말한 적이 있습니다. 아침이면 학교로 가는 뒷모습, 돌아오면 책상에 앉아 있는 뒷모습, 시를 쓴다는 이유로, 공부를 한다는 이유로 그냥 지켜보아야 하는 뒷모습. 뒷모습만 보고 있었다는 말 한마디 한마디가 마음에 돌처럼 자리 잡고 앉아 떠나지 않았습니다.

당신이 물결이었을 때 나는 언덕이라 했다.

당신이 뭍으로 부는 따스한 바람이고자 했을 때

나는 까마득히 멈추어 선 벼랑이라 했다

어느 때 숨죽인 물살로 다가와

말없는 바위를 몰래몰래 건드려보기도 하다가

다만 용서하면서 되돌아갔었노라 했다

언덕뿐인 뒷모습을 바라보며 당신은 살았다 했다

당신의 가슴앓이가 파리하게 살갗에 배 나올 때까지도

나는 깊어가는 당신의 병을 눈치채지 못하였고

어느 날 당신이 견딜 수 없는 파도를 토해 내 등을 때리고

한없이 쓰러지며 밀려가는 썰물이 되었을 때

놀란 얼굴로 내가 뒤돌아보았을 때

당신은 영영 돌아오지 못할 거리로 떠내려가 있었다

단 한 번의 큰 파도로 나는 걷잡을 수 없이 무너져

당신을 따라가다 따라가다

그만 빈 갯벌이 되어 눕고 말았다

쓸쓸한 이 바다에도 다시 겨울이 오고 물살이 치고

돌아오지 못한 채 멈추어 선 나를

세월은 오래도록 가두어놓고 있었다.

— 졸시 〈섬〉 전문

3

쇠창살에 이마를 대고

옳은 것을 바르게 행하지 않는 것 또한

죄라고 성서에서는 말합니다.

고장 난 신호등을 고치지 않고 고장 나기는 했지만 신호등이니

계속 기다려야 한다고 하면 길에서 기다리겠습니까?

고쳐서 길 역할을 하는 길로 만드는 것이 잘하는 일 아닙니까?

그래서 교사들은 잘못된 법과 제도를 고치는 싸움에

몸을 던지게 되었고, 그 일이 아이들과

이 나라 교육의 미래를 위한 일이라고 믿었습니다.

도종환의
나의 삶,
나의 시

시를 쓰는 것이 죄가 되는 세상

　　　　　고통의 한가운데를 묵묵히 뚫고 나가자고 마음
먹었습니다. 주저앉아 있지 말고, 급하게 달려 나가지도 말고, 말없이
고통의 가운데를 걸어가자고 생각했습니다. 아픔에 정직하자고 생각
했습니다. 내 아픔에 정직한 뒤, 남의 아픔, 우리 모두가 겪는 아픔에
도 정직해야 한다고 생각했습니다. 내 아픔이 이 세상에서 가장 큰 아
픔이라고 과장하지 말고, 이 세상 사람들도 저마다 남모르는 아픔 하
나씩, 고통 하나씩 지니고 산다는 걸 잊지 말자고 생각했습니다.

　성당에 나가기 시작했습니다. 성가를 배우며 성가의 구절 때문에
울었고, 미사 시간에 성당 맨 뒷자리에 앉아 조용히 눈물을 흘리는 날
이 많았습니다. 십자가에 매달리신 예수님의 고통받는 모습 속에 아
내의 모습이 겹쳐 보이는 때가 많았습니다. 그때마다 사랑하는 사람
을 번제물로 드려야 하는 이유가 어디에 있는지 생각했습니다. 하느
님의 존재도 내게 아프게 아프게 다가왔습니다. "제 살아온 반생의 언
덕을 제 손으로 갈아엎게 하시고 / 잘못 디딘 발자국도 제 손으로 지

우게 하시고 / 굵게 굵게 흘리는 눈물 발등에 넘칠 때 / 빗줄기를 먼저 보내 조용히 씻게 하시고야 / 보리밭 위로 조금씩 햇살 던지시며 제게"(졸시 〈적하리의 봄〉 중에서) 오셨습니다. 오셔서는 내게 좀 더 가까이 오라 하셨습니다.

눈물은 마음을 맑게 씻어주는 힘이 있습니다. 한 사람의 생애 전체를 놓고 보면 세상에 의미 없이 오는 고통은 없다고 합니다. 그래서 내가 고통 속에서 무엇을 깨달아야 하는 것인지 그걸 찾고자 했습니다. 하느님은 나를 슬픔 속에 놓아두고 내가 어떻게 하는지 보고 계시리라 생각했습니다. 그렇다면 내가 흘리는 눈물이 어디쯤에서 그칠 것인지도 알고 계실 것입니다. 눈물로 속살을 정결히 씻고 어디서부터 멈추어 선 걸음을 다시 떼어가야 하는지도 알고 계실 것입니다. 멀리서 내려 보고 계시지만 내가 당신의 뜻 안에 있다는 것도 알고 계실 것입니다.

기도를 어떻게 하는 것인지 다 배우지 못한 채 이렇게 기도했습니다. "우리가 한쪽 팔을 잃고 고통에 소리칠 때 / 우리의 마음 절망으로 꺾이지 않게 하소서 / 우리가 사랑을 잃고 가슴을 찢겨 울 때 / 우리의 가슴 나약함으로 덮이지 않게 하소서 / 우리가 두려움과 떨림으로 입술을 깨물 때 / 자유와 정의를 향한 뜨거움 식어가지 않게 하소서 / 우리가 가난과 굶주림에 쓰라려 넘어질 때 / 평등과 평화를 이루려는 믿음 작아지지 않게 하소서 / 우리의 다른 또 한 팔로 상처를 감싸며 / 두 무릎이 남았음을 알게 하소서"(졸시 〈저녁기도〉 중에서).

가을에 지는 꽃잎을 보고, 아이들을 바라보며 이런 생각을 했습니다.

언제나 먼저 지는 몇 개의 꽃들이 있습니다. 아주 작은 이슬과 바람에도 서슴없이 잎을 던지는, 뒤를 따라 지는 꽃들은 그들을 알고 있습니다. 아이들과 함께 꽃씨를 거두며 사랑한다는 일은 책임지는 일임을 생각합니다. 사랑한다는 일은 기쁨과 고통, 아름다움과 시듦, 화해로움과 쓸쓸함 그리고 삶과 죽음까지를 책임지는 일이어야 함을 압니다. 시드는 꽃밭 그늘에서 아이들과 함께 꽃씨를 거두어 주먹에 쥐며 이제 기나긴 싸움은 다시 시작되었다고 나는 믿고 있습니다. 아무것도 끝나지 않았고 삶에서 죽음까지를 책임지는 것이 남아 있는 우리들의 사랑임을 압니다. 꽃에 대한 씨앗의 사랑임을 압니다.

— 졸시 〈꽃씨를 거두며〉 전문

언제나 먼저 지는 꽃들이 있는 거지요. 먼저 지는 꽃들을 보며 뒤를 따라 지는 꽃이 있는 거지요. 아직 남아서 그 꽃들을 보며 사랑한다는 것은 무엇인지 생각했고, 꽃에 대한 씨앗의 사랑을 생각했습니다. 아내가 여름에 세상을 뜬 뒤 가을에 쓴 시들을 모아 겨울에 동인지 〈분

단시대〉 판화 시집에 5편의 시를 실었습니다. 동인지가 출간되고 얼마 되지 않아 교육청 장학사의 호출을 받았습니다. 장학사는 동인지에 실린 시에 대해 조사하기 위해 나를 부른 것이었습니다.

내가 발표한 시는 〈접시꽃 당신〉, 〈병실에서〉, 〈암병동〉, 〈옥수수밭 옆에 당신을 묻고〉, 〈당신의 무덤가에〉, 이렇게 5편이었습니다. 그런데 장학사는 〈접시꽃 당신〉 중에 "보다 큰 아픔을 껴안고 죽어가는 사람들이 / 우리 주위엔 언제나 많은데"나 "기꺼이 삶의 어느 부분도 떼어주고 가는 삶을 / 나도 살다가 가고 싶습니다." 이런 구절에 붉은 사인펜으로 밑줄을 그어놓고 있었습니다. 〈암병동〉에는 많은 곳에 붉은 밑줄이 그어져 있었습니다. "희망이 있는 싸움은 행복하여라"로 시작하는 첫 행부터 "참답게 산다는 것은 / 참답게 싸운다는 것 / 싸운다는 것은 지킨다는 것 / 빼앗기지 않고 되찾겠다는 것 / 생명과 양심과 믿음을 이야기할 때도 그러하고 / 정의와 자유와 진실을 이야기할 때도 그러하니"를 포함하여 대부분의 구절에 밑줄이 그어져 있었습니다. 그리고 밑줄 그은 구절들을 거론하며 무엇을 뜻하는 것인지 물었습니다. 그 질문 하나하나는 조서가 되어 기록되었고 나는 진술서를 써야 했습니다.

"시인이 이런 시를 왜 못 쓰느냐, 아내를 잃고 쓴 시인데 이게 왜 문제가 되느냐" 하고 항의했지만 받아들여지지 않았습니다. 장학사는 판화 시집 자체가 문제라고 했고 삽화로 실려 있는 판화가 불온하다고도 했습니다. 동인 활동을 하는 것에 대해서도 조사를 받았습니다. 첫 시집을 낸 뒤부터 경찰이 교육청에 찾아와 시집에 들어 있는 어떤 시구절을 거론하며 "교사가 이런 시를 써도 되느냐?"고 한다는 이야기도 들었습니다. 학교로 경찰이 찾아와 교장실에서 교장과 이야기를 하고 가는 날도 있었고, 문학지나 동인지에 작품을 발표하기 전에 미리 교육청에 제출하라는 이야기도 들었습니다. 그래서 작품을 발표하기 전에 미리 교육청에 보내기도 했습니다.

조사를 받고 달포 정도 지난 뒤 나는 옥천군 동이면에 있는 동이중학교로 좌천 발령을 받았습니다. 지금은 폐교되어 없어진 그 학교는 거리가 멀어 집에서 통근할 수가 없어서 하숙을 해야 했습니다. 당장 어린 두 남매가 걱정이었습니다. 아직 갓난아이인데 엄마 없는 아이들에게 그나마 아빠도 곁에서 돌볼 수 없게 만드는 교육청의 처사를 견딜 수가 없었습니다. 정신적으로도 참 힘든 때였지만 건강도 좋지 않았고, 가정적으로나 경제적으로 어렵기 그지없는 상황인 걸 알면서, 좌천을 시켜 시골로 내쫓는 비인간적인 처사를 참을 수가 없었습니다. 그것도 시를 쓰고, 시인으로 활동하는 것을 문제 삼아 불이익을 주는 부당한 명령을 견디기 힘들었습니다.

영암산 골이 깊어 바람이 길다

시를 쓰는 것이 죄가 되는 세상에 태어나

몇 편 시에 생애를 걸고 옮겨 딛는 걸음이 무겁다

새해엔 또 어디로 쫓기어 갈 것인가

아직 돌도 안 지난 아이를 노모께 맡기고

겨우 말을 배우기 시작하는 큰애가 문에 서서

빨리 다녀오라고 민들레처럼 손을 흔들 때

자주 오지 못하리란 말일랑 차마 못하고

손을 마주 흔들다 돌아서며

아내여, 당신을 생각했다

이 싸움은 죽어서도 끝날 수 없는 싸움임을 생각했다

세상을 옮겨간 당신까지 다시 돌아와

아이들을 지켜주어야 하는 싸움임을 생각했다

슬픔보다는 비장함이어야 한다

이 땅 어느 그늘 들풀 크는 곳이면 내 못 갈 곳 없지만

에미 잃고 애비와도 떨어져 살아야 하는 아이들을

당신께라도 다시 보살펴달라고 하늘을 올려다보는

마음 이 미어짐을 당신도 헤아리고 있을 것이다

우리는 모두 함께 이 길을 가야 한다

봄이면 할미꽃 제비꽃 다시 피는 이 나라

죽음도 삶도 모두 한세상 이루어

우리도 무성히 되살아나며 이 길을 가야 한다.

— 졸시 〈옥천에 와서〉 전문

쫓겨 간 곳에서 내가 미치지 않고, 무너지지 않고 살 수 있는 길은 시에라도 매달리는 것이었습니다. 책상 하나에 이불 한 채가 덩그러니 놓여 있는 하숙방에서 밤마다 시에 매달렸습니다. 시집 《접시꽃 당신》에 실려 있는 많은 시는 옥천에서 쓴 것입니다.

유배지에서 쓴 시

문제교사(?)를 전입받은 동이중학교에서는 상부에서 시키는 대로 철저히 관리하고 매월 정기 보고를 하기 위해 일거수일투족을 감시했습니다. 쉬는 시간에 책을 읽다가 수업 시작을 알리는 종이 울리면 책상 위에 그 책을 펼쳐 놓은 채 교실로 들어가게 됩니다. 그러다 빠뜨린 게 있어서 다시 교무실로 돌아간 적이 있는데, 가 보면 교감이 내 책상 앞에 서서 내가 읽고 있던 책에 대해 수첩에 무언가를 적고 있었습니다. 내가 읽는 책, 내가 일상적으로 하는 일, 자주 만나는 사람, 찾아오는 이에 대해서도 일일이 확인합니다. 대학원 지도교수님이 지나가다 들르셨는데 신원을 확인하고 보고하는 일도 있었고, 동이중학교로 오기 전에 근무했던 학교에서 알고 지내던 사람이 찾아온 적이 있는데, 그 사람을 교감이 언성을 높여가며 강제로 쫓아내는 걸 본 적도 있습니다.

한번은 친하게 지내던 연극연출가 박종갑 형이 중봉충렬제라는 문화제를 구경하기 위해 옥천에 내려왔다가 학교로 전화를 했습니다.

전화를 받은 교감은(그 당시는 교무실에서 사용하는 전화가 교감 책상에 한 대밖에 없었습니다) 나를 바꿔달라고 하자 대뜸 어떤 사이냐고 묻더랍니다. 그래서 친구 사이라고 했더니, 다시 어떤 친구냐고 묻더랍니다. 지방에서 연극 연출하며 사는 이들이 대부분 그렇지만 마땅한 벌이도 없고 변변한 직장도 없이 지내는 터라 열정이나 자긍심 외에 가진 게 없는 이가 대부분인데 "이름이 뭐냐?", "뭐 하는 사람이냐?", "어디서 만난 친구냐?", "학교 동창이냐?", "사회에서 만난 사람이냐?" 등등을 시시콜콜 물어오면 기분이 나쁠 뿐 아니라 자존심이 상하게 마련이지요.

그래서 "그냥 알고 지내는 사이예요" 하고 대답했더니 교감은 전화를 바꾸어줄 수 없다고 하더랍니다. "지금 자리에 있습니까 없습니까?" 하고 재차 물었더니 자리에 있는데 바꿔줄 수 없다고 말하더랍니다. 왜 바꿔줄 수 없느냐고 했더니 "우리는 도종환 선생 친구라면 다 문제 있는 사람이라고 생각해서 바꿔줄 수 없어요" 하면서 전화를 끊더랍니다. 본인이 지나치게 주어진 역할 이상을 앞장서서 한다는 생각도 들지만 교감도 분명 상부에서 무슨 지시가 내려와서 그러는 것일 텐데, 어느 기관에서 어떤 지시를 어떻게 하라고 내린 것인지 나도 그저 추측과 상상을 하면서 분을 삭이거나 늘 감시받고 있다는 생각에 행동이 위축되는 때도 있었습니다.

한 학년이 두 학급밖에 되지 않는 그 시골 학교에서도 국어 시간에 학생들 글쓰기 지도를 해서 모은 글을 《강마을 아이들》이란 이름으로 온누리출판사에서 출간하게 되었는데, 책을 아이들과 선생님들께 나누어 드리고 교감에게도 드렸더니 "왜 책의 저자를 교장 선생님으로 하지 않았느냐?"고 추궁하는 것이었습니다. 그래서 "책의 저자는 교장이 아니라 학생들이며, 그래서 책표지에도 동이중학교 학생 글모음이라고 했고, 저는 이 아이들의 글을 지도하고 엮은 사람입니다. 그래서 도종환 엮음이라고 한 것입니다" 하고 대답했습니다. 교감은 학생들 글을 모은 책이라도 학교 이름이 나오는 책이면 교장 이름으로 내야 한다는 것이었고, 나는 이 책은 아이들이 쓴 글을 모은 책이고 학교 예산으로 낸 책이 아니라 출판사에서 출간한 책이 아니냐면서 옥신각신하게 되었습니다. 그러던 중 교감은 교장을 위해서 이렇게 언성을 높이기도 하고, 궂은일을 도맡아 하기도 하는데, 교무실 옆에 붙어 있는 교장실에서 이런 고성을 다 듣고 있으면서도 일언반구를 하지 않는 교장을 향해 "궂은일은 다 나한테 맡기고 돈은 자기가 다 타서 쓰고…" 하면서 볼멘소리를 하는 것입니다. 그 바람에 매월 감시와 동태를 보고하기 위해 일정한 돈이 상부 기관 어디에선가 내려오고 있다는 것도 알게 되었습니다. "지금까지 내가 얼마나 보고를 잘해주었는지 알아!" 하며 소리를 치는 바람에 매월 17일께가 정기보고일이라는 것도 알게 되었습니다. 그런 시절을 살았습니다.

그렇지만 아이들이 순박하고 선생님도 다 좋은 분들이어서 잘 지낼 수 있었습니다. 외진 곳에 있는 작은 학교였지만 거기도 5월이면 붓꽃이 피고 뻐꾸기가 울고, 6월이 되면 감자꽃이 피었습니다. 숙직하는 날에는 학생과 교사들이 다 돌아간 텅 빈 교정을 혼자 거닐며 시를 쓰곤 했습니다.

붓꽃이 핀 교정에서 편지를 씁니다

당신이 떠나고 없는 하루 이틀은 한 달 두 달처럼 긴데

당신으로 인해 비어 있는 자리마다 깊디깊은 침묵이 앉습니다

낮에도 뻐꾸기 울고 찔레가 피는 오월입니다

당신 있는 그곳에도 봄이면 꽃이 핍니까

꽃이 지고 필 때마다 당신을 생각합니다

어둠 속에서 하얗게 반짝이며 찔레가 피는 철이면

더욱 당신이 보고 싶습니다

사랑하는 사람을 잃은 사람은 다 그러하겠지만

오월에 사랑하는 사람을 잃은 이가 많은 이 땅에선

찔레 하나가 피는 일도 예사롭지 않습니다

이 세상 많은 이들 가운데 한 사람을 사랑하여

오래도록 서로 깊이 사랑하는 일은 아름다운 일입니다

그 생각을 하며 하늘을 보면 꼭 가슴이 메입니다

얼마나 많은 이들이 서로 영원히 사랑하지 못하고

너무도 아프게 헤어져 울며 평생을 사는지 아는 까닭에

소리 내어 말하지 못하고 오늘처럼 꽃잎에 편지를 씁니다

소리 없이 흔들리는 붓꽃 잎처럼 마음도 늘 그렇게 흔들려

오는 이 가는 이 눈치에 채이지 않게 또 하루를 보내고

돌아서는 저녁이면 저미는 가슴 빈자리로 바람이 가득가득 몰려

옵니다

뜨거우면서도 그렇게 여린 데가 많던 당신의 마음도

이런 저녁이면 바람을 몰고 가끔씩 이 땅을 다녀갑니까

저무는 하늘 낮달처럼 내게 와 머물다 소리 없이 돌아가는

사랑하는 사람이여.

— 졸시 〈오월 편지〉 전문

〈오월 편지〉, 〈유월이 오면〉, 〈저무는 강 등불 곁에서〉, 〈적하리의 봄〉, 이런 시들을 유배지에서 썼습니다. 적하리는 학교가 있는 동네 이름입니다. 전교조 일로 고생도 많이 한 후배 교사 김성장 시인의 고향 동네이기도 합니다. 유배지에서 시를 쓰며 지내던 어느 날, 실천문학사에서 일하고 있던 문우 김사인 시인의 전화를 받았습니다. 시집을 내자는 것이었습니다. 지금이 어떤 시대인데 이런 개인적인 이야기나 하는 시들을 시집으로 내느냐고 안 된다고 거절했습니다. 그럼 언제까지 이러고 있을 거냐고 마음을 정리하는 차원에서라도 시집을 내야 하지 않겠느냐고 계속 설득하는 말을 해오는 것이었습니다. 이게 시집으로 내도 괜찮을 작품들인지, 욕먹는 일은 아닌지 걱정스러운 마음이 다 가시지 않은 채 86년 가을인가 작품을 정리해서 실천문학사로 보냈습니다. 그리고 12월 초에 시집이 나오기 직전 〈주간조선〉의 박승준 기자가 시집 교정지 복사본을 들고 동이중학교로 찾아왔습니다.

나도 기자가 찾아온 게 처음이어서 뜻밖이었지만 교감은 기자가 찾아오자 우선 명함을 받아들고 진짜 기자인지 신원을 확인해야 한다며 지서에 신원 조회를 부탁하는 전화를 걸었습니다. 답신이 바로 오지 않자 이어서 옥천군 교육청과 충청북도 교육청(당시는 교육위원회)에 전화를 걸어 보고를 하느라고 정신이 없었습니다. 시집 교정지 복사본을 보여달라고 하고, 시를 본 뒤에는 시가 문제가 된다고 하면서 기자를 붙잡아놓고 있었습니다. 기자와 인터뷰가 끝나고 학교 앞 식당에서 식사를 하는 동안에도 교감은 거기까지 따라와 뒷방에서 전화를 거느라 분주했습니다. 식사를 다 하고 기자가 가려고 하자 무슨 지시를 기다리는지 조금만 더 있으라고 하면서 가지 못하게 하는 것이었습니다. 얼마 후 지서에서 연락이 왔는데 〈조선일보〉 기자가 맞다고 한다면서 기자에게 교감은 "내가 도종환 선생을 위해서 이렇게 신경을 써줘도 글쎄 도 선생은 나한테 술 한잔 안 사요" 하는 것이었습니다. 식당 앞에 서 있던 기자와 나는 큰 소리로 웃고 말았습니다. 시골에 와서 수모를 당한 기자는 그해 12월 13일자 〈조선일보〉와 12월 21일자 〈주간조선〉에 박스 기사와 특집 기사를 쓰면서 수모의 기억에 대해서는 단 한 줄도 언급하지 않고 시집에 대해서만 기사를 썼고 그 기사의 파문은 엄청난 크기로 퍼져 나갔습니다.

시집을 내면서 나는, 조사받고 좌천을 당하게 했던 작품 〈접시꽃 당신〉, 〈병실에서〉, 〈암병동〉, 〈옥수수밭 옆에 당신을 묻고〉, 〈당신의 무덤가에〉, 이렇게 5편을 시집 맨 앞에 차례대로 실었습니다. 시집을 내고 난 뒤에 정말 많은 이의 머릿속에 각인된 작품은 이 시들이었습니다.

슬픔을 파는 시인이란 비판

　　　　　이정우 신부님의 시 중에 〈이 슬픔을 팔아서〉라는 시가 있습니다. "이 슬픔을 팔아서 / 조그만 꽃밭 하날 살까. / 이 슬픔을 팔면 / 작은 꽃밭 하날 살 수 있을까." 이렇게 시작하는 시는 뇌출혈로 쓰러져 중환자실에 누워 계신 어머니를 지켜보며 가눌 길 없는 슬픔을 다스리려고 쓴 것입니다. 슬픔과 아픔이 없는 곳을 꿈꾸는 이 시를 읽으며 시의 제목이 가시처럼 목에 걸릴 때가 있었습니다.

　나야말로 슬픔을 팔아서 장사를 하고 있는 게 아닐까 하는 생각을 했습니다. 시는 슬픔을 내다파는 일이 아니고 슬픔을 함께 나누는 일이어야 하며, 사랑의 아픔을 떠들어대는 것이 아니라 아픔을 사랑하는 것이어야 한다고 나는 생각했습니다. 그러나 시집이 나오면서 전혀 예상하지 못했던 매스컴의 떠들썩함과 독자들의 반응과 베스트셀러가 되어가는 과정은 시골 학교 선생인 내가 감당하기 어려운 것이었습니다. 동시에 대중성에 영합한 저급한 문학으로 평가절하되는 과정을 겪어야 하는 일도 힘든 일 중 하나였습니다.

신문마다 시집이 두 달 만에 10만 부가 나갔다, 1년여 만에 50만 부가 팔렸다, 이런 기사로 상업주의에 휩쓸려 있을 때, 문학적 평가를 해보자고 먼저 나선 것은 〈창작과비평〉이었습니다. 최두석 교수는 '대중성과 연애시'라는 논문에서 "절실한 마음과 평이하면서도 적절한 표현"으로 강한 호소력을 발휘하면서 "대중성은 획득했으나 '분단시대' 동인으로서 무장해제라는 화살을 피하기는 힘들게 되었다"면서 "시인이 이 땅의 엄연한 현실에 뿌리내리기를 바라는 필자로서는 너무 오래 무덤가를 배회하고 있다는 느낌을 버릴 수 없다"고 지적했습니다. 특히 그리는 대상으로서의 님이 한용운보다는 김소월에 닿아 있다고 보면서, 김소월의 〈산유화〉와 비교해보면 도종환의 시는 "너무 평면적이고 왜소한 것으로 판단"되고, "문학이 담당할 역사적인 몫을 제대로 감당하고 있지 못하다는 점에서 〈접시꽃 당신〉은 문학사의 주류에 들기엔 아무래도 미흡하다는 느낌을 지울 수 없다"(〈창작과비평〉, 1987)고 평가했습니다.

2년 뒤인 1989년 최두석 교수는 〈실천문학〉 겨울호에 쓴 다른 논문을 통해 내 시가 "너무 오래 무덤가를 배회하고 있다"는 불만을 밀어내고 "현실에 굳건히 뿌리내리고 있다"고 평가한 바 있지만, 나는 동시대에 함께 활동한 문우인 최두석 교수의 평가를 있는 그대로 받아들였습니다. 나뿐 아니라 주류 문단의 반응 역시 이 시집이 문학사의 주류에 들기엔 미흡하다고 판단했을 겁니다. 또 다른 한 주류인 〈문학과지성〉 쪽에서는 시집이 나온 지 25년이 지난 지금까지 단 한 번의 원고 청탁도 받아본 적이 없습니다.

〈시문학〉에서는 아예 시로 취급할 수 없다는 입장이었습니다. 〈시

문학〉은 지령 200호 특집으로 마련한 '집중 분석 / 세칭 베스트셀러 시집'을 통해 "짙은 감상성, 보편적 정서에 녹아 있는 산문성 등을 지니고 있는 도종환의 시편들이 대중의 인기를 얻는 것은 이상한 일이 아니다. 그러나 개인적인 눈물 외에 시대성이나 역사성은 물론 이 시대의 삶의 문제에 진지하게 접근하고 고뇌하고 개혁하려는 젊은 시인의 민중적인 모습은 찾아보기 어려우며 바로 이러한 점이 눈물을 사랑하는 대중들의 감성에 영합된 것으로 보인다"(심상운)고 진단했습니다. 특집은 서정윤의 《홀로서기》, 이해인의 《오늘은 내가 반달로 떠도》 등을 포함해 집중적인 비판을 제기하면서 "한결같이 문학적 수용 능력이 부족한 독자층에 의해 선호된 시 이전의 시", "시에 미치지 못한 시, 즉 시의 차원에 다다르지 못한 미숙한 시"라고 규정했습니다. 이런 시집들이 많이 읽히고 팔리는 까닭은 "문학적 수용 능력이 결여된 젊은 독자층의 무분별한 독서 행위, 예술성보다는 센세이셔널리즘만을 추구하는 대중매체들의 과대 보도, 출판사들의 얄팍한 상업주의 등이 한데 어우러져 만들어내기" 때문이라고 비판하며 베스트셀러 시집이야말로 현대적인 비극이라고 지적했습니다.

지적한 대로 대중매체야 예술성을 추구하기보다는 센세이셔널한 것을 찾아다니게 마련이고, 상업적으로 경쟁하며 잡지를 팔다 보면 과대 보도와 과장된 선전이 넘쳐나게 된다는 건 틀린 말은 아니지요. 그래서 이건 "시라고 할 수 없다"고 해도 그 평가를 받아들여야 한다고 생각합니다. 실제로 작품에 비해 과도한 관심을 받은 것이 사실이고, 시의 깊이나 성숙도나 완성도가 부족하기 이를 데 없는 데 비해 시집 한 권으로 얻은 명성은 지나치게 큰 것이 틀림없습니다. 받은 격려와 보상이 너무 과분하다고 생각하기 때문에 비판 또한 머리 숙여 받아들여야 한다고 생각합니다. 그러나 '시대성', '역사성', '삶의 문제에 대한 진지한 고뇌'가 없다는 지적은 받아들이기 어려운 면이 있었습니다.

단재 신채호 선생의 무덤에 가서 쓴 〈앉은뱅이 민들레〉를 거론하며 김상욱 교수는 서정윤 시집과 비교해볼 때 "'더불어 함께 사는 삶'과 '홀로 서는 삶'의 차이가 '사랑을 인식함에 있어서도 열린 사랑과 닫힌 사랑으로 끌어가고 있다'"('닫힌 사랑, 열린 사랑')고 두 시집을 구분하려는 노력을 시도한 바 있지만, 일반적으로 두 시집은 지금까지도 대중적인 시집이야말로 문학성이 결여된 시집이라는 등식으로 설명하는 예로 거론되고 있습니다.

대중적 성공이 곧 저급한 문학이라는 등식을 정면으로 거부한 사람은 김사인 시인이었습니다. 그는 그런 도식이야말로 편협한 패배주의적 선입견이라고 하면서 "그것은 상업적 성공을 곧 문학적 성공의 척도로 동일시하는 태도나 다를 바 없이 온당치 못한 것"이라고 했습니다. 내 시에서 혹자는 "패배주의를 조장하고 있다는 혐의", "종교적인 것으로의 일탈", "소시민적 슬픔과 비애를 만연시킨 데 대한 책임"을 묻기도 하지만 "슬픔을 제대로 슬퍼하는 일, 고통을 제대로 고통스러워하는 일은 그 자체가 참다운 위안의 방식인 동시에 사람을 깊고 넓게 만드는 힘을 가지며, 그리하여 희망으로 가는 올바른 길을 이룬다"고 김사인 시인은 말하고 있습니다.

"법도를 잃지 않는 슬픔, 사랑의 애통함을 통해 각성하는 구체적인 연대감, 목숨 있는 것들의 소중함, 진정성, 사사로운 넋두리나 좌절이 아니라 인간의 본래적 진실과 선함에 대한 순한 믿음", 김사인 시인은 쓸 수 있는 모든 언어를 동원하여 내 시집에 대한 자신의 생각을 펼치고, 방어하고, 옹호했지만 시집을 내자고 권유한 사람이면서 시집을 낸 출판사에서 일한 바 있는 사람이라는 한계가 있었습니다. 초록은 동색이라고 생각했을 겁니다. 하지만 김사인 시인은 옹호만 한 것이 아니라 매섭게 비판하기도 했습니다. 내 시집에 어려 있는 교사적 태도, 독실한 구도자적 태도가 시적 긴장을 이완시키고, 고전적 품위에 대한 집착이나 선비적이라 할 만한 분위기의 결벽이 고통과 슬픔을 치르면서 강화되어 관념적인 내용을 남발하거나 깨달음의 내용을 그 자체로서 진술하는 시가 많다는 점을 비판했습니다.

'참다운 슬픔의 힘'이라는 제목의 이 글은 《내가 사랑하는 당신은》이라는 시집의 발문으로 쓴 글이기도 합니다. 이 시집의 맨 마지막 페이지에 나는 〈그대 잘 가라〉라는 시를 실었습니다.

그대여 흘러흘러 부디 잘 가라
소리 없이 그러나 오래오래 흐르는 강물을 따라
그댈 보내며
이제는 그대가 내 곁에서가 아니라
그대 자리에 있을 때 더욱 아름답다는 걸 안다
어둠 속에서 키 큰 나무들이 그림자를 물에 누이고
나도 내 그림자를 물에 담가 흔들며
가늠할 수 없는 하늘 너머 불타며 사라지는
별들의 긴 눈물

잠깐씩 강물 위에 떴다가 사라지는 동안

밤도 가장 깊은 시간을 넘어서고

밤하늘보다 더 짙게 가라앉는 고요가 내게 내린다

이승에서 갖는 그대와 나의 이 거리 좁혀질 수 없어

그대가 살아 움직이고 미소 짓는 것이 아름다워 보이는

그대의 자리로 그대를 보내며

나 혼자 뼈아프게 깊어가는 이 고요한 강물 곁에서

적막하게 불러보는 그대

잘 가라

— 졸시 〈그대 잘 가라〉 전문

그런데 시집이 서점에 나올 때는 제목이 《접시꽃 당신·2》로 바뀌어서 출간되었습니다. 나도 서점에 갔던 후배들이 하는 말을 듣고 놀라 출판사에 전화를 했습니다. "어떻게 된 일이냐?", "제목을 저자도 모르게 바꾸는 법이 어디 있느냐?", "다시 책을 수거하고 원제목으로 바꾸어서 찍어달라"고 요구했지만 "이미 전국 서점에 다 배포해서 어렵다. 미안하다. 양해해달라"는 말만 할 뿐 요지부동이었습니다. 배창환 시인 등 문우들은 이렇게 되면 앞의 시집도 상업주의의 오명을 벗어날 수 없게 되고, 지금까지 낸 시집 모두를 잃게 되는 짓이라고 성토했습니다. 문단의 어른들도 이거야말로 좌파상업주의라고 나무라셨습니다. 정식 문건으로 사과문을 받고 다시 시집 제목을 《내가 사랑하는 당신은》으로 바꾸는 데는 꽤 여러 해가 걸렸습니다. 나는 저자용으로 배달되어 온 증정본 스무 권의 포장을 그때까지 풀지 않고 있었습니다.

이래저래 그 시집은 내게도 남에게도 부끄러운 시집이 되고 말았습니다. 그동안 읽고 싶지 않아 밀어두고 펼쳐 보지 않은 《접시꽃 당신·2》라는 제목으로 출간되었던 시집을 참 오랜 세월 후에 다시 꺼내 읽으며 정말 부끄러웠습니다. 시집 제목도 제목이지만 김사인 시인이 지적한 긴장의 이완과 관념과 진술로 가득한 시, 숙성되지 않은 시가 너무 많았기 때문입니다. 시집을 내고 1년 반 정도밖에 되지 않은 때에 또 시집을 내자고 한다고 미숙한 시를 출판사에 그냥 건넨 미욱한 내 책임이 더 크다는 생각을 합니다. 슬픔을 팔아서 장사하는 시인, 상업주의에 끌려다니는 시인이란 소리를 듣는 게 다 내 책임이란 생각을 합니다.

선생님 사랑했어요

쫓겨 간 학교에서 일거수일투족을 감시받으며 생활하는 선생 노릇이었지만 그래도 교실에 들어가 아이들 얼굴을 보면 힘이 났습니다. 시골 학교 중학생들이었지만 과꽃 같은 아이들, 봉숭아꽃 같은 아이들, 달리아 같은 아이들, 햇감자 같은 아이들, 갓 캐어낸 고구마 같은 아이들이었습니다. "엄마가 캔 고구마는 / 엄마 얼굴 닮고 // 내가 캔 고구마는 / 내 얼굴 닮았다"라고 시를 쓰는 아이들이었습니다. 두고 온 어릴 적 고향의 냄새가 이 아이들에게서 났습니다. 겨울이면 연을 만들어 날리고, 눈 쌓인 뒷산에 토끼 올가미를 놓고, 대보름날 밤이면 밥 훔쳐 먹으러 떼를 지어 몰려다니는 아이들. 그걸 알고 어머니들이 부뚜막에 잡곡밥과 나물을 모른 체 놓아두곤 하는 마을에서 아이들은 자라고 있었습니다. 비가 오면 신발을 벗어 양손에 쥐고 맨발로 노래 부르며 집으로 가는 아이들, 맨발에 닿는 진흙의 느낌이 얼마나 좋은지 아는 아이들이었습니다.

아이들 앞에 서면 내 슬픔, 내 시련 같은 건 잊어버리곤 했습니다.

때 묻지 않은 아이들을 보고 있노라면 아이들 편에 서는 교사, 아이들에게 필요한 교사가 되어야겠다는 생각이 들었습니다. 그때는 아침마다 직원 조회를 했는데 조회가 끝나면 아이들에게 전달해야 할 것이 참 많았습니다. 학생들과 만나는 하루 첫 시간은 늘 그런 지시 사항과 전달 사항을 전하고 확인하는 조회로 시작되었습니다. 그러다 보니 교사는 교실에 들어서면서 "떠들지 마!", "조용히 해!", "잘 들어!", "주목!" 이런 명령조의 말로 말문을 열었고, 경직된 형태의 만남이 매일 반복되었습니다.

그래서 교실에 들어서면서 자연스럽게 대화로 말문을 여는 방식의 만남을 시도했습니다. "명순이 머리 예쁘게 잘랐네", "비가 오는데 옷 젖은 사람은 없니?" 하면서 하루의 문을 열었습니다. 아니면 짧은 이야기나 예화를 들려주기도 했습니다. 우화나 예화집에 나오는 이야기를 모아두었다가 들려주거나, 신문·방송에서 보고 들은 이야기, 학생들과 생활하면서 겪은 이야기와 그것에 대한 내 생각을 들려주었습니다. 또 어떤 날은 그날의 역사와 관련한 자료를 미리 모아두었다가 이야기해주었습니다. "날씨가 많이 쌀쌀해졌지? 오늘은 일제강점기 때 청산리 전투가 있었던 날이야." 이런 식의 조회를 내 나름대로 계획을 짜서 운영했습니다. 이것을 각각 대화 조회, 예화 조회, 역사 조회로 이름 붙여 보았습니다.

하루 일과가 끝나고 집으로 돌아갈 때는 노가바(노래 가사 바꾸어 부르기) 시간을 가졌습니다. 학생들이 잘 알고 있는 노래에다 그날 있었던 일이나 그날 배운 교과 내용 중에 재미있었던 것, 기억하고 싶은 내용을 노랫말로 만들어 함께 부르는 시간입니다. 이 일을 맡은 학생들이 있어서 쉬는 시간이나 점심 시간에 모여 공동 창작한 뒤 작은 칠판에 적어놓습니다. 그걸 보고 즐겁고 재미있게 노래 부르며 하루를 마무리하는 것입니다. 신석기 시대에 대해 배우고 난 뒤 〈고향의 봄〉 곡조에 맞추어 "남녀차별 범죄와 빈부도 없이 / 차별 없이 일하던 때 그립습니다" 하고 함께 노래합니다. "우리는 말 안 하고 살 수가 없나" 하고 시작하는 〈솔개〉라는 노래에 "우리는 욕 안 하고 살 수가 없나 / 생각 없이 내뱉어진 욕설로 멀어져간 나의 친구여" 하고 노랫말을 바꾸어 불러서 욕을 제일 잘하는 대성이가 고개를 들지 못하게 한 적도 있습니다.

교실 뒤쪽 칠판을 학생들 스스로 꾸미고 활용하게 했습니다. '학습판', '시사란', '새마을' 등으로 나눈 곳을 학생들이 하고 싶은 말을 적어놓는 곳으로 바꾸었습니다. '들어주세요', '함께 읽어봅시다', '알아둡시다' 이런 난으로 나눈 뒤 수시로 학생들이 공간을 채우고 써 넣게 했습니다. 시를 써 넣기도 하고, 운동장에 수도를 설치해달라는 건의 사항을 써 넣기도 하고, 저희가 잘못한 일이 있어도 웃는 얼굴로 수업을 해주시면 고맙겠다는 애교 섞인 말이 쓰여 있을 때도 있었습니다.

그런데 교감이 수업 중에 교실을 순시하다 들어와 보고는 다 없애라고 하는 것입니다. "왜 이 반만 이런 식으로 교실을 꾸미느냐?", "규정에 어긋난다", "지워라", "없애라" 하면서 반장을 불러 지시하고 호통을 치면 학생들은 그걸 울면서 없애고, 내가 다시 써 넣으라고 하면 다시 만들었다가 또 교감의 지시로 지우는 일이 되풀이되곤 했습니다.

정치 정세도 불안정해 직선제 개헌에 대한 요구를 전두환 대통령이 4월 13일 호헌 조치로 대답하고, 그 호헌 조치에 대해 저항하는 국민적 요구가 전 사회적으로 폭발해 올라오는 때였습니다. 6월로 접어들면서 연세대생 이한열이 시위 도중 최루탄에 맞아 피 흘리며 쓰러졌고 넥타이를 맨 시위대가 거리로 쏟아져 나왔습니다. 산골에 사는 나는 서울까지 갈 수는 없고 대전으로 나가 시위 행렬과 함께 거리에 서 있곤 했습니다. 한번은 가까이에서 터지는 최루탄을 피해 달아나다 길을 잃고 우는 어린아이를 발견한 적이 있습니다. 그 아이를 안고 골목으로 피해 달려가다 시장 안 생선 가게의 비린내 나는 물로 얼굴을 씻으며 최루탄 때문인지 분노 때문인지 눈물을 흘리기도 했습니다.

"하나뿐인 손수건으로 아이의 눈과 입을 가리고 / 차마 뜨이지 않는 아픈 눈자위를 손등으로 부비며 / 아이와 함께 우리는 울고 있습니다 / 조금만 참아라 조금만 더 가면 괜찮다 / 아가, 너희는 최루탄 없는 세상에서 살아라 달래며 / 눈이 매워서가 아니라 북받쳐 오르는 분노 때문에 / 우리는 울고 있습니다"(졸시 〈아가, 너희는 최루탄 없는 세상에서 살아라〉 중에서) 이런 시를 쓰기도 했습니다.

어느 날은 대전역에서 도청까지 이어지는 가득한 시위 대열이 경찰을 무장해제시키기도 했습니다. 경찰이 시위대에 갇힌 채 장비를 다 빼앗기고 두려움에 떨며 아스팔트 바닥에 주저앉아 있던 날인가 그 다음 날인가 저녁에 6·29 선언 소식을 들었습니다. 대전에서 옥천으로 돌아와 밤길을 걸어 하숙방으로 혼자 걸어가는 동안 입에서 낮에 불렀던 노래 한 구절이 나지막하게 흘러 나왔습니다. "세월은 흘러가도 산천은 안다" 하는 대목에 이르자 눈물이 볼을 타고 주르르 흘러내렸습니다.

6·29 선언이 있고 얼마 지나지 않아 충청북도 교육청에서 장학사 한 분이 학교를 찾아왔습니다. 장학사는 지나가다 들렀다면서 청주로 가야 하지 않느냐고 말했습니다. "내가 무슨 힘이 있어 청주로 들어갑니까? 규정도 그렇고 근무 점수도 청주로 갈 만한 점수가 아니라는 걸 장학사님도 알지 않습니까?" 그랬더니, "아이, 왜 그러세요? 가셔야지요" 하는 겁니다. 나로서는 도대체 무슨 깜냥인지 알 수가 없는데, 학교에서는 이미 내가 곧 청주로 가게 된다는 소문이 돌고 있었습니다. 아이들과 떨어져 지내야 하는 내 처지에 대해 안타까워하는 〈중앙일보〉 기사를 보고 알지도 못하는 몇몇 분이 집단으로 교육감 앞으

로 민원을 넣었다는 이야기를 나중에 들었습니다. 6·29 선언과 집단 민원의 여파로 그해 가을 청주로 발령이 났습니다.

잘 지내던 시골 학교 아이들과 갑자기 헤어져야 했기에 마음이 몹시 아팠습니다. 운동장에 모인 아이들에게 이임 인사를 하려고 나갔습니다. 그런데 무슨 이유인지 갑자기 마이크가 나가버렸습니다. 그래서 인사도 제대로 하지 못하고 그냥 돌아서야 했습니다. 마른버짐이 핀 얼굴을 들지 못한 채 어깨를 들먹이고 있는 아이들을, 봉숭아가 흐드러지게 피어 있는 꽃밭을, 고개 꺾은 해바라기가 줄지어 선 학교 뒤뜰을, 내 생애의 못다 한 한 시절을 그냥 거기 둔 채 돌아서는데 안개비가 자욱하게 내렸습니다.

나는 또 너희들 곁을 떠나는구나

기약할 수 없는 약속만을 남기고

강물이 가다가 만나고 헤어지는 산처럼

무더기 무더기 멈추어 선 너희들을 두고

나는 또 너희들 곁을 떠나는구나

비바람 속에서도 다시 피던 봉숭아 잎이 안개비에 젖고

뒤뜰에 열 지어 선 해바라기들도 모두 고개를 꺾었구나

세월의 한 구비가 이렇게 파도칠 때마다

다 못 나눈 정만 흥건히 담아둔 채 어린 너희들의 가슴에 잔물지는 아픔을 심는구나

나는 다만 너희들과 같은 아이들 곁으로

해야 할 또 다른 일을 찾아 떠나는 것이라고 달래도

마른버짐이 핀 얼굴을 들지 못하고 어깨를 들먹이며

아직도 다하지 못한 나의 말을 자꾸 멈추게 하는구나

우리 꼭 다시 만나자

이 짧은 세상에 영원히 같이 사는 사람은 없지만

너희들이 자라고 내가 늙어서라도 고맙게 자란 너희들의 손을 기쁨으로 잡으며

이 땅의 인간다운 삶을 위해 함께 일하는 사람으로

하나 되어 꼭 다시 만나자.

— 졸시 〈지금 비록 너희 곁을 떠나지만〉 전문

떠나는 나에게 아이들이 크고 작은 선물 하나씩, 편지 한 통씩을 가

지고 왔습니다. 밤이 깊어질 때까지 그걸 펼쳐보았습니다. 그중에 학교까지 걸어오는 데 한 시간도 더 걸리는 궁벽진 마을에 사는 진희의 편지도 들어 있었습니다. 수줍음을 많이 타서 말을 걸어도 대답을 잘 들을 수 없는 진희, 복숭앗빛 발그레한 볼의 단정한 진희, 공부를 썩 잘하는 것도 아닌 진희의 편지는 딱 한 줄이었습니다. 거기 이렇게 써 있었습니다.

"선생님 사랑했어요."

행복은 성적순이 아니다

　　〈지금 비록 너희 곁을 떠나지만〉이란 시에서 "해야 할 또 다른 일을 찾아 떠나는 것"이라고 나는 아이들에게 말했습니다. 6월 항쟁과 6·29 선언의 여파로 집이 있는 청주로 올라오면서 나는 정말로 '해야 할 또 다른 일을 찾아 이곳으로 오는 것'이라고 생각했습니다.

　　두 가지 일을 시작했습니다. 하나는 교육운동 단체를 만드는 일이었고, 다른 하나는 문화운동 단체를 만드는 일이었습니다. 1년 전인 1986년 충북민주화운동협의회가 만들어진 바 있습니다. 70년대 충북 지역의 민주화 운동을 앞장서서 이끈 분은 고 정진동 목사님과 조순형 전도사님 같은 종교인이었습니다. 그분들과 함께 충북 지역에서 80년대 학생운동을 이끈 두 사람이 김재수, 김형근입니다. 김재수는 노동자자주관리기업인 우진교통의 대표를 맡아서 아직도 성실하고 모범적인 노동운동을 하고 있으며, 통일운동과 민주화 운동을 이끌던 김형근은 현재 충청북도의회 의장을 맡고 있습니다. 목사님과 신부님, 학생, 지식인으로 이루어진 충북민주화운동협의회의 문화 분과를 맡고 있던 이들이 있었는데, 이들이 중심이 되어 분화된 부문 운동으로서의 문화운동을 전개해나갈 필요가 있다고 생각했습니다.

새로운 무용극을 시도하던 강혜숙 교수(전 국회의원)와 우리춤연구회의 오세란 등이 무용 쪽에서 활발하게 활동을 시작하고 있었고, 문학 쪽에서 '분단시대' 동인과 젊은 문인들이 있었으며, 판화가 이철수(현 민예총 부회장)가 86년에 제천 박달재 밑 평장골로 이사 와서 그림 작업을 하고 있었고, 이홍원(현 충북민예총 지회장)과 김기현(현 청주민예총 지부장) 화백 등 민미협 회원이 있었습니다. 그리고 녹두패라는 노래운동 단체가 결성되어 활동하고 있었습니다. 여기에 연극인 박종관(전 한국문화예술위원회 위원), 유순웅(1,000회 공연을 돌파한 일인극 〈염쟁이유씨〉의 주인공), 이들이 중심이 되어 그해 12월 4일에 현 충북민예총의 전신인 충북문화운동연합을 결성했습니다.

처음에는 강혜숙 교수와 이철수 화백 그리고 내가 공동의장을 맡았다가, 이철수 화백과 내가 둘이 의장을 하다가, 나중에는 나 혼자 이 단체를 이끌어가기도 했습니다. 한번은 함께 책임을 맡아 단체를 이끌던 이철수 화백이 중요한 일을 맡게 되어 공동의장직을 더는 수행할 수 없을 것 같다고 말했습니다. 무슨 중요한 일이 있느냐고 물었더니, 주뼛거리다가 평장골 동네 반장을 맡게 되었다는 것이었습니다. 위태롭고 불안정한 지역 문화운동, 그 가난하고 힘든 길을 함께 가고 있는 동료, 후배들을 생각하면 어떻게 그런 말을 할 수 있는지 어이가 없고, 서운하고, 화가 나기도 해서 그때는 쳐다보고 싶지도 않았습니다. 정국이 꼬이기 시작하고 탄압을 이겨내기도 힘든 때라서 더욱 이해하기 힘들었습니다. 예술가가 낙향하여 지역에 뿌리내리며 산다는 것이 어떤 것인지 당시에는 이해하지 못했고, 당장 우리가 하는 일이 더 중요하다는 생각밖에 하지 못했습니다.

통일춤으로 많이 알려진 강혜숙 교수가 우리춤연구회와 〈행복은 성적순이 아니잖아요〉라는 무용극을 만들게 되었습니다. 교육 문제를 내용으로 하는 무용극이었는데, 나도 함께 대본을 만드는 일에 참여하며 그 유명한 〈O양의 유서〉를 공연에 삽입했습니다.

> 난 1등 같은 것은 싫은데…
> 앉아서 공부만 하는 그런 학생은 싫은데,
> 난 꿈이 따로 있는데, 난 친구가 필요한데…
> 이 모든 것은 우리 엄마가 싫어하는 것이지.
>
> 난 인간인데
> 난 친구를 좋아할 수도 있고,
> 헤어짐에 울 수도 있는 사람인데.
> (…)
> 공부만 해서 행복한 건 아니잖아?
> 공부만 한다고 잘난 것도 아니잖아?
> 무엇이든지 최선을 다해 이 사회에 봉사,
> 가난하고 불쌍한 사람을 위해 조금이라도 도움을 주면
> 그것이 보람 있고 행복한 거잖아.

꼭 돈 벌고, 명예가 많은 것이 행복한 게 아니잖아.

나만 그렇게 살면 뭐해?

나만 편안하면 뭐해?

─── 〈O양의 유서-H에게〉 중에서

1986년 1월 15일 새벽에 O양은 이 유서를 써 놓고 세상을 떴습니다. 공연에 삽입하기 위해 유서를 읽다가 눈물이 났습니다. 공연 중에 조명이 꺼진 상태에서 낭독하는 유서는 거기 온 많은 이를 울렸고, 이렇게 죽어가는 아이들의 목소리에 귀 기울이지 않으면 안 된다는 각성을 하게 했습니다. 우리는 청원군 매포수양관에서 열리는 전국교사협의회 연수에 참여한 교사들에게 이 공연을 보여주었고 반응은 뜨거웠습니다. 그해 겨울부터 전국 20개 도시에서 80회 이상의 순회공연을 하게 되었습니다. 그리고 영화로도 제작되었습니다.

충북교사협의회는 1987년 11월 21일에 창립했습니다. 그해 9월 전남교사협의회를 시작으로 전국 각지에서 새로운 교사 모임이 만들어지고 있었습니다. 충북에서도 나와 김미영 선생(전 전교조 부위원장) 등이 청주 YMCA에서 만나 소모임을 해왔고, 광주항쟁과 관련해 옥고를 치르고 나온 고 권영국 선생과 2010년 선거에 충북 교육감 후보로 출마했던 김병우 선생 등이 모여 민주적인 교사 모임을 꾸릴 준비를 시작했습니다. 20대 후반에서 30대 초반 교사가 대부분이었습니다. YMCA에서 윤구병 교수 초청 강연을 하면서 첫 모임에서 17명이던 교사가 30여 명으로 늘어났고, 그렇게 늘어나기 시작한 교사가 몇백 명이 넘게 되면서 11월에 어렵게 창립한 것입니다. 나는 창립준비위

원장을 맡았습니다.

교사협의회가 결성되자 "교사협의회에 참여하는 교사는 교직을 그만둘 각오를 할 것"이라는 지시가 교육청을 통해 교장단 회의 전달사항이란 이름으로 직원 조회 시간에 공개적으로 전달되었습니다. 감시는 더 심해졌고 심지어 문제교사 식별법이란 공문도 내려왔습니다. 거기에는 "아이들에게 지나치게 열성적인 교사, 학급 신문이나 학교 문집을 만드는 교사, 풍물을 지도하는 교사…" 등등이 나와 있었습니다. 아이들에게 열성적이면 문제교사로 찍히는 시대였습니다.

학생들을 의식화하는 사례를 찾아내라고 해서 교장과 교감이 교실을 순회하는 횟수가 늘어나고 있었습니다. 봉양의 어느 중학교에서는 교장이 교실 순회를 하다가 뒤쪽 칠판에 붙어 있는 시를 발견하고는 베껴 적었습니다. "지금은 남의 땅 빼앗긴 들에도 봄은 오는가"로 시작하는 시였습니다. "남의 땅? 빼앗긴 들이라!" 그러고는 무슨 생각이 들었는지 조용히 뒷자리에 앉은 학생을 복도로 불러내어 물어보았습니다. "얘, 니네 반에 이상화라고 있니?" "그분 시인인데요." "시인? 그래 시인이라도 괜찮아, 알았어." 그러면서 그 긴 시를 적어가기도 했습니다.

한번은 교감이 상담실로 따라오라고 해서 갔더니 〈대학동창회보〉에 재수록된 시를 보여주며 "이 시에 나오는 진달래가 북한의 국화가 맞죠?" 하고 묻는 거였습니다. "그리고 이 시에 나오는 식민지가 우리가 미국의 식민지라는 뜻이죠?" 하고 추궁하는 거였습니다. 그 시는 시집《접시꽃 당신》에 실려 있는 〈앉은뱅이 민들레〉라는 시였는데 "나 죽은 뒤 / 이 나라 땅이 식민의 너울을 벗었거든 / 내 무덤가에 와서 놀아라"라는 구절이 있습니다. 그 구절을 교감은 그렇게 해석한 것입니다. 그 시는 독립운동가 단재 신채호 선생의 묘소에서 쓴 시인데 그걸 문제 삼고자 하는 거였습니다. "진달래꽃이 문제가 된다면 저보다 먼저 김소월을 잡아넣어야 하는 게 아니에요?"하고 말했더니 교감은 손바닥으로 책상을 치며 나갔습니다. 회전의자를 휙 돌려 앉으며 "나는 왜 이렇게 복이 없을까? 교장 한번 해보려고 했더니, 어디서 저런 게 굴러와 가지고, 에이구"하며 교사들이 다 들리게 말할 때도 있었습니다. 밖에서는 베스트셀러 시인이라고 연일 신문 잡지에서 인터뷰를 하자고 하고, 시집으로 영화를 만든다고 떠들썩했지만 안에서는 이렇게 지냈습니다. 그런 소리를 들으면서도 가야 할 길이 있었습니다.

검푸른 하늘 위로 싸아하게 별들이 빛나고
온 들을 서리가 하얗게 덮는 동안
나는 잠이 오지 않았다
(…)
아직 길이 나지 않은 저 숲에는 녹슨 철망도 있다 하고
발을 붙드는 시린 계곡물과 천 길 벼랑도 있다 한다
잠 못 드는 이 밤 산짐승 울음소리가 가까이에 들리고
어쩌면 겨울이 길어
바람 또한 질기게 살을 때리며 뒤를 따라오기도 할 것이다
눈물로 가야 할 고난의 새벽이 가까워 오는 동안
이 길의 첫발을 우리로 택하여 걷게 하신 뜻을 생각했다
나처럼 잠을 이루지 못하고 있을
함께 떠나기로 한 벗들을 생각했다
어찌하여 우리가 첫새벽을 택해 묵묵히 이 길을 떠났는지

어찌하여 우리의 싸움이 사랑에서 비롯되었는지

우리가 떠나고 난 뒤 남겨진 발자국들이 길이 되어

이 땅에 문신처럼 새겨진 뒷날에는 꼭 기억케 될 것임을 생각했다

— 졸시 〈새벽을 기다리며〉 중에서

쇠창살에 이마를 대고

　　　　　　　나보다 한 뼘은 더 커 보이는 건장한 형사 5명이 교무실에 들이닥친 것은 아이들과 야영을 다녀온 지 이틀이 지난 날이었습니다. 야영장 강가에 텐트를 치고 직접 밥을 지어 먹고 산행을 하고 밤에는 높이 쌓아올린 장작불 주위를 돌며 손잡고 노래하다 쉬어버린 목소리가 채 가라앉지 않은 때였습니다. 참 즐거웠던 2박 3일의 여운이 아직 다 가시지 않은 상태로 성적표 가정통신란을 쓰다가 둘째 줄을 다 못 쓰고 수갑이 채워진 채 경찰차를 탔습니다. 선생님들도 놀라고 나도 황망했습니다. 경찰차가 학교를 떠날 때 뒤를 돌아다보니 차창 밖으로 아이들이 울면서 달려오고 있었습니다.

　나중에 어느 아이가 쓴 글을 보니 3학년 아이들이 복도로 몰려 나와 〈아침 이슬〉을 불렀고, 이걸 알고 달려온 학생주임에게 얻어맞고 교실로 쫓겨 들어갔다고 합니다. 내가 경찰서에 끌려가고 난 뒤 학교에서는 학부모들을 불러 내가 그동안 얼마나 문제가 많은 교사였는지, 내가 맡은 학급이 얼마나 많은 사고를 저질렀고, 성적은 또 얼마나 뒤처지고 있는지 상세히 설명했고, 집집마다 가정통신문을 보내 알려주었다고 합니다.

아이들이 목숨을 끊으며 견딜 수 없어 하는 잘못된 교육 구조를 바로잡기 위해서는 법으로 보장된 교사들의 단체가 필요하다는 생각에서 시작한 일이었고, 전 세계 대부분의 나라에서 인정하고 있는 교원 노조를 우리도 만들어서 단체교섭을 통해 비민주적인 교육 구조와 잘못된 관행을 바로잡고 교육 환경을 개선하려면 이 길로 가야 한다고 생각했습니다. 그동안 교육세를 걷으면서 초등학교 과밀 학급 해소, 중학교 무상 의무교육 실시, 고등학교 시설 개선 등에 쓰겠다고 했던 약속은 지키지 않은 채 5년간 거출 기간을 연장한다는 발표에 우리는 실망했습니다. 중학교 무상 의무교육은 요원해 보였습니다. 마침 그해, 1989년 3월 9일 국회에서 교직원 노동조합 결성을 인정하는 노동조합법 개정안이 본회의를 통과했습니다. 그 법안에는 "6급 이하 공무원을 포함한 근로자는 노동조합을 조직하거나 이에 가입할 수 있고 단체교섭을 행할 수 있다"라고 규정하고 있었습니다. 따라서 5·16 군사 쿠데타 이후 교사의 노동조합 결성을 가로막았던 국가 공무원법 제66조는 자동 폐기되는 것이었습니다. 그런데 이 법안이 노태우 대통령의 거부권 행사로 확정되지 못하고 말았습니다. 노동조합법이 국회를 통과했음에도 대통령이 거부하는 것을 본 교사들은 직접 나서서 투쟁하지 않고는 어떤 권리도 얻을 수 없고, 어떤 악법도 개정할 수 없겠구나 하고 생각할 수밖에 없었던 것입니다.

법이 바뀌기 전까지는 악법도 법이니 지켜야 한다고 말합니다. 그러나 독약은 약이 아니라 독이듯, 악법은 법이 아니라 악이지요. 제도

적이고 구조적인 악입니다. 지켜야 할 것을 지키지 않으면 죄를 지었다고 합니다. 그러나 옳은 것을 바르게 행하지 않는 것 또한 죄라고 성서에서는 말합니다. 고장 난 신호등을 고치지 않고 고장 나기는 했지만 신호등이니 계속 기다려야 한다고 하면 길에서 기다리겠습니까? 고쳐서 길 역할을 하는 길로 만드는 것이 잘하는 일 아닙니까? 그래서 교사들은 잘못된 법과 제도를 고치는 싸움에 몸을 던지게 되었고, 그 일이 아이들과 이 나라 교육의 미래를 위한 일이라고 믿었습니다.

4·19 혁명과 3·15 부정선거에 대해 이야기하면 징계를 받는 게 당시 교육계의 현실이었습니다. 통일 교육을 하면 좌경 의식화 교육을 한다고 의심하던 시절이었습니다. 나하고 같이 일했던 강성호 선생은 〈한겨레신문〉에 실린 북한 사진을 수업 시간에 보여주면서 북한도 사람이 사는 곳이고 주민들도 생각보다 잘 살고 있는 것 같다고 했다가 북침설을 가르쳤다고 매도당하고 고발당해 감옥에 갇히기도 했습니다. 강 선생이 북침설을 주장하고 북한 체제를 찬양했다고 진술한 학생이 반 전체에서 6명 있었는데, 그중에는 당일 결석한 학생도 있었습니다. 그런 시절이었습니다. 그 시절, 그런 왜곡된 고발과 감시와 잘못된 언론 보도가 많았습니다.

'헤어져 살아온 45년'이란 연호를 쓰도록 유도하는 등 의식화 교육을 한다고 고발당한 최 아무개 선생은 북한의 샛별국교를 찬양하고 북한의 국화인 진달래 노래를 가르쳤다고 매도당해 담임 자리를 박탈당했습니다. 그런데 샛별국교는 북한이 아니라 경남 거창에 있는 학교로, 한국방송(KBS)의 〈들꽃은 스스로 자란다〉라는 프로그램에서도 소개한 바 있습니다. 진달래꽃 노래도 북한 노래가 아니라 오펜바흐가 작곡하고 당시 〈조선일보〉 논설위원이었던 유경환 시인이 작사한 〈진달래꽃 처녀〉였습니다.

초등학생에게 〈해방가〉를 가르친다고 대문짝만하게 보도한 신문도 있었습니다. 초등학생들에게 운동권 노래를 가르치면서 의식화하는 게 전교조 교사들이라는 생각을 국민들에게 심어주는 기사였습니다. 그런데 〈해방가〉 역시 《소설가 구보씨의 일일》로 유명한 소설가 박태원 선생이 쓴 시에 작곡가 김성태 선생이 곡을 붙인 노래입니다. 원제목은 '독립행진곡'으로 8·15 해방 직후 교과서에 실린 노래였고, 나는 어려서부터 여자애들이 고무줄놀이를 하며 놀 때 이 노래를 부르는 걸 보았습니다.

경쟁 위주의 비인간적인 입시 교육 때문에 학생들이 1년에 백몇십 명씩 죽어가고 있다고 말하면 "무슨 소리야. 일본은 1년에 400명씩 죽어. 일본 따라가려면 아직 멀었어" 하고 말하는 교장도 있었습니다. 이런 일을 겪을 때마다 어떻게든 잘못된 교육 구조를 바로잡지 않으면 안 되겠다고 교사들은 생각했던 것입니다. 그런 절박한 요구가 터져나온 것이 교원 노조 결성이라는 형태로 표출된 것이었고, 나도 그일에 적극적으로 참여했다는 이유로 경찰에 잡혀가게 된 것입니다.

이튿날 아버지가 경찰서로 찾아오셨습니다. 그러고는 "나갈 방법이 있다. 탈퇴서를 써주면 교육청에서 풀어주겠다고 애비에게 약속했다. 얼른 써주고 나가자"고 하셨습니다. "그렇게 하지 않아도 저는 나갈 수 있어요. 제가 잘못한 게 없는데 왜 여기 있겠습니까? 걱정하지 마세요. 내일이면 나갈 거예요." 이렇게 말씀드리자 아버지는 "어미 없는 어린 자식들은 누가 돌보란 말이냐? 네 새끼를 네가 돌봐야지. 너는 다른 사람하고 처지가 다르지 않니? 네가 탈퇴서를 써도 다른 사람들이 다 이해한다. 걱정하지 말고 써라" 하고 말씀하시는 거였습니다. 그 말씀에는 뭐라고 대답할 말이 없었습니다. 그냥 "걱정하지 마세요. 곧 나가요"라는 말밖에 할 수가 없었습니다. 내가 대답을 하지 않자, 아버지는 "그러면 부자간의 의를 끊겠다"고 하셨습니다.

그래도 아버지가 원하는 대답을 해드릴 수가 없었습니다. '설마 교도소까지는 가지 않겠지' 하는 생각도 있었습니다. 그럴 정도로 큰 죄를 지은 건 아니라고 생각했습니다. 그러나 다시 포승줄에 묶이고 수갑을 찬 뒤 교도소로 넘어가는 차를 타고 경찰서를 돌아 나오다 경찰서 담에 이마를 대고 울고 계시는 어머니를 보았습니다. 어머니한테 너무 큰 죄를 짓는다는 생각에 가슴이 아팠습니다. 아버지는 내가 교도소에 수감된 뒤에는 면회도 오지 않으셨습니다.

쇠창살에 이마를 대고 어두워 오는 하늘을 봅니다.
벽에 어린 내 그림자는 미동도 않습니다.
어두워 오는 하늘 먼 곳을 불안한 천둥소리가 질러갑니다.
장마가 시작되려나 봅니다.
지금쯤 아이들은 울음을 그쳤을까
하루아침에 고아가 돼버린 내 아이들
며칠째 울먹였다던 학교의 아이들을 생각합니다.
(…)
그러나 이 세상에 가장 버리기 힘든 게 마음이어 가슴 아픕니다.
명예는 버릴 수 있어도 못 버리는 게 마음이어 아픕니다.
목숨까지 버릴 수 있어도 못 버리는 게 마음이어 아픕니다.
평생 눈물밖에 드린 게 없는 어머님께
두 아이와 눈물 한 무더기를 더 얹어드리고 돌아서면서도
버릴 수 없는 게 마음이어 아픕니다.

— 졸시 〈쇠창살에 이마를 대고〉 중에서

알몸으로 달려가던 교도소의 긴 복도

       교도관이 보는 앞에서 입고 있던 옷을 벗었습니다. 그리고 교도소에서 주는 푸른 옷으로 갈아입어야 했습니다. 옷을 입기 전에 교도관은 다른 죄수들과 함께 알몸인 채로 앉아 일어서를 시켰습니다. 엉덩이를 뒤로 돌리고 허리를 구부리도록 했습니다. 혹시 몸 깊은 곳에 숨겨 들여오는 것은 없는지 조사했습니다. 그리고 식기 두 개와 수저, 양동이 하나를 받았습니다. 가슴에는 수인 번호 376번이 찍혀 있었습니다. 육중한 철문이 닫히는 소리가 등 뒤에서 들리고 엉거주춤 서 있는 발 근처에 식은 밥 한 덩어리와 멀건 국이 나를 기다리고 있었습니다. 감방 안에 있는 이들이 시큰둥하게 쳐다보면서 뭐 하다 들어왔느냐고 묻는데 설명하기가 마땅치 않았습니다.

  남의 소를 훔쳤다가 잡혀 온 사람, 유가증권을 위조한 사람, 여성들을 유인하여 팔아넘기는 일을 하다 잡혀 온 이, 애인을 떼어버리려고 친구들을 시켜 집단 성폭행했다는 혐의를 받고 들어온 사립학교재단 설립자의 손자, 하굣길에 여학생 목에 흉기를 들이대고 돈을 빼앗아

온 청년, 돈 때문에 들어온 사람, 그런 이들 10여 명과 한방에서 지내야 했습니다. 감방이 좁아 밤에는 옆으로 누워 칼잠을 잤습니다. 변기통 옆에 누워 있는 동안 잠이 오지 않았습니다. 밖에는 비가 억수같이 쏟아지고 있었습니다. 번개의 보랏빛 섬광이 창을 때리고 지나갈 때면 쇠창살이 잠깐씩 푸르게 이를 드러내고 있는 게 보였습니다.

생각해보니 6월 29일이었습니다. 6·29 선언이 있은 지 2년 동안 정말 바쁘게 살았습니다. 그들이 약속한 민주주의를 위하여, 내가 발디디고 있는 곳의 민주적인 변화를 위하여 뛰어다니는 동안 따뜻한 밥 한 그릇 식구들과 편안히 먹지 못했고 푸근하고 넉넉한 잠을 자보지 못했습니다. 내가 하는 일에 삿된 마음을 먹지 않았습니다. 취침 나팔 소리에 모포를 끌어 덮으며 생각해보았습니다. '그런데 지금 나는 어디에 와 있는가?'

포승줄로 꽁꽁 묶이고 손에는 수갑이 채워진 채 검사 앞에 앉아 있는 동안 검사는 내 이름을 확인한 뒤, "접시꽃 당신?" 하고 물었습니다.

내가 뭐라고 대답하지 못하고 머뭇거리자 얼굴을 옆으로 돌리며 "피" 하고는 비웃는 소리를 냈습니다. 가소롭다고 여기는 듯했습니다.

"당신들이 주장하는 게 뭐야?"

"교육을 민주적으로 바꾸자는 겁니다. 반민족적이고 친일적인 교과 내용을 민족적인 교육으로 바꾸자는 거고요, 교육 환경을 개선하여 인간답게 교육하자는 겁니다."

"그건 그냥 하는 소리고, 삼민투의 논리대로 교육하자는 거 아냐? 민족, 민주, 민중 교육! 반미 교육 하자는 거 다 알고 있어."

검사는 이미 다 알고 있다고 했습니다. 이미 무슨 예단을 하고 있는 것 같았고, 어디서 이미 무슨 사전 논의를 다 끝내고 온 것 같은 인상을 받았습니다. 내가 하는 이야기를 별로 귀 기울여 들으려고 하지 않았습니다.

그해 여름은 비도 많이 왔고, 무더웠고, 이래저래 뜨거웠습니다. 하루 종일 벽에 등을 기댄 채 죄수들끼리 서로 마주보고 앉아 있으면 등줄기를 타고 땀이 주르르 흘러내렸습니다. 힘깨나 쓰는 죄수들은 젊은 미결수들을 못살게 굴었고, 선풍기도 부채도 없는 감방 안에서 부채질을 하도록 시켰습니다. 공책 같은 것을 들고 앞에 서서 부채질을 하면서 젊은 미결수들은 땀을 비질비질 흘렸습니다. 그러면서 욕을 하고 학대하고 놀리다 놓아주면 그 미결수는 몰래 시멘트 창틀에 칫솔을 갈곤 했습니다. 여차하면 끝을 뾰족하게 간 칫솔 끝으로 찔러버리겠다는 분노를 그렇게 갈아대고 있는 것이었습니다.

날은 무더운데 장이 좋지 않아 고생을 했습니다. 배탈과 설사가 잘 멈추지 않았고 의무실에 가보아야 치료가 제대로 되는 것 같지 않았습니다. 방 한구석에 있는 변기통을 자주 들락거리며 민망했습니다. 별도로 화장실이 마련되어 있는 것도 아니고 그냥 방 한쪽 끝에 푸세식으로 뻥 뚫린 구멍이 하나 있는 화장실이기 때문입니다.

이래저래 죄수들은 목욕 시간을 기다렸습니다. 목욕은 복도 끝에 있는 수도에서 집단으로 했습니다. 교도관이 "목욕 준비!"라고 외치면 미리 발가벗고 몸에 비누칠을 하고 기다립니다. 서쪽 끝에 있는 방부터 차례차례 문을 따주면 달려가서 물을 끼얹으며 비눗물을 닦아내고 오는 목욕입니다. 자기 손으로 자기 몸을 닦는 목욕이 아니라 수도 꼭지가 죽 달린 수도의 턱진 곳 안에 물을 받아놓고 세숫대야로 퍼서

물을 끼얹어주면 물세례를 받고 오는 목욕입니다. 목욕 시간은 채 몇 분도 되지 않습니다. 그래도 한 번이라도 더 물세례를 받으려고 아우성을 칩니다. 먼저 가면 먼저 여러 번 물맛을 볼 수 있을 거라고 생각하며 죄수들은 발가벗은 채로 복도를 달려갑니다.

    그 긴 복도를 다 지나가야 했다 복도 끝에 수도가 있었고 세숫대야에 퍼서 끼얹어주는 수돗물을 한 번이라도 더 받으려고 아우성치는 죄수들과 발가벗고 복도를 달려갔다 이삼 분 정도나 될까 서너 차례 물세례를 받으면 행운이었다 미리 칠하고 간 비눗물이 다리 사이로 채 미끄러지기도 전에 다음 사람들에게 자리를 비켜주어야 했다 그것도 목욕이라고 수건으로 짐승 같은 시간의 방울방울을 털어내며 돌아서다 준이를 만났다

    나보다 더 털이 숭숭한 준이는 내가 담임한 아이였다 그렇지 않아도 쪼그라 붙을 대로 쪼그라 붙은 불알이 달그락거리며 어찌할 줄 몰라 했다 칠십 며칠 학교를 오지 않아 퇴학 처리할 수밖에 없던

준이는 사람을 찌르고 나보다 먼저 거기 와 있었다 우리는 서로 쳐다보고 말을 하지 못했다 아이들 앞에 떳떳한 교사가 되겠다고 떠들며 돌아다니다 나는 거기까지 끌려간 것이었는데 준이를 만나고는 그 말을 하기가 민망해졌다

그 긴 복도를 다 지나와야 했다 다른 감방 사람들이 물기 맛본 살을 이리저리 비틀며 지나가는 몸들을 쳐다보았다 해바라기가 노랗게 피어 있는 여름이었다 감옥 밖으로 나와서도 나는 자주 알몸으로 긴 복도를 지나가고 있다는 생각을 했다 무슨 소리인가 창 안에서 주고받는 걸 알면서도 어쩔 수 없었다

— 졸시 〈복도〉 전문

준이는 내가 담임한 아이였습니다. 학교에 잘 적응하지 못하고 이 학교 저 학교를 옮겨다니는 동안 나이가 많아진 아이였는데, 우리 반으로 전학을 왔을 때 나는 여기서만은 잘 적응하고 방황하는 걸음을 멈추어주기를 바랐습니다. 처음에는 친구도 하나둘씩 사귀고 적응하는 듯했으나 학교를 나오지 않는 날이 점점 많아졌고 마침내 70여 일을 넘기면서 어쩔 수 없이 퇴학 처리한 학생이었습니다. 그런데 나보다 먼저 거기 와 있었습니다. 교도관들에게 물어보니 사람을 찌르고 왔다고 하는데, 나는 준이에게 어떤 연유로 여기까지 오게 되었는지 물어보지 않았습니다. 아이들 앞에 떳떳한 교사, 역사 앞에 당당한 교사가 되겠다고 소리치던 내 목소리가 준이 앞에서는 쏙 들어갔습니다. 이렇게 구체적으로 한 아이를 책임지지 못했으면서 무슨 할 말이 있겠습니까?

준이도 나를 보고 아무 말도 하지 않았습니다. 다만 나보다 먼저 들어와 있었으므로 준이는 교도관을 도와 밥과 국을 배식하는 일을 하고 있었습니다. 그런 사람을 교도소 말로 '소지'라고 합니다. 제자가 퍼서 식구통으로 넣어주는 밥과 국을 받아 마룻바닥에 놓고 먹곤 했습니다. 형벌이라고 해야 할지, 치욕이라고 해야 할지, 견뎌야 할 운명이라고 해야 할지, 그런 복잡한 심정으로 보리밥을 입안으로 밀어넣곤 했습니다.

준이는 내 옆방에 있었으므로 목욕 시간이 되면 발가벗은 채 복도에서 만나야 했습니다. 그런 순간들도 어금니를 물고 견뎌야 했습니다. 발가벗은 채 그 긴 복도를 지나오는 동안 먼저 목욕을 마친 다른 방의 죄수들은 벌거벗은 몸들을 구경하느라 창살 옆에 붙어 서 있었습니다. 우리 방은 끝쪽에 있었으므로 복도는 길었습니다. 아는 사람들은 저기 시 쓰는 아무개 지나간다고 자기들끼리 킥킥거리곤 했을 겁니다. 감옥 밖으로 나와서도 나는 아직도 알몸으로 수많은 사람이 쳐다보며 웃고 있는 긴 복도를 지나가고 있다고 생각할 때가 있습니다.

교도소 담 옆에 해바라기가 노랗게 피어 있던 여름이었습니다.

감옥 밖으로 나간 한 편의 시

　　　　감옥 생활을 시작하면서 장이 안 좋아 고생을 했습니다. 배탈과 설사가 멈추지 않는데 치료를 제대로 받을 수 없어 몸은 쇠약해져 가고 기력은 떨어졌습니다. 교도소는 이발소에 가서 머리를 깎고 스스로 면도를 하도록 면도기를 제공하는 곳이 아닙니다. 칼이나 가위 같은 것이 있을 리 없고 끈이나 유리도 없습니다. 따라서 유리창도 없고 쇠창살만 있을 뿐입니다. 그리로 겨울이면 찬바람이 몰아닥치고 여름이면 빗줄기가 지나갑니다. 머리를 깎거나 면도를 하는 일도 정해진 날이나 되어야 그 일을 맡은 재소자들 앞에 불려 나가 했기 때문에 몰골은 갈수록 초췌해갔습니다.

　정신적으로 더 힘든 건 바깥과 단절되어 소식을 잘 들을 수 없다는 것이었습니다. 저녁 때면 TV에서 뉴스가 나오긴 하지만 지나간 내용을 편집해서 내보내주는 것이었고, 신문도 배달되어 오는데 나와 관련한 소식이나 내가 보아서는 안 되겠다고 생각하는 내용은 가위로 오려내고 넣어주었습니다. 걸레처럼 누더기가 된 신문이 들어오는 날도 종종 있었습니다.

　면회 온 사람들을 통해서 소식을 듣는 일이 전부였습니다. 그들이 전국의 교사들이 명동성당 차가운 돌바닥에 모여 무기한 단식 농성을 한다고 알려주었습니다. 쏟아지는 빗줄기 속에서 단식 농성을 하다 쓰러져 병원으로 실려가거나, 인도주의실천의사협의회나 병원노련 소속 의사와 간호사들의 진료를 받으면서 여선생님들이 돌바닥에 누워 있다고 설명해주었습니다. 1,500명이 넘는 교사가 해임되거나 파면되어 학교에서 쫓겨났으며, 100명이 넘는 남녀 교사가 감옥에 갇힌 처절한 여름이었습니다. 연일 비가 내리고 있는데 날바닥에서 굶어 쓰러지고 있는 선생님들을 생각하니 눈물이 났습니다. 잔인한 7월이었습니다. 쥐들은 교도소 여기저기를 마음대로 돌아다니는데 나는 단 몇 발짝도 걸어다닐 수 없는 감방에 갇혀 가슴이 터질 것 같았습니다.

　그때마다 터질 것 같은 심정을 어디에 써놓고 싶은데 교도소에서는 볼펜 한 개, 종이 한 장도 제공하지 않았습니다. 교도소 교무과장 면담을 신청했습니다. 그리고 집필 허가를 내달라고 요구했습니다. 교무과장은 미결수라서 집필 허가를 내줄 수 없다고 했습니다. "단재 신채호 선생 같은 독립운동가들도 감옥 안에서 집필했고, 만해 한용운 선생 같은 분도 일제 치하의 감옥에서 글을 쓰시지 않았습니까? 민주화되었다는 세상에서 문인에게 글 한 줄 쓸 수 없게 하는 게 말이 됩니까?" 하고 따졌지만 소용이 없었습니다. 글을 쓸 수 있는 건 오직 교도관이 보는 앞에서 봉함 엽서에 편지를 쓸 때뿐이었습니다. 그러나 봉함 엽서도 한 달에 몇 장밖에 쓸 수 없었습니다.

　글을 쓸 수 있는 건 만년노트밖에 없었습니다. 만년노트라는 건 두

꺼운 종이에 기름을 먹이고 그 위에 비닐을 덮은 것으로, 연필 모양의 뾰족한 플라스틱 물건으로 눌러 쓰면 글씨가 써지고 비닐을 들면 글씨가 날아가도록 되어 있는 것입니다. 그러니까 만년노트에 글을 써볼 수는 있으나 남기거나 저장할 수 있는 노트가 아닙니다. 크기가 사륙배판 공책만 했습니다. A4 용지보다도 작은 크기의 물건입니다. 글을 쓰고 싶은 갈망은 넘치는데 글을 쓸 수 있는 연필이나 종이가 없다는 건 내게 고문이나 다름없었습니다. 어쩔 수 없이 만년노트에 긴 시한 편을 썼습니다. 취침 나팔이 울리고 난 뒤 배설물과 누군가 흘린 정액 흔적과 땟물로 얼룩진 모포를 뒤집어쓴 채 마룻바닥에 엎드려 썼습니다.

어둠이 짙을수록 쇠창살이 더욱 또렷해 옵니다.
잠 못 들어 뒤척이는 수인의 고적한 어깨 너머로
또 하루가 흔적 없이 저물었습니다.
때 묻은 모포를 끌어 덮으며
아직도 다하지 못한 일들을 생각합니다.
한 가닥 외로운 진실을 놓지 않고
굶어 쓰러지면서도 우리와 함께 있는
이름들을 조용히 불러봅니다.
세상 밖에서 가졌던 모든 것을 벗기우고
지금 알몸 위에 흰 수의를 걸치고 살아도
우리가 빼앗긴 세월을 반드시 돌려받을 수 있음을 믿습니다.
감옥의 안에서나 밖에서나

당신들이 우리와 함께 있기 때문입니다.

이름을 빼앗긴 채 가슴에 수인번호를 낙인처럼 달고 살아도

아이들의 가슴속에 새기고 온 우리의 이름은

아무도 지울 수 없는 것처럼

우리의 뜻을 세상에서 지워버릴 수는 없습니다.

설령 우리가 이곳에서 거미줄에 날개를 묶인 곤충처럼

몸을 떨며 있기를 바란다 해도

설령 우리가 몸을 적실 물 한 방울에 얽매이게 하고

배를 채울 보리밥 한 술에 무릎을 꿇게 하여도

그리하여 우리를 짐승처럼 마룻장에 뒹굴게 하여도

우리는 이 길을 곧게 갑니다.

그렇게 살다 장승죽음으로 실려 나간다 해도

우리는 후회하지 않습니다.

우리의 목숨이 허공에 풀잎처럼 걸려 있는 동안도

자기의 자리를 한 발짝도 벗어나지 않으며

한 톨의 사랑도 실천하지 않는 동료들이

아직도 내 빈 의자의 옆에 가득가득하다 해도

그들을 원망하거나 탓하지 않습니다.

옳다고 믿어 이 길을 택했으므로

옳은 것을 바르게 행하지 않는 것도

죄악이라고 믿었으므로

우리는 새벽이 오는 쪽을 향해

담담히 웃으며 갈 수 있습니다.

서슬 푸른 칼날에 수천의 목이 잘리고

이 나라 땅의 곳곳이 새남터가 된다 하여도

우리는 이 감옥에서 칼날에 꺾이지 않는

마지막 이름으로 남을 수 있습니다.

이 세상의 가장 낮은 곳에 쓰러져 있어도

빛나고 높은 그곳을 향해

우리는 이 길을 곧게 갑니다.

1989. 7. 24. 도종환 올림

— 졸시 〈정 선생님, 그리고 보고 싶은 여러 선생님께〉 전문

다음 날 봉함 엽서를 신청해서 교도관이 보는 앞에 앉아 만년노트에 쓴 시를 편지 형식으로 엽서에 옮겨 적었습니다. 교도관은 "이게 편지야, 시야?" 하고 물었습니다. 나는 시인이 편지를 시처럼 쓴 것이라고 대답했습니다. 고개를 연방 갸우뚱거리던 교도관은 그걸 윗사람에게 가지고 갔고, 여러 번의 검열을 거쳐 전교조 충북지부 사무실에 우편으로 배달되었습니다. 그리고 그 시는 곧 명동성당의 단식 농성장에 대자보로 붙게 되었고 그 대자보를 본 〈한겨레신문〉 기자가 신문에 옮겨 싣게 되었습니다.

며칠 후 아침밥을 먹고 있는데 갑자기 감방 문이 화들짝 열리더니 "나와!" 하고 외치는 교도관의 목소리가 들렸습니다. 나는 먹다 만 밥그릇과 국그릇을 마룻장에 둔 채 끌려 나갔습니다. "누구를 통해서 시를 내보냈어?" 하는 호통과 함께 다그치는 질문들이 쏟아졌습니다. 나는 "시를 몰래 내보낸 게 아니라, 정식으로 엽서를 써서 보냈소. 편

지 형식으로 쓴 건데, 그걸 시라고 행 가름해서 실었나 봅니다" 하고 대답했습니다. 교도소에 있는 재소자의 시가 신문에 실린 경위를 조사해서 보고하라고 법무부에서 직접 연락이 왔다고 했습니다. 결국 내 시 때문에 교도소장을 포함한 9명의 담당 교도관이 줄징계를 받게 되었습니다. 나 때문에 징계를 받은 교도관들에게는 미안하게 생각합니다.

이 시는 노래 테이프 속에 낭송으로 삽입되어 전국의 교사들에게 배포되기도 했습니다. 그런 일이 있고 난 뒤 같이 수감 중이던 백상진 청주대 학생회장(현 충청북도지사 보좌관)이 이쑤시개보다 약간 작은 볼펜심을 구해다 주었습니다. 얼마나 고맙고 반가웠는지 모릅니다. 그 볼펜심 도막으로 몰래 숨어서 시를 썼습니다. 그걸 검방 때 빼앗기지 않으려고 마룻장 나무판자 하나를 들어 그 밑에 감추고 플라스틱 빗자루 손잡이 뚜껑을 분리해 그 안에도 감추고 별의별 곳에다가 숨겼습니다. 종이가 없어서 비누를 싼 속포장지에도 시를 쓰고 화장지 겉을 싼 종이 안쪽에도 썼습니다. 책 맨 뒷장 백지에다 깨알같이 쓰고 그걸 풀로 붙여 감추었습니다. 그렇게 쓴 시들을 모아 출옥 후 네 번째 시집《지금 비록 너희 곁을 떠나지만》을 냈습니다.

감옥의 벽에 십자가를 새겨 넣고

"376번 면회!" 교도관의 목소리가 반가운 때는 면회 왔다는 소리를 듣는 것입니다. 나만 반가운 게 아니라 같은 방에 있는 재소자들도 덩달아 반가워합니다. 누군가 면회를 오면 먹을 것을 넣어주기도 하고, 생필품이 들어오기도 하는데 한 달 두 달이 되어도 면회 오는 사람이 없는 개털(처지가 곤궁한 사람을 일컫는 말로 교도소에서 쓰는 은어)들에게는 일없이 진종일 쳐다보고 앉아 있는 무료한 감방 생활 중에 간식을 나누어 먹을 수 있는 기회가 오는 걸 뜻하기 때문입니다. 나도 면회 오는 사람들이 넣어주는 호두과자가 그렇게 맛있는 줄 그때 알았습니다.

교도관을 따라 면회실로 들어가니 거기 노 스승이 앉아 계셨습니다. 대학 은사인 조건상 교수님은 학장을 지내신 분이기도 하고 지역 사회와 교육계의 어른으로 존경받는 분입니다. 그분이 면회실에 앉아 계시는 걸 보고 나도 적잖이 당황했습니다. 중세 국어를 가르치셨던 보수적인 학자인데 감옥에 갇힌 제자를 찾아오신 겁니다. 나를 해임

한 교육감의 은사이기도 한 분이라 무슨 말씀을 하시려는 걸까 하는 생각으로 조심스러웠습니다.

선생님은 가지고 오신 두루마리를 천천히 푸셨습니다. 그러고는 그걸 읽기 시작하셨습니다. 제갈공명의 〈출사표〉였습니다. 선생님은 한지로 된 두루마리에 직접 세필로 먹을 묻혀 한 자 한 자 써 오셔서 그걸 읽고 계셨습니다. 제갈량이 〈출사표〉를 써서 임금께 올릴 때처럼 천하가 여러 갈래로 나뉘어 나라의 존망이 위태로운 때라고 생각하셨는지도 모르겠습니다. 나라를 걱정하는 지사의 의기와 진심으로 충직한 간언을 올리는 선비의 자세에 대해 이야기하시고 싶었는지도 모르겠습니다. 간악한 짓을 저질러 죄를 범한 자와 충성과 선행을 한 자에게 주어지는 형벌과 상훈이 공평하고 도리에 밝아야 하며, 안과 밖의 법이 달라서는 안 된다고 제갈량은 이 글 앞부분에서 말합니다. 권력의 자리에 앉은 이들이 이런 말을 귀 기울여 들어야 한다고 말씀하시고 싶었는지도 모르겠습니다.

아니 초야에 묻혀 지내다 삼고의 예로 찾아온 유비에게 감읍하여 난세에 몸을 던진 지 21년이 지나 다시 스스로 전지로 나가기로 하고 눈물로 글을 올리는 제갈량의 마음 같은 것을 잊지 말라는 당부의 말씀을 하고 싶으셨을지도 모른다는 생각을 합니다. 교수님이 그 긴 글을 천천히 읽고 계시는 동안 선생 된 자가 나라의 미래를 위해서 이런 일을 한다고 목소리는 높였지만 내가 어떤 자세로 일해야 하는지에 대해 다시 생각하게 되었습니다. 비록 보수적인 학자이시라서 이런 방식으로 제자에게 말씀하고 계시지만 무슨 말씀을 하고 싶으신지 알 것 같았습니다. 은사님 중에는 대학에서 하던 강의를 중단하게 하신 분도 있고(물론 그것도 공안 기관의 탓이긴 하지만), 당신의 교육관과 맞지 않아 질타하고 못마땅해하시는 분이 대부분이었던 걸 생각하면 고개를 숙이지 않을 수 없었습니다.

그런데 문제는 교도관이었습니다. 교도관은 면회 온 사람과 주고받는 말을 옆에 앉아 면담록에 일일이 기록해야 하는데 뭐라고 써야 할지 난감한 상황이 된 것입니다. 한 사람은 알아들을 수 없는 문장을 계속 읽고 있고, 한 사람은 말없이 듣고 있는 상황을 뭐라고 정리할 수 있겠습니까? 갈수록 초조하고 불안한 얼굴로 변하며 연방 앉았다 일어섰다 하고 있었습니다. 다 읽고 난 교수님은 다시 그 두루마리를 말아 넣어주고 가셨습니다. 말없이 면회실 밖을 돌아 나가시는 구부정한 등을 오래 쳐다보았습니다.

같은 방에는 어린 학생들을 위협해 돈을 빼앗다 들어온 갓 스무 살을 넘긴 젊은이가 있었습니다. 밤중에 하교하는 여학생들을 골목으로 끌고 가 흉기를 들이대며 돈을 빼앗는 못된 짓을 한 젊은이입니다. 어머니, 아버지는 안 계시고 큰아버지 집에서 지내는 동안 구박도 많이 받고 얻어맞기도 하다가 집을 나와 여기저기를 떠돌다 결국 어린 학생들 돈을 빼앗는 짓을 하게 된 것입니다. 그런 짓을 얼마나 많이 했는지 1심에서 5년이나 구형을 받았습니다. 자기보다 약한 아이들이나 여학생들을 상대로 돈을 갈취하며 지내다가 붙잡혀 오고 나니 본래의 보잘것없고 오갈 데 없으며 의지가지없는 나약한 존재가 되어 거기 앉아 있었습니다.

어느 날 그가 내게 한문을 좀 가르쳐줄 수 있겠느냐고 하는 겁니다.

한문을 몰라 신문도 읽을 수 없어 그런다면서 청을 하는 겁니다. 어떻게 할까 하다가 그러자고 했습니다. 만년노트를 하나 더 주문해서 거기다 중학교 1학년 한문책에 나오는 한자들을 하나씩 가르치기 시작했습니다. 가만히 앉아서 생각하면 한문책 한 페이지씩이 떠올랐습니다. 뫼 산, 내 천 같은 기본적인 상형문자에서 위 상이나 아래 하 같은 지사문자를 차례차례 가르치고 쓰고 익히게 했습니다. 같은 재소자끼리 마룻장에 구부리고 앉아 한문을 가르치고 공부하는 모습이 같은 방에 있는 재소자들에게는 웃기는 일로 보였을지 모르고, 교도관들이 보기에도 썩 좋아 보이지 않았을지 모릅니다. 같은 방에 있는 재소자 중에는 이 젊은이를 비웃기도 하고 놀리기도 하고 불러다 못살게 구는 때가 있었습니다. 그 젊은이는 이를 갈기도 했지만 어쨌든 내가 독방으로 옮겨오기 전까지 꽤 오래 그에게 한문을 가르쳤습니다.

독방으로 옮겨온 지 얼마 되지 않아 어린 아들의 편지를 받았습니다. 아직 초등학교도 들어가지 않은 나이인 데다 이런 일을 하며 다니느라 한글을 가르쳐주지 못해서 마음에 걸렸는데, 누가 가르쳐주었는지 한글을 깨쳐 비뚤비뚤한 글씨로 보내온 편지였습니다. 감옥 안에서 죄를 짓고 끌려온 사람에게 한문을 가르쳐주면서 정작 제 자식에게는 한글조차 가르쳐주지 못한 아버지로 사는 게 얼마나 모순된 일입니까? 남의 자식 가르치는 일 때문에 제 자식은 돌보지 못하는 것 또한 얼마나 부끄러운 일입니까?

비는 내리는데 미안해서 눈물이 났습니다. 세상에 태어나 처음 배운 글씨로 감옥에 있는 아버지에게 편지를 쓰게 하는 아버지가 되었다고 생각하니 가슴이 메었습니다. 아이들이 보고 싶어 차가운 회색 벽에 이마를 대고 그 벽을 손바닥으로 치며 울었습니다. 독방의 바닥에 쓰러져 울었습니다. 이런 내가 싫었습니다. 나를 가두고 있는 벽을 뚫고 넘어 아이들에게 가고 싶었습니다. 그러나 감옥 문을 발로 차고 부수어도 나갈 수 없고, 이마를 짓찧어 피를 흘려도 벽은 무너질 리가 없어 다음 날 아침 망연히 앉아 있다가 뾰족한 젓가락 같은 나무로 벽에 금을 긋기 시작했습니다. 가로세로로 수없이 문질러 파서 벽에다 십자가를 새겼습니다. 그리고 그 앞에 무릎을 꿇고 기도할 수밖에 없었습니다.

감옥의 벽에 십자가를 새겨 넣고
비 갠 일요일 아침 당신께 기도드립니다.
엄마 없고 아빠마저 빼앗긴 저의 두 아이들
주님, 당신께서 돌보아 주십사 하고 기도드립니다
밤비에 젖은 얼굴을 털며 일어서는 무궁화꽃처럼
저의 아이들이 자라게 해 주십시오
구름 걷힌 하늘의 작은 햇볕에도 들풀이 자라듯
아이들이 당신 사랑으로 자라게 해 주십시오
좋은 옷 맛난 음식이 아니라
아빠의 손을 잡고 사과나무 과수원
뒷 언덕까지만 갔다 오는 게 소원인 아이들
장독대에서 감나무 밑까지 자전거만 밀어 줘도
진종일 신이 나는 아이들 곁에

저는 지금 갈 수 없습니다.

(…)

그러나 오늘 아침 눈물로 보리밥 한 덩이를 썹다가

간절히 당신께 기원합니다.

아이들이 눈물을 흘리면 그 눈물을 씻어 주는

바람이 되어 주시고

들길에 넘어지면 제 스스로 일어나 걸어갈 수 있도록

북돋우는 말씀이 되어 주시고

말없이 등을 쓰다듬는 손길이 되어 주십시오.

이 세상의 모든 나무들이 당신의 사랑으로 크는 것처럼

저의 아이들도 당신 사랑으로 자랄 수 있도록 품어 주십시오.

감옥의 벽에 십자가를 새겨 넣고

주님, 오늘 아침 당신께 기도드립니다.

— 졸시 〈감옥의 벽에 십자가를 새겨 넣고〉 중에서

내가 지은 죄

"피고는 1989년 5월 14일 청주시 사창동 소재 푸른교회에서 교직원 70여 명이 모여 개최한 전국교직원노동조합 충북지부 결성 발기인 대회에 참가하여 박수로써 지부장을 선출하는 등 노동운동을 위한 집단적 행위를 한 적이 있습니까?"

재판이 열리던 날 법정에서 검사는 그렇게 물었습니다. 긴장하고 앉아 있던 나는 "네, 박수를 치는 등 집단 행위를 한 적이 있습니다" 하고 대답했습니다.

"피고는 같은 달 21일 19시경 청주시 우암동 소재 전국교직원노동조합 충북지부 사무실에서 김병우 등 4명의 교사와 함께 기자회견을 하여 노동운동을 위한 집단적 행위를 한 적이 있습니까?" 검사는 준엄한 표정으로 물었습니다.

"네, 기자회견 같은 집단 행위를 한 적이 있습니다."

"피고는 같은 달 22일 19시 30분 청주시 봉명동 소재 봉명교회에서 청주 청원 지역 교직원 40명과 재야인사 10명이 모여서 개최한 전국

교직원노동조합 청주청원지회 결성 대회에 참가하여 인사말을 하는 등 노동운동을 위한 집단적 행위를 한 적이 있습니까?" 검사는 다시 물었고, 나는 검사의 말을 받아 "네, 인사말을 하는 등 집단행위를 한 적이 있습니다" 하고 대답했습니다.

순간 법정은 웃음바다가 되었습니다. 야유가 터져나오기도 했고 한 마디씩 거드는 소리로 소란스러워졌습니다. 그렇게 큰 사회문제를 야기하고 구속까지 시킨 것치고는 법정에서 죄라고 추궁하는 것이 너무 어이없었기 때문입니다. 박수를 치고, 기자회견을 하고, 인사말을 하는 집단 행위를 해서 지금 구속되어 재판을 받고 있는 것이라는 말입니다. 나는 내 입장을 진술할 수 있는 시간을 달라고 해 내가 이 일에 나선 이유에 대해 이야기했습니다.

이 나라 역사가 잘못되었기 때문에 교과서 역시 그 잘못된 현실을 있는 그대로 반영하고 있습니다. 식민지 지배와 전쟁과 군부 독재의 역사를 거쳐오는 동안 진실을 왜곡·은폐하거나 불의와 거짓을 미화한 교육 내용을 담고 있는 교과서를 고쳐본 적이 없고 바르게 가르쳐볼 수가 없었습니다. 친일을 한 문인, 지식인에 대해 사실대로 가르칠 수 있는 교과서가 없었습니다.

독재자의 사진을 다른 독재자의 사진으로 바꾸어 걸어놓은 교장실에 앉아 교장은 교사가 지켜야 할 정치적 중립성에 대해 강변했습니다. 저희야말로 진정으로 교육이 정치적으로 중립을 지킬 수 있기를 바랍니다. 그러나 가치 중립이란 입장의 무입장을 강요받는 경우나 정권편의주의에 의해 이용당해온 경우가 훨씬 더 많았습니다.

제가 80년 초 부강중학교에 근무할 때 제게 주어진 업무 중 하나가 '대통령 각하 지시사항 전달'이었습니다. 전두환 대통령이 어디 순시를 나가거나, 내각에 지시한 사항이 있거나, 언론에 보도된 내용이 있으면 그게 교육과 관련한 일이건 아니건 간에 교사들에게 나누어주고 학생 교육에 활용했는지를 매월 점검하는 업무였습니다. 장부가 있어서 거기에 늘 확인 도장을 받았습니다.

명령과 지시와 통제 위주의 권위주의적인 교육 풍토, 비민주적인 교육 풍토 속에서 말없이 순종하며 살아야 했습니다. 따라서 학생들에게 민주주의에 대해 바르게 가르칠 수 없었고 민주주의를 학교에서 경험하게 할 수 없었습니다.

아이들에게는 그저 살인적인 입시 경쟁에서 낙오하지 않는 일만 강요되었습니다. 스스로 사고하고, 발견하고, 의문을 가져보고, 토의하고, 창조하고, 응용하고, 비판하는 능력을 기르는 게 아니라 주어진 내용을 암기하게 했습니다. 잘못된 내용이든 아니든 그저 얼마나 많이 기억하고 머릿속에 넣어두고 있느냐가 평가의 핵심이었습니다. 자율학습 보충수업이란 이름으로 교사와 학생을 지치게 하고, 길들이고, 통제하는 이런 단순하고 획일적인 교육은 개선되어야 합니다. 창의적인 방법, 질 높은 수업으로 전환하지 않으면 살아남을 수 없는 세상입니다.

겨울이면 수십 년 전에 쓰던 난로를 그대로 쓰면서 발을 동동 구르게 하는 추운 교실, 교사의 법정 정원 수를 확보하지 못해 한 교사가 몇 과목씩 가르쳐야 하는 현실을 그냥 둔 채 교사 몇몇만 쫓아내면 된다고 생각하면 이 나라의 미래는 희망이 없습니다. 다른 나라에서는 40, 50년 전 아니 70, 80년 전부터 허용되어온 교원들의 노조를 인정하지 않고 관계 기관 대책회

의나 제자뻘 되는 젊은 무술 경관들의 곤봉과 구둣발에 맡겨둔 채 의식화 교사라고 매도하고, 불법 단체라고 몰아붙인다고 가라앉을 문제가 아닙니다.

30분도 넘게 내가 이런 일에 나서지 않으면 안 되겠다고 생각한 내 입장을 판사와 검사 앞에서 진술하는 동안 법정에 나와 계시던 아버지가 변하게 될 거라고는 미처 생각하지 못했습니다. 면회도 오시지 않던 아버지, 부자간의 의를 끊겠다고 선언하신 아버지가 내 이야기와 방청객들이 보내는 박수 소리를 들으면서 내 편이 되기 시작한 것입니다. 아버지는 해직 교사 가족 모임에 나가셨고, 교육부나 교육청항의 방문을 다니셨습니다. 성정이 불같고 격한 데가 있어서 몸싸움도 피하지 않으셨습니다. 아버지가 투사가 되실까봐 속으로 걱정이 되었습니다.

밤새 울던 벌레도 풀 아래 눕고
아직 아무것도 눈뜨지 않은 고요한 새벽입니다.
저도 이렇게 평화로운 세상을 오래도록 꿈꾸어 왔습니다.

첫닭이 울고 새들이 때 묻지 않은 울음을
하늘 한쪽에 축복처럼 뿌리며
우리들의 영혼이 먼저 깨어
어지러운 꿈을 차곡차곡 개어 두고
세상 욕심도 눈뜨지 아니하여
순결한 기도가 숨결처럼 몸에 스미는

그런 아침 같은 세상을 꿈꾸어 왔습니다.

지금은 우리가 빼앗기고 짓밟히고 몸을 묶이어
세상 한 귀퉁이를 잘라 지은 감옥에 갇히어도
용서가 받아들여지고
사랑이 받아들여지는
모두들 제 욕심에 불타지 않는 세상이 온다면
이보다 더 오랜 세월을 저는 이 험한 곳에 있을 수 있습니다.

피 터지게 소리치고 목숨에 불을 뿌려도
자기 자신을 향해서 외에는 마음을 열지 않는 세상에 살면서
울음과 웃음을 꾸밈없이 나누는 세상을 그리며
길고도 오랜 세월의 한 중간쯤에
지금은 잠시 감옥에 있습니다.

— 졸시 〈눈뜨는 새벽〉 전문

결국 1심에서는 징역 6월에 집행유예 1년을 선고받았습니다. 1심 판결에 불복한 검찰에서 항소하여, 항소심을 거쳐 대법원 최종심에서는 벌금 30만원 형으로 감형되었습니다. 결국 벌금 30만 원 정도의 죄인데 구속되고 감옥살이를 했던 것입니다. 자동차 접촉 사고를 내도 그 정도는 배상합니다. 지은 죄에 비해 과한 법적 처분을 했을 경우는 국가에서 그만큼 배상을 하게 되어 있습니다. 마지막 재판을 받을 때 나는 배상금을 국가에서 돌려받을 수 있겠구나 하고 생각하고

있었는데 판사는 "피고는 벌금을 내지 않아도 되겠습니다" 하고 판시하고는 끝내는 것이었습니다.

그러나 그 감옥살이의 기록은 오래 나를 따라다녔습니다. 출옥한 다음 해에 미국 버클리 대학에서 강연 초청이 있었는데 검찰에서 내보내주지 않아 결국 가지 못하고 말았습니다. 나 때문에 같이 가기로 되어 있던 신경림, 염무웅 선생님도 못 가셨습니다. 그다음에도 베트남 문인들과 문학 교류를 하는 행사에 참여하려 했더니 역시 검찰에서 제동을 걸어서 애를 먹었습니다. 오랫동안 외국에 나가는 일이 자유롭지 못했습니다. 대학에 자리가 나거나, 공적인 자리가 있어도 갈 수 없는 결정적인 하자로 따라다녔습니다. 그래서 결국 시인으로 살아야 했습니다. 그게 편했습니다. 시인으로 살아야 그들을 용서하고 그들을 잊을 수가 있었습니다.

딸아이 손을 잡고

감옥살이를 끝내고 나오는 날 제일 신경 쓰이는 일 중 하나가 그동안 쓴 시를 어떻게 가지고 나가느냐 하는 것이었습니다. 취침 시간에 몰래 책 맨 뒷장 여백에다 볼펜 심 도막으로 깨알같이 쓰다가 교도관 발소리가 들리면 자는 척하며 모포를 뒤집어쓰곤 하면서 써온 시입니다. 다 쓰면 그걸 밥풀로 앞장과 붙여서 감추었습니다. 비누 포장지에 쓴 시도 속지와 겉지를 붙여두었습니다. 그것들을 종이 가방에 넣어 들고 교도관을 따라 나갔습니다. 그런데 나가기 전에 다시 소지품 검사를 하는 곳이 있었습니다. 거기서 교도관들은 혹시 비밀스러운 연락을 부탁하는 편지 같은 것은 없는지 옷이나 물건의 안팎을 하나하나 들춰보며 검사했고, 책도 한 장 한 장 넘기며 훑어보았습니다.

그러다 책 뒷장이 풀로 붙어 있는 걸 발견하고는 조심스럽게 그걸 떼어내는 것입니다. 결국 몰래 쓴 시들이 발각되고 말았습니다. 교도관들은 비누 포장지에 쓴 시도 찾아내었습니다. 교도관들의 예리한 눈을 피할 수 없었습니다. 그리고 이게 뭐냐고 묻는 것입니다. 시라고 대답했더니 시는 가지고 나갈 수 없다는 것입니다. "왜 못 가지고 가느냐" 하고 실랑이를 하면서 만약 빼앗고 주지 않으면 저작권 소송을 하겠다고 생각하고 있었습니다.

그런데 그 교도관보다 상급자로 보이는 한 교도관이 "가시죠" 하면서 짐을 들라 하더니 "이건 제가 들겠습니다" 하고는 종이 가방을 드는 것이었습니다. 나는 그 교도관을 따라 나섰습니다. 그 교도관은 민교협 활동을 하는 민 아무개 교수님의 제자였습니다. 특별 면회를 할 때도 도와주고, 교도소 안에서도 크고 작은 도움을 준 사람인데 그가 종이 가방을 들고 앞장을 서는 것이었습니다. 교도소 정문까지 나를 데리고 와서는 정문에서 거수경례를 하며 안녕히 가시라는 인사를 하더니 덥석 종이 가방을 넘겨주는 것이 아니겠습니까? 정말 고마웠습니다. 내가 쓴 시가 교도소 밖으로 나가는 바람에 많은 교도관이 징계를 받기도 했는데 그렇게 조치해주는 것에 대해 정말로 고마웠습니다.

교도소 안에서 만난 이들은 내게 마지막 밥그릇은 깨끗이 비우고 가야 한다고 했습니다. 그리고 교도소 안에서 쓰던 칫솔을 가지고 나가다 반으로 분질러서 교도소 담 안으로 던지라고 했습니다. 그래야 다음에 다시 교도소를 들어오지 않는다는 것입니다. 어떻게 할까 하다가 나는 밥을 조금 남기고 왔습니다. 그리고 칫솔을 부러뜨릴까 하다가 그냥 가지고 가자고 생각했습니다. 어쩌면 다시 또 들어와야 할 일이 생길지도 모른다는 생각 때문이었습니다.

그렇게 가지고 나온 시들을 '이론과 실천' 출판사 김태경 사장에게 넘겼습니다. 교도소에 있는 동안 이철수 화백이 면회를 오면서 함께

온 김태경 사장을 소개해주며 믿을 만한 좋은 친구니 교도소 안에서 쓴 시가 있으면 '이론과 실천' 자회사 격인 '제3문학사'에서 내는 게 좋겠다고 해서 건네준 것입니다. 그래서 감옥 안에서 쓴 시와 그동안 쓴 교육시들을 모아《지금 비록 너희 곁을 떠나지만》이라는 제목으로 네 번째 시집을 내게 되었습니다. 감옥 안에서 쓴 대부분의 시를 그 시집에 실으면서 짧은 시 몇 편은 남겨두었다가 창착과비평사에서 낸 다섯 번째 시집《당신은 누구십니까》에 7편 정도를 실었습니다. 〈별에 쓰는 편지〉도 그중 하나입니다.

> 부칠 곳 없는 편지 별에다 씁니다
> 들어줄 이 없어도 혼잣말로 써가고
> 보아줄 이 없어도 손으로 씁니다
> 맨 처음 썼던 말은 뒤따라오며 지워지고
> 보고 싶다는 한마디만 끝인사로 남습니다
> 밤마다 쇠창살을 손으로 부여잡고
> 부칠 곳 없는 편지 별에다 씁니다.
>
> — 졸시 〈별에 쓰는 편지〉 전문

나중에 이 시는 작곡가 김대훈이 노래로 만들어 '민들레의 노래'라는 노래 모임에서 공연할 때마다 부르곤 했습니다. 이 시가 감옥 안에서 쓴 시라는 걸 아는 이도 있고 모르는 이도 많았습니다.

집에 와 보니 생일 케이크가 상에 놓여 있었습니다. 출옥한 날이 마침 내 생일이었습니다. 아버지, 어머니는 추레하고 초췌한 모습으로 방에 앉아 계셨습니다. 아버지, 어머니께 죄스러운 마음으로 절하고 고개를 드니 어린 딸이 옆에 서 있는데 한쪽 팔에 깁스를 하고 있었습니다. 내가 재판을 받는 날 법정에 나가 봐야 한다는 급한 마음에 집 안이 어수선할 때 딸애가 놀이터에서 놀다가 놀이 기구에서 떨어져 그만 팔이 부러진 것입니다. 왼쪽 팔꿈치 있는 곳이 복합골절이 되어 수술하는 데도 애를 먹었다고 합니다.

언제부턴가 어머니가 면회를 오시지 않는 걸 보고 조금 이상하다고 생각했는데 딸애가 수술을 하고 병원에 입원해 있었기 때문이었습니다. 한쪽 팔은 깁스를 한 채 허공에 매달아놓고 다른 쪽 팔은 링거를 꽂은 채 매달아놓아 아프다고 딸애가 울면 어머니가 따라 울고, 아이가 안쓰러워 어머니가 눈물을 흘리면 딸애도 같이 눈물을 흘리면서 여름을 보냈다는 것입니다. 다섯 살 어린 팔 안에 두 개의 철심을 박은 채 아이는 입술을 삐쭉 내밀고 서 있었습니다.

어떤 일을 책임진다는 것이 한편으로는 얼마나 무책임한 일이 되는지를 나는 두 눈으로 바라보아야 했습니다. 생일 케이크에 머리를 박고 울고 싶었습니다. 밥상을 주먹으로 깨부수며 소리 지르고 싶었습니다. 딸애에게 미안했고, 어머니께 죄스러웠고, 나 자신이 미웠습니다. 이런 시대가 미웠습니다.

(…) 책임을 지지 않았으면 감옥살이는 면했을 것이다 다들 누구도 책임지는 걸 주저할 때 이번만은 빠지고 싶을 때 속으로 두려웠을 때 차마 거절하지 못해 나는 그걸 받아들였던 게 아니었을까? 책임진다는 것이 일터에서 쫓겨나고 감옥을 가는 시대였을 때,

나는 그때 책임은 신성한 것이라고 생각했을까? 고흐의 말대로 과학에 빠지기보다 교회에 빠지기보다 사랑에 빠졌어야 했던 걸까? 책임진다고 생각하며 사는 동안 참으로 책임지지 못한 아픈 세월이 많았다 (…)

— 졸시 〈책임〉 중에서

도 단위 또는 시군 단위 지부나 지회를 창립하고 지부장이나 지회장 책임을 맡으면 바로 다음 날 도교육청에서 징계위원회를 열어 직위해제를 하거나 해임 처분을 내리던 때였습니다. 하루 이틀 건너 한 지회씩 창립하면 하루 이틀 건너 한 사람씩 징계를 당하고 쫓겨나야 했습니다. 그제는 단양지회가 창립되고 김수열 선생이 직위해제를 당하고, 어제는 제천에서 김병태 선생이 직위해제를 당하고, 오늘은 충주에서 김광택 선생이, 내일은 괴산에서 정태옥 선생이, 모레는 청주에서 내가 해임을 당해야 했던 시절이었습니다. 그래서 책임을 지겠다고 결정하면 해임당하고 학교에서 쫓겨날 각오를 해야 했습니다. 그래서 많은 이가 책임지는 걸 두려워할 수밖에 없었습니다. 이번만은 빠지고 싶었고, 피해갈 수 있다면 피해가고 싶어 했습니다. 그러나 누군가는 책임질 사람이 있어야 했고 나도 그중 한 명이었습니다. 그러나 책임진다고 생각하며 사는 동안 개인적으로는 책임지지 못한 아픈 일이 많았습니다.

가을 어느 날 딸애의 손을 잡고 성당에 갔다 오는 길. 길가에 오순도순 피어 있는 꽃들을 보았습니다. 참 다정해 보였습니다. 가족처럼 정답게 머리를 맞대기도 하고 서로 끌어안고 있기도 한 꽃을 보다가

"아빠하고 나하고 만든 꽃밭에…" 하고 같이 노래를 불렀습니다. 가을바람이 소슬하게 팔에 와 감기는 게 느껴졌습니다. 어딘가 한구석이 비어 있는 걸 느끼며 눈물이 났습니다.

> 딸아이 손을 잡고 성당에서 오는 길
> 가을바람 불어서 눈물 납니다
> 담 밑에 채송화 오순도순 피었는데
> 함께 부른 노래 한 줄 눈물 납니다

— 졸시 〈가을날〉 전문

오순도순이란 말을 떠올리다 눈물이 났습니다. 딸아이에게 미안했습니다. 내게 어떤 일이 생기면 딸애도 그 시간만큼 고통받곤 했습니다. 그때만이 아니라 그 뒤에도 자주 그랬습니다.

4

흔들리지 않고 피는 꽃이
어디 있으랴

흔들리지 않고 피는 꽃이 어디 있습니까.

흔들리다가는 제자리로 돌아오는 거지요.

제자리로 돌아와서 꽃을 피우는 거지요.

그러나 꽃을 피우고 나서도 또 흔들리게 되어 있습니다.

꽃만 그럴까요? 우리도 그렇습니다.

젖으며 젖으며 따뜻한 빛깔의 꽃을 피우는 거지요.

그러나 늘 젖어 있기만 한 꽃은 없는 거지요.

문학도 삶도 크게 다르지 않은 거지요.

도종환의
나의 삶,
나의 시

담쟁이처럼 살자

막상 해직되고 나니 살길이 막막했습니다. 해직된 교사들끼리 사무실에 모여서 함께 대책을 마련하기도 하고 같이 밥도 해 먹으며 지냈습니다. 그러나 가족들 생계까지 책임져야 하는 교사들은 마냥 사무실에만 앉아 있을 수도 없었습니다. 하나둘씩 발걸음이 뜸해 찾아가 보면 몰래 노동판에 나가 막일을 하기도 하고, 부인과 함께 통닭집이나 음식점을 내서 장사를 시작하기도 하고, 신문 배달이나 우유 배달을 하고 있기도 했습니다.

광주에 계신 어느 선생님의 사모님은 파출부로 나가셨다는 소식이 들려왔습니다. 감옥 간 남편 대신 새벽 3시 반에 일어나 우유 배달을 하면서 생계를 꾸려가는 분도 있었습니다. 충남에 계신 어느 선생님은 아침에 사무실에 출근하려고 나서는데 아이가 신발이 떨어졌다고 새 신을 사달라고 해서 뒷주머니에 손을 넣어보니 1,000원짜리 한 장이 잡히더랍니다. 그 돈을 줄까 하다가 생각해보니 사무실까지 갈 차비가 없어 만지작거리다 아이를 달래서 그냥 학교에 보내고 왔다는 이야기도 들었습니다. 쌀이 떨어졌다는 아내의 말도 못 들은 체하고 해직 교사 사무실로 나왔답니다. 경제적인 어려움, 정신적인 고통은 본인뿐 아니라 가족들도 똑같이 겪어야 했습니다.

그나마 나는 그래도 형편이 좀 나은 편이었습니다. 여기저기서 강연 요청이 들어와 전국 곳곳으로 강연을 하러 다녔습니다. 주로 교사들이 주최하는 강연이 많았습니다. 강연료에서 차비를 빼고 나머지는 사무실에 내놓았습니다. 내가 강연하러 간 시간에 나머지 해직 교사들은 사무실에서 일을 하고 있었기 때문에 그래야 한다고 생각했습니다.

참교육 물품이란 이름의 티셔츠나 가방, 양말, 손수건, 공책이나 편지지를 팔기도 했습니다. 이 물건들은 제법 팔리는 것 같았는데 돈이 크게 남는 건 아니고 참교육이란 이름의 브랜드가 국민들 속으로, 교사나 학부모·학생들 속으로 퍼져 나가는 데는 크게 기여하는 장사였습니다. 설이나 추석 명절에는 굴비를 팔기도 했습니다. 주문받은 굴비 상자를 학교로 배달하기 위해 차에 싣고 이 학교 저 학교를 드나들었습니다. 비린내 나는 굴비 두름을 들고 학교 언덕을 오르며 나는 '굴비를 팔면서라도 비굴하지 않게 살아야 한다'고 생각했습니다. 다행히 현직 교사 중에 후원회비를 내주는 사람이 많았습니다. 그래서 한 달에 평균 20만 원에서 30만 원 정도를 해직 교사들에게 나누어줄 수 있었습니다. 그 돈으로 한 달을 살곤 했습니다. 그 돈으로도 한 달을 살고 웃으며 사무실에 나오고 학교를 방문하고 이 나라의 교육을 바로 세우는 일을 하는 해직 교사들의 모습을 보며 힘을 얻곤 했습니다. 대단한 분들이란 생각을 했습니다.

문제는 이 일이 언제 끝날지, 언제쯤이면 우리가 이야기하는 것들이 받아들여지고, 법적으로 인정받을 수 있으며, 다시 학교로 돌아갈 수 있을 것인지 기약할 수 없다는 것이었습니다. 정치적인 정세와 전망을 내다보는 이들은 2, 3년만 참으면 가능할 수 있을 거라고 말하곤 했습니다. 그러나 그것도 그때가 되어 봐야 알 수 있는 것이었습니다. 경제적인 어려움이 정신적인 어려움으로 변해가면서 견디기 힘들어 하는 동료 해직 교사 중에는 하나씩 둘씩 발을 끊는 이도 생겨났습니다.

　"그래도 희망을 버리지 말자, 우리가 희망을 만들어가야 할 게 아니냐?" 하고 말했더니 "그런 희망 너나 만들어!" 하고 전화를 끊는 이도 있었습니다. 대책회의라는 걸 수도 없이 했습니다. 우리 뜻을 관철하기 위해 집회도 하고, 항의 방문도 하고, 행정소송도 하고, 할 수 있는 건 다 하자고 해서 수없이 논의하고 의견을 모으면서 해직의 날들을 꾸려갔습니다.

　그런데 한번은 회의 중에 답답한 생각이 들었습니다. 나도 나 혼자 살길을 찾는 게 낫지 않을까 하는 생각이 슬며시 솟아오르는 것입니다. 아무리 회의를 해봐야 뾰족한 수도 보이지 않고 이것이다 싶은 정답도 없는 상황에서 그냥 혼자 살 길을 찾는 게 빠르겠다는 생각도 들었습니다. 그래도 아직 내겐 수백만의 독자가 있는데, 그들이 원하는 글을 쓰면서 살면 경제적으로는 걱정 없이 살 수 있을 텐데 하는 계산을 해보기도 했습니다.

　답답해서 고개를 돌려 창밖을 내다보았습니다. 창밖으로 보이는 옆 건물 벽에는 담쟁이가 가득 출렁이고 있었습니다. 저 담쟁이는 벽에 살면서도 저렇게 푸르구나 하는 생각을 하며 쳐다보았습니다. 그러다 다시 생각해보니 담이란 곳은 흙 한 톨도 없고 물 한 방울도 나오지 않는 곳이 아닙니까. 저런 데서 살아야 한다고 했을 때 어린 담쟁이는 얼마나 세상을 원망했을까 하는 생각이 드는 것입니다. 주위엔 산도 있고 숲도 있고 비옥한 땅도 널려 있는데 왜 우리만 이런 곳에서 살아야 하느냐고 얼마나 원망했을까 하는 생각으로 이어졌습니다. 그러나 원망만 하고 있었다면 담쟁이는 말라죽었을 겁니다. 원망만 하지 않고 앞으로 나아간 거지요.

뿌리로 벽을 뚫고 들어갈 수는 없었지만 붙들고 있었던 거지요. 붙들고 포기하지 않았던 거지요. 나도 힘들지만 나만 힘든 게 아니라 옆에 있는 다른 이파리들도 다 힘들 거라고 생각했던 거지요. 그래서 저렇게 손에 손을 잡고 있는 거겠지요. 자기만 살길 찾겠다고 100발짝을 달려가지 않고, 100개의 이파리와 손에 손을 잡고 한 발짝씩 나아가느라 저렇게 느리게 가는 거겠지요. 정말 견딜 수 없이 힘든 날도 있지만 말없이 벽을 오르는 거겠지요. 나는 벽에 살기 때문에 성장 속도가 늦는 것을, 서두르지 않고 조급해하지 않으며 살아가는 모습이라고 생각했습니다. 힘들고 어려울 텐데도 그 어려움을 과장하거나 떠들어대지 않고 말없이 그 벽을 오르는 모습에 대해서도 생각했습니다. 자신을 믿기 때문이겠지요. 그러면서 비슷한 처지에 놓여 있는 다른 이파리들과 함께 연대하고 협력하며 벽을 오르는 거겠지요. 그래서 마침내 절망적인 환경을 아름다운 풍경으로 바꾸어놓은 거겠지요. 생각이 거기에 이르자 나는 회의 서류 뒷면에 연필로 조그맣게 시를 쓰기 시작했습니다.

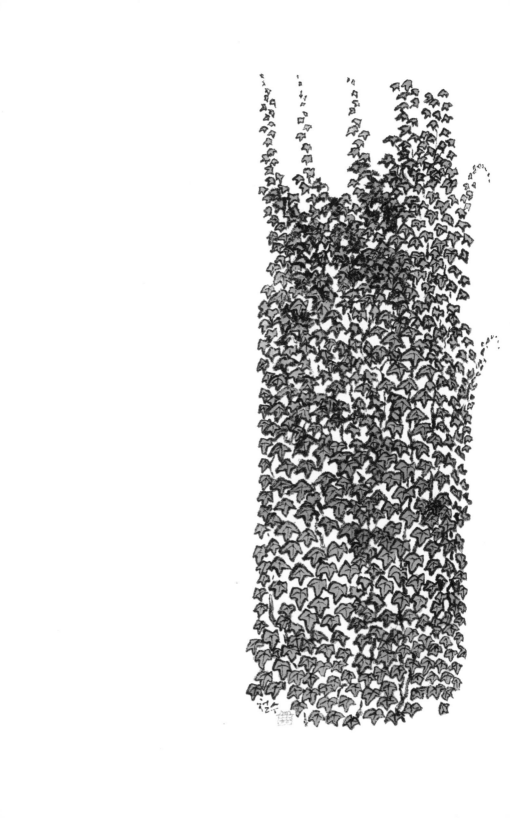

저것은 벽

어쩔 수 없는 벽이라고 우리가 느낄 때

그때

담쟁이는 말없이 그 벽을 오른다

물 한 방울 없고 씨앗 한 톨 살아남을 수 없는

저것은 절망의 벽이라고 말할 때

담쟁이는 서두르지 않고 앞으로 나아간다

한 뼘이라도 꼭 여럿이 함께 손을 잡고 올라간다

푸르게 절망을 다 덮을 때까지

바로 그 절망을 잡고 놓지 않는다

저것은 넘을 수 없는 벽이라고 고개를 떨구고 있을 때

담쟁이 잎 하나는 담쟁이 잎 수천 개를 이끌고

결국 그 벽을 넘는다

— 졸시 〈담쟁이〉 전문

그리고, 그래서, 담쟁이처럼 살기로 했습니다. 나 혼자 살길을 찾으려고 하지 말고, 함께 손잡고 이 어려운 벽을 헤쳐나가자고 마음먹었습니다. 사는 동안 우리는 반드시 벽을 만나게 되어 있습니다. 힘이 있으면 힘으로 벽을 무너뜨리고 가면 됩니다. 피 흘리고 희생하며 싸워서 벽을 넘는 길입니다. 혁명적인 방법입니다. 위대한 인물이 나타나서 한 시대의 벽을 넘어가는 때도 있습니다. 영웅이 나타나거나 위대한 과학자나 의학자가 나타나서 벽을 넘게 해주는 때도 있습니다. 아니면 멀리 우회해서 가는 길도 있고 그것도 아니면 포기해야 합니다. 그러나 아무 때나 혁명이 가능한 것도 아니고, 구원의 인물이 기다리고 있는 것도 아닌, 나날의 일상에서 벽을 만났을 때 우리는 어떻게 해야 합니까? 그럴 때 벽을 벽으로 인정하고 받아들이면서, 그러나 포기하지 않으면서, 오래 걸릴 거라고 생각하면서, 서로 연대하고 협력하여, 마침내 절망적인 환경을 아름다운 풍경으로 바꿀 수 있다면 담쟁이처럼 벽을 넘는 것도 한 방법일 수 있겠다고 생각했습니다.

2009년 7월 30일 어느 일간신문에서 직장인 103만 명을 대상으로 설문 조사를 한 적이 있답니다. '내 인생에 꼭 간직하고 싶은 시 한 편을 써달라'는 설문 조사였답니다. 그 설문 조사에서 〈담쟁이〉가 1위를 했다고 누가 연락해주어서 인터넷으로 기사를 본 적이 있습니다. 시에 1위가 어디 있고 2위가 어디 있습니까? 언제부터 이 시를 사람들이 찾기 시작했느냐고 물었더니 IMF 구제금융 이후부터 이렇게 되었다는 겁니다. 살기가 점점 어려워지면서, 직장에 들어가기도 힘들고 직장 생활을 하는 것도 힘들어지면서, 사람들이 위안과 용기와 힘을 얻을 수 있는 시를 찾기 시작했다는 겁니다. 나는 내 인생의 벽을 만났을 때 이 시를 썼고, 내가 쓴 시에서 내가 위안을 받으며 어려운 시절을 지나올 수 있어서 고맙게 생각하는데, 다른 이들도 자기 생의 벽 앞에서 이 시를 읽고 힘을 얻는다니 그건 또 얼마나 고마운 일입니까?

야만의 시대, 폭력의 시대

아들이 초등학교에 입학했습니다. 그런데 어느 날은 점심 때쯤 학교를 가는 겁니다. 오후반이라고 했습니다. 어떤 날은 다른 학년 아이들이 공부하는 창밖에서 가방을 풀지 못한 채 서성이거나, 어떤 날은 차가운 골마루에 올망졸망 쪼그리고 앉아 빗소리와 선생님 말소리가 뒤섞이는 받아쓰기를 하고 있었습니다. '너는 들어갈 교실이 없고 / 나는 돌아갈 학교가 없구나' 하는 생각이 들었습니다. 아들은 알록달록 아름다운 자기 교실이 없고, 나는 싱그러운 아침 인사를 나누며 들어갈 학교가 없었습니다.

새 학기를 맞는 날이었습니다. 그날도 우리는 거리에 있었습니다. 분주하게 오가며 입학식이 시작될 무렵이었습니다. 돌아갈 학교가 없는 우리는 교육부가 올려다보이는 길바닥에 앉아 학교로 돌아가야겠다고, 돌아가야 한다고 외치고 있었습니다. 새로 만난 얼굴들을 익히느라 설레며 아이들을 바라보고 있을 시간이었습니다. 그러나 우리는 아침부터 백골단이란 이름의 무술 경관들과 방패의 벽에 둘러싸여 있었습니다. 싸워서라도 돌아가야 한다고 부르짖는데 몽둥이가 날아왔습니다. 구둣발과 주먹이 날아왔습니다. 싸움은 입으로 하는 게 아니라 이렇게 구체적으로 하는 거라고 알려주듯이 머리채를 휘어잡아 닭장차에 구겨 넣었습니다. 아이들에게 앉을자리를 정해주고 있어야 할 시간이었습니다.

우리가 지금 있어야 할 곳이 경찰서 유치장이 아니어서 우리는 다시 싸웠습니다. 맞아 쓰러지며 싸웠습니다. 유치장 안에서 비록 신문지 한 장을 덮고 자더라도 옆 사람의 어깨를 해진 모포로 덮어주며 그의 고통을 위해 마음을 썼습니다. 담배 봉지를 모아 그 위에 결의문을 쓰며 최후의 한 사람까지도 비굴하지 말자고 했습니다. 돌아오는 길에 봄비가 내렸습니다. 상처 위로 떨어진 빗줄기가 살 바깥에 있는 아픔을 살 안까지 저리게 끌고 들어오는 것을 느꼈지만 그 빗줄기가 봄풀 위에도 내리는 것을 보았습니다. "상처 위에 내리는 빗물이 풀잎 위에도 내리고 / 나무 끝에도 내려 / 아직 가시지 않은 겨울 그림자를 지우면서 / 들을 건너가는 것"(졸시 〈어떤 싸움〉 중에서)을 보았습니다.

힘이 넘쳐서 싸운 게 아니었습니다. 직장에서 쫓겨나도 먹고살 만큼 넉넉해서 싸운 게 아니었습니다. 언제나 힘이 넘치고 온갖 것의 보호를 받는 자는 힘 있는 이들이었습니다. 언제나 양보할 수 없다고 말한 사람은 힘을 가진 이들이었습니다. 적게 상처받고 크게 엄살을 떠는 이도 그들이었고, 추악한 협박과 무자비한 폭력으로 짓밟고도 우리는 모른다, 우리와는 관계없는 일이다, 이런 말만 되풀이하고 있을 때, 치떨리는 마음을 더는 참을 수 없을 때, 그때 우리가 선택한 게 싸움이었습니다.

힘이 부치는 것도 우리였고 배가 더 고픈 것도 우리였기 때문에 싸우지 않고도 인간답게 살 수 있게 되기를 바란 것은 정작 우리였습니다. 용기 있는 이들이 먼저 나서고 많은 이가 뒤를 따라나서면서도 정작 두려운 것은 우리였습니다. 그러나 우리는 싸울 수밖에 없었습니다. 그것뿐이었습니다. 우리가 그 절망적인 시대에 선택할 수 있었던 것은.

죽을 수는 있어도 꺾일 수는 없다고
우리가 지른 소리들이

하나씩 피 묻은 언어가 되어 우리에게 되돌아옵니다

평일 같으면 오후 수업이 시작되었을 시간입니다

저토록 청명한 하늘을 내다보며 깔깔거리고

때론 아이들과 가을 노래라도 한 소절 불렀을 시간입니다

그런데 지금 저희 방패에 찍히고 있습니다

곤봉에 맞아 쓰러지고 있습니다

비록 학교의 밖에서나마 우리가 꺾이지 않고 살아

학교의 안을 하나씩 고쳐 가고자

우리가 낀 팔짱 우리가 지르는 외침들이

하나씩 도막 나며 끌려가고 있습니다

(…)

지금 저희 군화발에 이렇게 짓밟히고 있습니다

언제쯤 땀과 피로 흥건해진 저희 앞에

물 한 모금으로 오시렵니까

저희는 이보다 더 모질게 짓밟힐 수 있습니다

더더욱 단단하게 소리치며 맞아 쓰러질 수 있습니다

그러나 언제쯤 이 피 묻은 눈물 위에

한 장의 손수건으로 오시렵니까

언제쯤 이 타오르는 불길 위에

마른 나무 한 가지로 오시렵니까

— 졸시 〈가투〉 중에서

한번은 가두시위의 맨 앞에서 펼침막을 들고 거리를 행진할 때였습니다. 집회 장소인 공원에는 이미 경찰이 진을 치고 있었습니다. 경찰 대치선까지 다가가 몸을 부딪치면서 옆에 있던 권영국 선생이 구호를 외쳤습니다. 그러자 순식간에 경찰의 곤봉이 권 선생의 머리 위로 날아왔습니다. 권 선생의 머리 위에선 피가 솟구쳤고 권 선생은 그 자리에서 고꾸라졌습니다. 나는 얼른 손수건을 꺼내 피 흐르는 권 선생의 머리를 감쌌고 손수건은 피에 흥건히 젖었습니다. 경찰은 머리를 움켜쥔 권 선생에게 야수처럼 달려들어 끌고 갔습니다. 집회가 몸싸움과 함성과 비명에서 소강상태로 바뀌는 시간에 우리는 권 선생이 걱정되어 경찰서로 갔습니다.

몽둥이에 맞아 머리가 깨어진 동료의 소식을 알려고

경찰서를 찾아갔다 닭장차를 탔다

치료를 해주고 있는지 철창 안에

갇혀 있는지 묻다가

흉악범처럼 팔을 잡히고 팔다리를 들리어 닭장차에 실렸다

왜 우리가 연행되어야 하는지 이유를 묻자

그들은 기다렸다는 듯이 군가를 불러댔다

책임자가 누구냐 이것이 민주주의냐 물어도

그들은 지시에 따라 군가만을 불러댔다

이 한 목숨을 조국에 바친다고도 불렀고

충성을 다하리라 하고 부르기도 했다

군가가 끊기는 사이마다 철창을 두드리며

거리의 시민들을 향하여 우리가 애타게 외쳐대기가 무섭게

그들은 어머니의 자랑스런 아들이 되어 하고 노래를 불렀다

그리고는 시내를 빠져나와 아직 겨울이 다 가지 않은 들판이나

변두리 파출소에 삼삼오오 흩어 팽개치며

황급히 그들은 떠났다

계급장이 없는 군복 몸에 맞지 않는 헐렁한 군복의 땟물을 감추며

그들은 또다시 차를 타고 떠나며 군가를 불러댔다

사나이 한 목숨 무엇이 두려우랴 외치며 그들은 달려갔다

그들의 조국 그들의 목숨에 대하여 물어볼 새도 없이 그들은 떠

났다

— 졸시 〈닭장차 안에서〉 전문

도시 변두리 쓰레기장, 쓰레기 더미의 거대한 산 아래에 우리들을 버려두고 떠나는 적도 있었습니다. 차비가 없어 거대한 폐허와 악취의 산을 빠져나와 시내까지 걸어와야 하는 때도 있었습니다. 그런 야만의 시대를 살았습니다. 그런 폭력의 시대를 살았습니다. 권 선생은 나중에 10년 만에 복직하여 아이들을 가르치다가 몇 해 전 세상을 떴습니다. 방학도 쉬는 날도 없이 학교에 나와 과학 영재 아이들을 가르치고, 실험하고, 기뻐하는 동안 몸 안에서는 오랜 세월 암세포가 자라고 있었고, 결국 그토록 사랑했던 아이들 곁에 있지 못하고, 그들 곁을 떠나 광주 망월동 묘역에 묻혔습니다. 나는 아직도 권 선생의 머리를 감쌌던 피 묻은 손수건을 버리지 않고 있습니다. 내 책상 맨 아래 서랍에 작게 접어 넣어두고 있습니다.

울면서 조시를 쓰던 날들

　　해직 생활의 뒤에는 울면서 조시를 써야 하는 날
들이 찾아왔습니다. 부산 구덕고에 신용길 선생이란 분이 있었습니
다. 그는 전교조 부산지부 결성식장에서 축시를 낭송했다는 이유로
파면되었습니다. 신 선생은 말도 안 된다고 절대 받아들일 수 없다고
아침마다 학교로 갔고, 교문 앞에는 급조된 관변 단체 학부모들과 체
육 선생과 새마을 주임이 막고 있었고, 결국 8월 25일 출근 투쟁을 한
다는 이유로 경찰에 끌려가 구속되었습니다. 구속에 항의하며, 유치
장으로 넣어주는 깡보리밥에 단무지 세 쪽을 거부하며 단식 농성을
벌였습니다. 그 과정에서 끝내 피를 쏟고 쓰러졌습니다. 그러곤 위궤
양이 악화돼 결국 위암 진단을 받고 요양하다 1991년 3월 9일 세상을
뜨고 말았습니다.

　　안도현·이광웅 선생 등과 병원으로 면회를 갔을 때 신 선생은 쇠고
깃국에 하얀 쌀밥을 먹고 싶다고 했습니다. 살아야겠다고 했습니다.
그러나 서른네 살에 그는 세상을 떴습니다. 시인인 아내 조향미 선생

과 네 살짜리 아들 준재를 두고. 세상을 뜨면서 그는 두 눈을 주고 갔습니다. 하나는 앞 못 보는 뱃사람에게 주었고 하나는 가난한 여인에게 주었습니다. 솔밭산 돌더미 사이에 그를 묻으며 나는 "우리 아직 당신의 두 눈은 묻지 아니하였습니다" 하고 조시를 쓰며 울었습니다.

그를 묻고 돌아오는 길, 구포를 지나고 낙동강을 지나다 1927년에 출간된 포석 조명희의 소설 《낙동강》의 여러 대목이 떠올랐습니다. 그를 생각하며 〈낙동강〉이란 시를 썼습니다.

봄마다 불어내리는 낙동강물
구포벌에 이르러 넘쳐넘쳐 흐르네
포석은 그렇게 노래했었지
슬퍼서 아름다운 소설 속에서였지
동지 한 사람 땅에 묻고 구포역을 지나

굽이굽이 칠백 리 봄의 낙동강을 따라간다

사랑의 힘으로 혁명가가 되어가는 여인이 있었지

형평운동을 하며 참사람이 되어야겠다고 했었지

시를 쓰는 아내와 네 살짜리 아들을 두고 너는 갔지

강가의 넓은 들품 안에는 무덤무덤 마을이 있었고

갈 때보다 더 몇 배 긴 행렬이 마을 어귀부터

강 언덕을 향하여 뻗쳐 나오고 수많은 깃발이 나부꼈다 했지

긴 외올베 사락에 갔구나 너는 갔구나

밝은 날 해맞이춤에는 네 손목을 잡아볼 수 없구나

그렇게도 쓰여 있었다 했지

죽어서도 네 몸은 학교로 돌아갈 수 없었고

수없이 많은 깃발만 나부꼈지

(…)

오리떼가 날아오르는 낙동강 위에

봄풀이 돋는 강둑 위에 그날 수많은 시들을 던졌지

(…)

네가 죽으면서 남긴 보고 싶은 이름들이

아직 살아서 어떻게 사는가

해마다 낙동강물을 따라 되살아오며 너는 보겠지

흘러흘러 봄이면 우리 가슴을 적시겠지

네가 떠난 낙동강, 굽이굽이 칠백 리 너의 낙동강.

— 졸시 〈낙동강〉 중에서

1, 2, 7행과 10~14행은 조명희 소설 《낙동강》에서 따온 부분입니다. 신용길 선생이 뱃사람에게 주고 간 눈 한 개는 그의 시심처럼 출렁이던 푸른 바다를 끝없이 바라볼 것이고, 여인에게 주고 간 다른 한 개의 눈은 제 노동으로 따뜻한 밥 한 그릇을 마련하는 사람들의 뜨거운 입김과 우리 자식들이 가는 학교 길을 바라보고 있을 거라고 생각했습니다.

그 전해인 1990년 2월 하순에는 경북 청송의 벽지에서 해직된 배주영 선생이 세상을 떴습니다. "이 땅이 나를 버려도 / 나는 이 땅을 버리지 않겠다던 / 이 땅이 나를 버려도 / 나는 이 나라의 아이들을 버리지 않겠다던" 스물일곱 살의 여선생님이었습니다.

이듬해 1992년에는 이광웅 선생이 세상을 떴습니다. 오송회 사건으로 구속되었다 풀려난 뒤 복직했다 다시 해직된 분이며 시인이었습니다. 오송회 사건은 1982년 이광웅 선생을 비롯한 군산 제일고 교사

몇이 학교 뒷산 소나무 있는 곳에서 술을 마시며 세상에 대해 탄식하다가 4·19와 5·18 영령들을 추모하는 시간을 가졌다가 용공 집단으로 몰려 감옥살이를 한 사건입니다. 오송회란 이름은 다섯(五) 명의 교사가 소나무(松) 아래에 모였다고 해서 전두환 정권의 공안 당국에서 갖다 붙인 이름으로, 정작 당사자들은 그게 자신의 조직 이름인지 알지도 못했습니다. 죄 없는 이들은 수사 과정에서 극심한 고문을 받은 이후 1~7년의 징역형을 선고받았습니다.

2010년 12월 14일 서울중앙지법 민사합의47부(부장판사 이림)는 '오송회 사건' 피해자와 가족 등이 "불법 수사, 고문 등에 따른 피해를 배상하라"며 국가를 상대로 제기한 손해배상 청구 소송에서 207억여 원을 배상하라는 판결을 내렸습니다. 그러나 배상을 받는다고 이광웅 선생이 돌아오진 못합니다. 여리디여린 분이었습니다. 늘 수줍어하기만 하던 그분의 얼굴을 잊을 수 없습니다. 술자리에서 노래는 또 얼마나 구성지게 잘하시던지요.

그대는 이 땅의 맑은 풀잎이었다가
허리에 도끼날이 박힌 상처받은 소나무이었다가
그대는 별자리에서 쫓겨난 착한 별이었다가
견결한 향기로 시드는 가을들판 마른 쑥잎으로 앉아 있다가

그대는 진흙도 물벌레도 다 와서 살게 하는 고운 호수였다가
천둥번개도 눈보라도 다 품어주는 저녁하늘이었다가
그대는 지금 갈기갈기 소나기로 내리는 슬픔

쏟아지며 쏟아지며 온 세상을 다 적시는 눈물의 빗줄기.

— 졸시 〈이광웅〉 전문

그분이 돌아가셨을 때 쓴 시입니다. 1993년 4월 14일에는 정영상 선생이 심장마비로 세상을 떴습니다. 안동 복주여중에 근무하다 해직된 뒤 부인이 있는 단양으로 와 해직 교사 사무실에서 김수열 선생과 둘이 일을 하고 있었습니다. 서른여덟 살이었습니다. "안동 복주여중에서 수돗물 떨어지는 소리 죽령 너머 단양의 내 방에까지 들려온다"(정영상, 〈환청〉 중에서)고 말하며 쫓겨난 학교와 학생들을 그리워하던 이였습니다.

　살아온 날 돌아보다가 / 살아갈 날 고개 저으며 / 돌 앞에 앉아 울고 싶은 날이 있다 / 하루를 산다는 것은 얼마나 부끄러운가 / 침묵의 돌이 꽃으로 피는 봄 / 돌 앞에 앉아 울다 / 돌에 이마를 짓찧고 / 피 흘리고 싶은 날이 있다

— 정영상, 〈돌 앞에 앉아〉 중에서

이 시는 그가 죽기 며칠 전에 쓴 유고시입니다. 그는 불같은 분노를 지닌 사람이었습니다. 그러나 동시에 물 같은 사랑을 지닌 채, 바람 같은 외로움 속에서, 포장되지 않은 진흙 같은 모습으로 살다가 갔습니다. 같이 일하는 김수열 선생이 쌀이 떨어진 걸 알고 자기 생계비로 받은 10만 원을 쪼개 쌀 서 말을 배달시켜준 따뜻한 사람이기도 했습니다. 정영상 선생 장례식장에서 김진경 시인은 일급수에 사는 열목

어 같은 맑고 여린 이들은 죽고, 오급수에 사는 붕어, 미꾸라지, 메기 같은 우리만 살아남아 있다고 했습니다. 그들은 정말 열목어 같은 이들이었습니다. 장지인 고향으로 가는 길에는 화사한 봄꽃이 흐드러지게 피어 더 가슴 아팠습니다. 나는 시인이며 화가인 정영상 선생이 직접 그린 자화상 한 점을 오랫동안 서재에 걸어놓았습니다.

　　내 서재에는 정영상 선생 자화상

　　한 점이 걸려 있다

　　몸의 절반 이상이 어둠으로 칠해져 있는

　　자화상이다

　　콧날도 옷깃도 머리칼도

　　검고 날카롭게 뻗어 있다

　　얼굴 한쪽에서 시작한 빛이

　　어깨 위로 흘러내리면서

　　상반신의 어두운 부분을 밀어내기 위해

　　매일매일 싸우고 있는 게 보인다

　　그러나 무엇보다 두려운 건 그의 눈이다

　　오른쪽보다 조금 더 크게 뜬 왼쪽 눈

　　(…)

　　오늘도 정영상 선생은 나를 내려다본다

　　오늘 하루 어떻게 살았는지

　　다 알고 있다는 눈빛으로 나를 쏘아본다

　　　　　　　　　　　　　— 졸시 〈자화상〉 중에서

그 뒤에 다시는 조시를 쓰지 않겠다고 하면서 임희진 선생, 윤영규 선생, 김현준 선생의 조시를 또 쓰곤 했습니다.

당신은 누구십니까

해직된 이듬해 겨울은 눈이 많이 왔습니다. 20년 만에 내리는 폭설이라고 했습니다. 그 겨울 나는 다시 사랑에 대해 생각했습니다. 오랫동안 사람이 살지 않는 가슴속 빈방을 쳐다보았습니다.

꽃들은 향기 하나로 먼 곳까지 사랑을 전하고
새들은 아름다운 소리 지어 하늘 건너 사랑을 알리는데
제 사랑은 줄이 끊긴 악기처럼 소리가 없었습니다
나무는 근처의 새들을 제 몸속에 살게 하고
숲은 그 그늘에 어둠이 무서운 짐승들을 살게 하는데
제 마음은 폐가처럼 아무도 와서 살지 않았습니다
사랑도 살아가는 일인데

— 졸시 〈사랑도 살아가는 일인데〉 중에서

한번 크고 아프게 사랑했기 때문에 조용히 사랑하기가 쉽지 않았습니다. 사랑도 살아가는 일의 하나인데, 내 마음은 "오랜 날 녹지 않은 채 어둔 숲에 버려져 있었습니다" "둘러보아도 오직 벌판 / 등을 기대어 더욱 등이 시린 나무 몇 그루뿐 / 이 벌판 같은 도시의 한복판을 지나 / 창밖으로 따스한 불빛 새어 가슴에 묻어나는 / 먼 곳의 그리운 사람 향해 가고 싶"(졸시 〈눈 내리는 벌판에서〉 중에서)었습니다.

불안하고 두렵고 떨리는 마음으로 그해 겨울 다시 사랑하는 사람을 만났습니다. 그녀는 언니의 심부름이라며 해직 교사들의 사무실에 후원회비를 들고 찾아왔습니다. 언니는 민주화를 위한 교수협의회 활동을 하는 교수이면서 우리를 앞장서서 돕는 고마운 분이셨습니다. 그녀는 미국에서 공부하다가 논문을 다 끝마치지 못한 채 잠시 귀국한 상태였습니다. 전공이 무어냐고 물었더니 '집합행동'이라고 대답했습니다. 그 말에 마음이 끌렸습니다. 우리가 학교에서 쫓겨나고 거리의 교사로 떠돌며 고생하는 것도 다 '집단행동/집합행동' 때문인데, 그게 전공이라는 것입니다. 나이도 동갑이라서 편하게 대할 수 있었습니다. 나는 그늘진 데가 많은 사람인데, 그녀는 성격도 밝고 솔직하고 소탈했습니다. 가정 형편이 어려워 자기 손으로 학비를 벌어가며 공부해서 고생도 많이 했고, 외국에서 공부하고 왔다고 공연히 어깨에 힘주고 폼 잡는 사람이 아니었습니다. 몇 번 만나보니 의롭고 좋은 사람이란 생각이 들었습니다. 1991년, 사별 후 6년째 되던 해 늦겨울 그녀와 다시 결혼을 하게 되었습니다.

며칠 지나지 않아 어느 신문에서는 1면 전체를 우리 결혼 이야기로 가득 채웠습니다. '시인 도종환 여교수와 재혼'이라고 주먹만 한 글씨로 제목을 달았고 사진도 대문짝만하게 실었습니다. 아내는 대학교수가 아니라 시간강사를 하고 있었습니다. 나중에도 대학교수가 된 건 아니고 여성운동을 오랫동안 했습니다. '여성민우회' 활동을 했고 '여성의 전화'와 '성폭력상담소', '여성정치세력민주연대' 등을 지역

에 만들어서 봉사를 하며 일했습니다. 지금도 지역의 '여성정책개발원'에서 일하고 있습니다.

'재혼했다더라', '여교수와 결혼했다더라'라는 말이 신문과 잡지를 통해 퍼져 나가면서 시집이 헌책방으로 쏟아져 나오기 시작했습니다. 전화를 걸어서 시집을 불태웠다고 말하는 사람도 있었습니다. 강연을 가면 다 듣고 난 뒤에 "그런데 어떻게 다시 결혼할 수 있어요?"하고 질문하는 사람들이 꼭 있었습니다. 강연 들으러 온 게 아니라 실망했다는 말을 하러 왔다고 하는 사람도 있었습니다. 독자들은 자기가 시집을 읽은 시점을 중심으로 계산해서 "내가 그 시집을 읽은 게 작년인데 어떻게 올해 재혼할 수 있습니까?" 이렇게 말했습니다. "영화를 보고 눈물 흘린 게 몇 달 되지 않았는데 다시 결혼을 했단 말이에요?" 이렇게 말했습니다.

그런 실망의 말과 비난과 욕을 다 듣고 감수해야 한다고 생각했습니다. 실망하는 것도 욕하는 것도 다 시집을 읽었기 때문입니다. 시집을 내다 버리고 내 이름을 기억에서 지우면 지워져야 한다고 생각했습니다. 그렇게 잊히고 버려질 시집이면 잊혀야 마땅하다고 생각했습니다. 냉정하게 평가받을 필요도 있었습니다. 100만 명의 독자를 가졌던 게 중요한 게 아니라 진정으로 몇 사람에게 사랑받을 수 있는 시집인지, 오래 남을 수 있는 시집인지 검증받을 필요가 있었습니다.

허명을 유지하기 위해 혼자 외롭게 사는 것처럼 하고 지낼 수도 있습니다. 명성이 계속 수입으로 이어지게 하기 위해 슬픈 얼굴을 한 시를 계속 쓰며 살 수도 있습니다. 그러나 내가 선택한 길은 그 길이 아니었습니다. 의롭게 살 수 있는 길로 가야 한다고 생각했고, 한 시대가 젊은 우리에게 맡긴 책무를 다하며 살아야 한다고 믿었습니다. 한 사람을 사랑하듯 이 땅의 많은 이를 사랑해야 하고, 사랑을 이 땅에 실천하는 일 또한 한 사람을 오래 사랑하는 것 이상으로 중요하다고 생각했습니다. 내 문학의 포즈를 유지하는 일도 필요하겠지만 어린 자식들에게 어머니를 갖게 해주는 일은 더 크고 중요한 일이었습니다. 태어나서 한번도 '엄마'라는 말을 해본 적이 없는 아이에게 '엄마'라고 부르며 달려올 수 있게 하는 일은 내 이름을 지키는 것보다 몇 배 더 값진 일이었습니다.

이렇게 생각하고 마음먹었지만 현실은 생각보다 힘들고 곤혹스러울 때가 많았습니다. 독자들의 반응은 싸늘했고 출판 시장도 마찬가지였습니다. 100만 부는 다시 오지 않았고 50분의 1, 100분의 1로 곤두박질쳤습니다. 강연회 같은 공개 석상에서나 기자들의 질문을 받을 때 "좋은 사람을 만나서 결혼했습니다"라고 대답하지 못했습니다. 아이들 이야기를 앞세웠습니다. 좋은 사람을 만나서 결혼했다고 당당하게 말하지 못하는 게 속생각을 잘 드러내지 않는 충청도 남자의 특징이기도 하고, 많이 쑥스러워하는 성격 탓이기도 하고, 베스트셀러 작가라는 이름을 얻게 한 저간의 정황 때문이기도 했는데 그런 태도를 아내는 실망스러워했습니다. 마음속에 품은 생각과 겉으로 드러나는 행동 사이의 괴리를 가까이서 접하며 느낀 실망감은 천천히 상처가 되어 쌓이는 게 보였습니다. 나는 나대로 힘들고 아내는 아내대로 힘들어 했습니다. 사실 나보다 더 힘든 사람은 아내였습니다. 내 옆자리, 나와 함께 있는 자리 그 자체가 나보다 몇 배 힘든 자리였습니다.

아내에게 미안했습니다.

　잘해보려고 했지만 한번 실망한 마음은 쉽게 돌아오지 않았습니다. 여러 해가 지난 뒤 어느 단체에서 평등부부상을 주겠다는 제의를 받은 적이 있는데 내가 먼저 거절했습니다. 아직도 평등하지 않다고 생각하기 때문이었습니다. 집안일이든 가사노동이든 남자들이 뭘 좀 하는 척하지만 실제로는 남자가 누리는 것이 훨씬 더 많다고 생각하기 때문이었습니다. 정말로 평등한 자세로 살아보려고 하지만 남자로 살아오며 30, 40년 몸에 밴 습성은 쉽게 고쳐지지 않는 데가 많고, 여성의 입장에서 생각해보려고 많이 노력하지만 근본적으로 남자일 수밖에 없는 한계가 있기 때문입니다. 기쁨도 있었고 아픔도 있었습니다. 환호도 있었고 시련도 있었습니다. 찬란한 순간도 있었고 허망한 시간도 있었습니다. 햇살과 그늘은 수시로 얼굴을 바꾸었고, 울창해 보이던 숲도 한순간에 폐허가 되곤 했습니다. 생이 그랬습니다. 그러나 좌절과 시련과 고난을 주는 분이 영광과 명예와 환호를 주었던 바로 그분일 거라고 생각합니다. 이름도 재능도 명예도 재물도 지위도 내 것이 아니라, 그분이 잠시 내게 맡기신 거라고 생각합니다. 시도 문학도 성공도 그분이 주는 만큼 받는 것일 뿐이라고 생각합니다. 주신 분이 그분이기 때문에 다시 가져가겠다고 하면 기꺼이 드려야 한다고 생각합니다. 내가 쌓은 것도, 내가 지니고 있는 것도 한순간에 날아갈 수 있다고 여기며 살아야 한다고 생각합니다. 이런 순명의 언어가 내 문학의 한계라고 말하는 평론가가 많습니다. 맞습니다. 그러나 그 한계까지도 내 문학입니다. 그 무렵 이런 시를 썼습니다.

강으로 오라 하셔서 강으로 나갔습니다

처음엔 수천 개 햇살을 불러내어 찬란하게 하시더니

산그늘로 모조리 거두시고 바람이 가리키는

아무도 없는 강 끝으로 따라오라 하시는 당신은 누구십니까

숲으로 오라 하셔서 숲속으로 당신을 만나러 갔습니다

만나자 하시던 자리엔 일렁이는 나무 그림자를 대신 보내곤

몇 날 몇 밤을 붉은 나뭇잎과 함께 새우게 하시는

당신은 어디에 계십니까

(…)

상처와 고통을 더 먼저 주셨습니다 당신은

상처를 씻을 한 접시의 소금과 빈 갯벌 앞에 놓고

당신은 어둠 속에서 이 세상에 의미 없이 오는 고통은 없다고

그렇게 써놓고 말이 없으셨습니다

당신은 누구십니까

저는 지금 풀벌레 울음으로도 흔들리는 여린 촛불입니다

당신이 붙이신 불이라 온몸을 태우고 있으나

제 작은 영혼의 일만팔천 갑절 더 많은 어둠을 함께 보내신

당신은 누구십니까.

— 졸시 〈당신은 누구십니까〉 중에서

아름다운 세상을 꿈꾸는 일은 이토록 어려운가

해직되고 난 뒤에 강연도 많이 다녔습니다. 전국의 시군을 거의 다 다니다시피 하며 강연을 했습니다. 그런데 가는 데마다 강연장 입구나 길을 형사, 장학사, 교장, 교감들이 지키고 있었습니다. 길목마다 서서 교사나 학생들이 강연을 들으러 오지 못하게 막거나 돌려보내곤 했습니다.

경기도 이천에선 강연을 시작하기 전에 갑자기 행사장 주인이 전기가 들어오지 않는다며 강연장을 다른 곳으로 옮겨달라고 하는 것입니다. 교사들이 배선도를 보여주거나 어디가 안 들어오는지 알려주면 그쪽을 다시 연결하거나 일부를 차단해서라도 불이 들어오게 할 수 있다고 하자, 사실은 곤란한 사정이 있어서 그런다면서 나가달라고 하는 것입니다. 할 수 없이 인근의 교회로 급하게 옮겨 강연을 했는데 1,300명 정도 되는 인원이 들어가기엔 교회가 너무 좁아 200명은 교회 안에서 듣고, 나머지 100명은 밖에 설치한 스피커를 통해서 강연을 듣고, 1,000명은 돌아가야 했습니다.

남양주에서는 강연을 하는 중에 갑자기 전기가 나갔습니다. 방해하는 측에서 전기를 끊은 것입니다. 모두들 당황하고 있는데 잠시 후 교사들이 발전기를 들고 들어와 전기를 돌렸습니다. 혹시 이런 사태가 생길지 몰라 미리 준비해둔 것이라고 했습니다. 청중들은 환호했고 다시 강연할 수 있었습니다. 가는 곳마다 교육청 차원에서 대책회의를 하고 강연이 이루어지지 못하게 방해하는 것 같았습니다. 충남 청양처럼 행사 직전에 취소하는 곳도 있었고, 강연을 듣고 난 사회단체 인사들이 "이런 문학 강연조차 못하게 하는 게 말이 되느냐"고 하면서 도리어 지역 주민과 교사들이 힘을 한데 모으는 계기가 되는 곳도 있었습니다. 학생들도 많이 왔는데 걸린 학생들은 다음 날 학생과에 붙들려 가서 체벌을 당하곤 했습니다. 강연을 들은 고창의 강호상고 여학생 중에는 3명이 정학 처벌을 받았다고 당일 강연장에서 시 낭송을 했던 현 작가회의 사무처장 김근 시인(당시 고창고등학교 2년)은 이야기합니다. 내 강연을 들으러 왔다가 징계받은 여학생들이 누구인지 지금 만날 수 있으면 밥이라도 한 끼 사주고 미안하다고 말하고 싶습니다. 일주일에 세 지역 정도를 다니며 강연을 했으니 1년이면 150곳을 다니는 강행군이었습니다. 무너질 뻔한 조직을 다시 일으켜 세우는 중요한 일 중 하나였습니다.

단식 투쟁도 많이 했습니다. 한번은 해직 교사의 원상 복직을 촉구하는 전교조 대표단의 무기한 단식 농성에 충북에선 내가 지부장으로서 참여한 적이 있습니다. 쓰러져 일어나지 못할 때까지 목숨 걸고 하자는 단식 투쟁이었습니다. 기한이 정해져 있지 않은 단식 농성이므로 미리 예비 단식부터 해야 건강을 해치지 않는다고 조언하는 분이 있어서 그렇게 했습니다. 그래서 세 끼 식사를 두 끼, 한 끼로 줄여 나가고 밥을 죽으로 바꾸면서 예비 단식을 했습니다. 서울에 모여서 단식 투쟁을 시작하기로 한 날 나는 이미 일주일째 예비 단식을 한 상태였습니다. 그런데 서울에 모인 이들 중에는 내일부터 굶게 되니 오늘 저녁에 많이 먹어야 한다며 삼겹살 집으로 가자는 이들이 있었습니다. 나는 그러면 몸 다 버린다고 안 된다고 반대했습니다. 그러니까 한 선생이 오늘 저녁 실컷 먹은 사람과 나처럼 예비 단식을 한 사람 중 누가 더 오래 버티는지 보자면서 고깃집으로 몰려갔습니다. 나는 무기한 단식 농성에 대해 제대로 준비조차 하지 않은 채 흘러가는 대로 방관하는 지도부가 미웠습니다.

그런데 다음 날부터 시작된 단식 농성이 사무실에 가만히 앉아서 하는 것이 아니라 정부종합청사에서 각 당사에 이르기까지 여기저기를 찾아가서 집회도 하고 항의 방문이나 면담도 하고 기자회견도 해야 하는 일이었습니다. 일주일이나 예비 단식이라는 이름으로 굶은 채 찬바람 부는 거리를 걸어 교육부나 정당 사무실을 찾아갔다가 돌아오면 몸은 바로 주저앉았습니다. 돌아와 농성장에 앉아 있으면 숙변을 제거하는 마그밀을 먹으라고 주었습니다. 숙변 제거란 이름의 설사를 하느라 화장실을 들락거리는 무지막지한 단식이었습니다.

결국 나는 단식 농성 나흘째 되던 날, 그러니까 예비 단식을 시작한 날로부터 열하루째 되는 날 쓰러지고 말았습니다. 같이 농성하는 이들은 그것 보라고 잔뜩 먹고 농성을 시작해야 한다니까 반대하더니 나흘 만에 쓰러졌다고 핀잔을 주었습니다. 함께 농성하는 동료들의 강제 조처로 사당의원으로 긴급 후송되었습니다. 단식 농성장에서 병

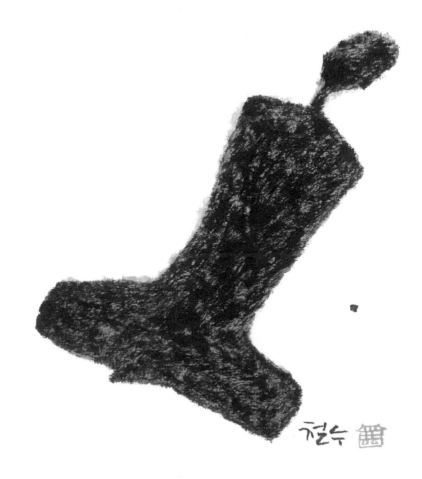

원으로 실려 오는 차 안에서 아름다운 세상을 꿈꾸는 일은 이토록 어려운가 하는 생각에 눈물이 주르르 흘렀습니다. 생각해보니 어느새 나이가 사십이 되었습니다.

아름다운 세상을 꿈꾸는 일은 이토록 어려운가
단식농성장에서 병원으로 실려 오는 차 안에서
주르르 눈물이 흐른다, 나이 사십에

아름다운 세상 아, 형벌 같은 아름다운 세상

— 졸시 〈단식〉 전문

그리고 검진 결과 위출혈이 있어 4주 이상 치료가 필요하다는 통보를 받았습니다. 단식을 잘 하면 위장병도 고친다고 했는데 나는 그만 덤터기를 쓴 꼴이 되고 말았습니다. 엎친 데 덮친다더니 평소 몸도 썩 건강하지 못한 허약 체질인데 그만 입원 치료를 해야 하는 상황이 되고 만 것입니다.

병원에 누워 있다가 방한복 주머니에 손을 넣었더니 대추가 한 주먹 손에 잡힙니다. 단식 농성 중에 서울의 김 아무개 선생이 먹으라고 준 대추였습니다. 옛날 나무꾼들이 나뭇짐을 지고 고개 넘어 나무 팔러 갈 때 대추 한 주먹 주머니에 넣고 먹으면서 가면 장에까지 갔다 올 수 있었던 근기 있는 열매라면서 몰래 먹으라고 주머니에 넣어준 것이었습니다. 무기한 단식 농성을 하려면 이런 거라도 몰래 먹어야 한다고 했습니다. 그렇지만 남들은 다 단식하는데 몰래 무얼 먹으려면 화장실이나 남들 안 보이는 곳에서 먹어야 할 텐데, 그걸 숨어서 먹는 사람이 있는지는 모르지만 그러면서 단식을 한다는 게 내 자존심에는 용납이 되지 않았습니다. 그래서 주머니에 그냥 넣어둔 대추였습니다.

지쳐 있는 내게 다가와
몰래 하나씩 먹으라고
김 선생이 손에 쥐어준
빠알간 대추 한 줌
함께 단식하는 동료들 생각에
차마 못 먹고
주머니에 넣어둔 채
하루 이틀 사흘 나흘……
몸 못 가누고 쓰러져
병원에 실려와 바라보는
얼어붙은 겨울 하늘 위로
빠알간 대추 몇 알

— 졸시 〈대추〉 전문

서울 사람들은 시골에 묻혀 사는 고지식한 우리보다 약은 데가 많습니다. 하룻밤을 꼬박 새우거나 20, 30시간씩 논쟁이 끝나지 않는 회의를 하는 때가 있습니다. 합법화의 방식을 둘러싸고 첨예하게 의견이 대립하고 있던 때는 앉은 채로 수십 시간씩 회의를 했습니다. 한번은 옆자리에 있던 김 아무개 시인이 두어 시간 안 보이다가 나타나기에 "어디 갔다 왔어요?" 하고 물었더니 영화 한 편 보고 왔다는 것입니다. 뒤통수를 맞은 것 같았습니다. 그러면서 "안건 1번 아직 안 끝났지?" 그러는 겁니다. 어떤 날은 혼자 살짝 나가서 사우나를 하고 올 때도 있었습니다. 우리는 안건 한 개를 앞에 두고 거의 용맹정진하다시피 싸우고 있는데 슬쩍 빠져나가서 바람도 쐬고 목욕도 하고 와서는 또 후반전 논쟁에 참여하는 겁니다. 아무 일에나 목숨 걸려고 하거나, 큰 일이든 작은 일이든 아무것에나 전력투구하려고 대드는 게 아니라 쉬면서 슬슬 하는 거라고 말하는 듯했습니다. 운동권도 서울 사람은 그렇게 약은 사람들이라는 걸 늦게서야 알았습니다.

흔들리지 않고 피는 꽃이 어디 있으랴

단식 투쟁의 후유증으로 병원에 누워 있는 것이 마치 내게는 전쟁 중에 부상해 야전병원에 후송되어 와 있는 것 같은 생각이 들었습니다. 해직 이후 사실 전쟁 같은 나날을 보냈다 해도 지나친 말은 아닐 것입니다. 자빠진 김에 쉬어간다는 말처럼 이대로 좀 쉬었으면 좋겠다는 생각이 들었습니다. 그러다 짧은 시를 써보자고 생각했습니다. 그동안 세상에 대해 할 말이 너무 많아 끝없이 말을 쏟아내는 시를 써왔는데, 말을 좀 줄이고 시의 어깨 위에 얹었던 무게도 조금 내려놓은 시를 써보자고 생각했습니다. '가투', '연좌', '투쟁', '싸움', 이런 내용을 담은 시, 자신의 처지를 설명하는 시, 내가 옳다고 주장하는 시 말고, 아니 이런 이야기를 하더라도 절제하고 생략해서 표현해보자고 생각했습니다. 조지훈의 〈고사(古寺) 1〉 같은 시를 써보고 싶은 생각이 있었는데 그럴 기회를 갖지 못했습니다.

목어를 두드리다 / 졸음에 겨워 // 고오운 상좌 아이도 / 잠이 들었다 //

부처님은 말이 없이 / 웃으시는데 // 서역 만리 길 // 눈부신 노을 아래 /
모란이 진다(조지훈, 〈고사 1〉 전문)

이 시는 목어를 두드리다 잠이 든 상좌 아이의 무구한 낮잠과 서쪽
으로 지는 모란꽃, 그리고 그걸 바라보는 부처님의 웃음이 함께 있는
시입니다. 천지 만물을 숨죽이게 하는 눈부신 고요, 동중정(動中靜)의
한순간입니다. 나도 순간순간 동중정의 상태로 돌아와야 한다는 생각
을 했습니다. 그래야 거친 싸움 속에서도 시심을 잃지 않을 수 있을
거라고 생각했습니다.

그래서 몸 때문에 약간 뒤로 물러나 있는 여섯 달 동안 집중적으로
단시를 썼습니다. 그리고 그걸 모아 1994년 《사람의 마을에 꽃이 진
다》라는 제목의 시집을 출간했습니다. 출간한 다음 날 바로 반응이
날아왔습니다. 〈한겨레신문〉이었습니다. 최 아무개 기자의 기사는
'발전인가 퇴보인가'로 시작했습니다. 이어서 "도 씨의 새로운 시들
은 싸움의 현실을 일단 벗어나 관조와 침잠의 절간으로 자리를 옮긴
듯한 느낌을 준다. 현실의 구체성과 치열한 역사 의식이 내놓은 자리
를 인생과 우주의 운행에 도통한 듯한 달관의 자세와 때로 작위성이
엿보이는 소월풍 가락이 차고 들어가 있다"고 정리하면서 시들이 "전
통적인 만큼 상투성의 위험을 수반하고 있다"고 우려하고 있었습니
다. 그 예로 든 시가 시집 맨 앞에 있는 〈산사문답〉이란 시였습니다.
전문은 다음과 같습니다.

이 비 그치면

또 어디로 가시려나

대답 없이 바라보는 서쪽 하늘로
모란이 툭 소리 없이 지는데

산길 이백 리
첩첩 안개 구름에 가려 있고

어느 골짝에서 올라오는 목탁소리인고
추녀 밑에 빗물 듣는 소리

— 졸시 〈산사문답〉 전문

시 속의 화자는 비가 그치면 또 떠나야 합니다. 지금은 비 때문에 잠시 추녀 밑에 앉아 있지만 곧 산길 이백 리를 넘어야 합니다. 그 길이 지금은 안개구름에 첩첩 가려 있습니다. 잠시 머물고 있는 사이에 모란은 지고 추녀 밑에 빗물 떨어지는 소리가 들립니다. 그 소리가 목탁을 치는 소리처럼 들립니다. 지는 꽃도 우리도 결국 서역으로 가는 것인데 아직 살아 있어 가야 할 길이 멉니다. 이 이야기는 결국 내 처지를 이야기하고 있는 것이기도 합니다. 그리고 서쪽이나 모란이 지는 것이나 불교적 서정이 조지훈의 〈고사 1〉과 흡사합니다. 조지훈의 이런 시를 써보고 싶은 생각이 많았기 때문입니다. 잠시 병 때문에 주어진 휴식의 시간에 그려본 풍경화를 보고 "싸움의 현실을 벗어나 관조와 침잠의 절간으로 자리를 옮겼다"고 걱정하면서 "현실의 구체성과 치열한 역사의식"이 사라진 쪽으로 완전히 시의 방향을 튼 것으로 생각했던 것 같습니다.

이어서 "소월풍에 해당하는 시들만으로 꾸며진 새 시집에서 시인은 사랑과 이별, 그리움과 기다림, 심지어는 싸움과 죽음까지도 관용과 달관의 넉넉한 품 안에 모두 감싸 안는 태도를 보여준다. 그것이 구체적인 삶에 밀착할 때는 살아 있는 교훈을 낳는다. 하지만 반대로 그것이 현실에서 동떨어질 때는 막연한 추상화로 향하거나 불필요하고 몰역사적인 자책의 포즈를 내비치게 된다'고 평가한 뒤 "그렇다면 그 결과는 발전적인 가벼움일까, 아니면 퇴행적인 경박함일까" 하고 끝을 맺습니다.

수사적 질문으로 마무리한 이 기사를 다 읽고 나면 '발전적인 변화라고 해봐야 가벼워진 것이고, 결국 퇴행적인 경박함으로 떨어지고 말았구나' 하는 생각을 하게 됩니다.

소월 이야기가 나오게 된 것은 실천문학사에서 청소년용으로 기획한 《선생님과 함께 읽는 김소월》에 소월 시의 감상과 해설을 부탁받고 책 뒤에 쓴 글 때문입니다. 해설을 쓰면서 내가 〈귀뚜라미〉란 시를 예로 들며 소월한테서 배워야 할 게 있다고 했습니다.

산바람 소리 / 찬비 듣는 소리 / 그대가 세상 고락 말하는 날 밤에, / 숫막집 불도 지고 귀뚜라미 울어라(김소월, 〈귀뚜라미〉 전문)

이게 이 시의 전문인데요, 이 시를 보면 화자는 세상 고락에 대해 말하는 벗과 앉아 밤을 새웁니다. 숫막집에 불이 질 때까지 밤이 깊도

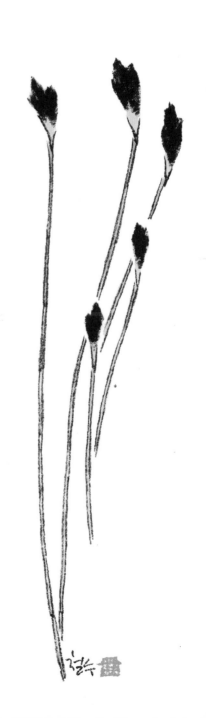

록 이야기합니다. 그러면서도 창밖으로 지나가는 산바람 소리, 귀뚜라미 소리를 듣습니다. 그렇지만 현실에서 도피해 있지는 않습니다. 나는 사회 현실에 대한 사회과학적 접근 방식으로 시를 쓰던 당시의 우리 시가 이 점을 배워야 한다고 생각했습니다. 세상 고락 속에서 시가 나오지만 세상 고락에 매몰되지 않고, 동시에 세상 고락을 외면하지 않는 이런 태도를 배워야 한다고 말입니다. 소월은 시란 인간의 삶에 대한 정서적 접근에서 시작하는 것임을 이 시를 통해 잘 보여줍니다. 그런데 기사는 '소월로 돌아가자'고 제안했다고 썼습니다. 나는 소월로 돌아가자는 게 아니라 소월의 시에서 다시 시작하고 배워야 변증법적인 질적 발전을 해나갈 수 있다고 했습니다. 그리고 이것은 제안 형태의 논문이 아니라 소월 시집 해설이라는 성격의 글이었습니다.

배우자는 것이나 돌아가자는 것이나 크게 보면 차이가 없다고 말할 수 있습니다. 이 신문 기사를 읽은 동료 문인 중에 내가 싸움을 포기하고 역사 의식도 내려놓고 소월로 돌아가자고 방향을 바꾼 것처럼 생각하며 분을 참지 못하는 이들이 있었습니다. 나의 이런 훼절(?)을 소재로 해서 내 문학적 처신을 질타하는 시가 문예지에 발표된 걸 보기도 했습니다.

좀 쉬어가자는 내 생각이 너무 안이했을 수도 있습니다. 단시를 쓰려면 적어도 박용래의 〈저녁눈〉 같은 시, 김종삼의 〈묵화〉 같은 시는 썼어야 합니다. 병상에서 쓴 단시니까 다 용서받을 수 있지 않느냐는 생각도 아전인수식 생각입니다. 조지훈의 단시, 김소월의 단시 같은 시를 쓰고 싶었다고 내가 쓴 시가 다 용서되는 것도 아닙니다. 느슨했고, 긴장감도 떨어졌고, 내용도 빈약했고, 치열성마저 식었다면 반성해야 마땅합니다. 그때도 반성했고 지금도 반성합니다.

　　흔들리지 않고 피는 꽃이 어디 있으랴
　　이 세상 그 어떤 아름다운 꽃들도
　　다 흔들리면서 피었나니
　　흔들리면서 줄기를 곧게 세웠나니
　　흔들리지 않고 가는 사랑이 어디 있으랴

　　젖지 않고 피는 꽃이 어디 있으랴
　　이 세상 그 어떤 빛나는 꽃들도
　　다 젖으며 젖으며 피었나니
　　바람과 비에 젖으며 꽃잎 따뜻하게 피웠나니
　　젖지 않고 가는 삶이 어디 있으랴

— 졸시 〈흔들리며 피는 꽃〉 전문

　　이 또한 《사람의 마을에 꽃이 진다》에 실려 있는 시입니다. 이 시를 보고 난 평론가 김상욱 교수는 웃으며 "형, 이거 함량 미달이야" 하고 말했습니다. 그렇습니다. 함량 미달이지요. 그러나 함량 꽉 찬 시를 못 써서가 아니라, 어떤 때는 함량이 조금 미치지 못하는 걸 알면서도 시가 가자는 대로 따라가고 싶을 때도 있습니다. 내가 시를 너무 내 필요한 곳으로, 행사장으로, 싸움의 한복판으로 끌고 다녔기 때문입니다. 흔들리지 않고 피는 꽃이 어디 있습니까. 흔들리다가는 제자리로 돌아오는 거지요. 제자리로 돌아와서 꽃을 피우는 거지요. 그러나 꽃을 피우고 나서도 또 흔들리게 되어 있습니다. 꽃만 그럴까요? 우리도 그렇습니다. 젖으며 젖으며 따뜻한 빛깔의 꽃을 피우는 거지요. 그러나 늘 젖어 있기만 한 꽃은 없는 거지요. 문학도 삶도 크게 다르지 않은 거지요.

가지 않을 수 없던 길

　　해직 다섯 해째 교육부와 전교조가 복직 문제에 대해 일정 부분 합의하면서 특별 채용 형식으로 학교로 돌아가게 되었습니다. 그러나 한 사람 정도는 남아서 조직을 지켜야 할 사람이 필요했습니다. 우리 지역에서는 내가 남아서 그 일을 해야 한다는 분위기였습니다. 결국 동료 해직 교사들은 복직하고 나는 복직하지 못했습니다. 학교로 돌아가지 못하고 남아 있으면서 여러 가지 직책과 직함을 떠맡아야 했습니다. 전교조 지부장은 물론이고 민주주의 민족통일 충북연합 공동의장, 충북사회민주단체연대회의 공동대표 등 긴 이름의 직함을 동시에 수행해야 했습니다. 지역에서 언론다운 언론을 만들어보고 싶어 하는 이들이 〈충청리뷰〉라는 시사월간지(현재는 시사주간신문)를 만들면서 발행인을 맡아달라고 요청해서 그 직책도 맡았습니다. 충북문화운동연합이 사단법인인 충북민예총으로 조직을 전환하는 일에도 관여했고 이현주 목사님을 초대 지회장으로 모시고 실질적으로 조직 운영을 책임지는 부지회장 역할도 했습니다.

한국전쟁 중에 돌아가셨거나 납북 또는 월북으로 문학사에서 매몰된 지역 출신 작가들의 자료를 발굴하고 문학제를 실시하기 시작했습니다. 홍구범, 정호승(월북 시인) 같은 문인들의 생애를 재조명하는 행사를 했고, 홍명희문학제, 오장환문학제, 권태응문학제는 그 무렵 시작해서 지금까지 실시해오고 있습니다. 지역 문학인 동시에 민족 문학인 작품을 찾아내고 문학적으로 자리매김하는 일을 내가 사는 곳에서부터 시작하자고 생각했습니다.

안기부 출신 관료의 언론사 사장 취임을 반대하는 '민주주의 운동으로서의 지역 운동', 친일파 동상을 철거하는 '민족운동으로서의 지역 운동', 노동자들의 권익 운동, 농민들의 생존권 싸움과 같은 '민중 운동으로서의 지역 운동'도 함께했습니다.

1994년 충북사회민주단체연대회의는 창립하면서 제일 먼저 친일 변절한 인사의 동상을 끌어내리는 일을 시작했습니다. 1995년은 해방된 지 50년이 되는 해인데, 친일파의 동상이 서 있다는 건 있을 수 없는 일이라고 생각했습니다. 우암산 삼일공원에는 삼일운동에 참여한 민족 대표 33인 중 우리 고장 출신 여섯 분의 동상이 세워져 있었습니다. 1980년에 충청북도에서 공원을 조성하고 세운 동상입니다. 그런데 그중에 정춘수 목사는 교회 소유의 철문, 철책, 교회 종을 헌납하여 성전 완수에 협력할 것을 요구했고, 교회를 병합·폐지하여 부동산을 처분한 돈으로 애국기라는 이름의 비행기 3대를 일제에 헌납했으며, 한강으로 신도들을 끌고 가 '미소기하라이'(목욕재계하여 부정을 씻는다는 뜻)라는 의식을 행하게 하고 남산의 조선 신궁까지 머리에 일장기를 두르고 뛰어가 신사참배를 하게 했습니다.

민족 대표 33인이 독립선언서를 낭독하는 자리에도 참석하지 않았고, 나중에 일본 검찰의 조사를 받을 때 "자치권을 달라는 것을 청원할 생각으로 명의를 내는 데 찬성하였지 독립을 선언하는 것은 나의 의사가 아니다"라고 답변한 기록이 남아 있습니다. 해방 후에는 반민특위에 체포되어 60일간 구속되기도 했고, 다른 민족 대표들처럼 국가에서 주는 훈포장을 받지 못했습니다. 독립기념관에도 친일 인사로 분류되어 있습니다. 민족 대표 33인 중 한 명으로 참여하는 데 명의를 낸 것만으로도 훌륭한 일이기는 합니다. 그 때문에 옥고를 치르고 고생한 것 역시 상찬받을 만한 일이라고 생각합니다. 그러나 그 뒤에 행한 수많은 친일 행위는 비판받을 수밖에 없습니다. 그게 역사입니다.

문제는 이렇게 친일 훼절한 사람의 동상을 세운 일입니다. 그리고 삼일절이나 광복절이 되면 그 앞에서 분향하고 기념 행사를 해야 한다는 것입니다. 그래서 충북사회민주단체연대회의에서는 동상을 세운 도청을 찾아가서 철거해줄 것을 요청했고 도의회에 청원하기도 했습니다. 시장과 지사를 면담하면서 자진 철거를 요청하기도 했지만 명백한 친일에 대해서는 동의하면서도 이 핑계 저 핑계를 대면서 미루기만 할 뿐이었습니다. 좌담회와 토론회를 거쳐 이 문제를 거론하거나 거리 서명을 받으면서 해결해보려고 노력했지만 건립 주체인 충청북도와 관리 주체인 청주시가 서로 책임을 떠넘기는 일을 되풀이하는 것을 보면서, 시민의 힘으로 강제로 철거하기로 결정했습니다. 광복절에 하겠다고 했다가 양보하고 삼일절이 되기 전에 하겠다고 했다가 다시 연기하여 결국 이듬해 삼일절에 강제 철거 작업에 나섰습니다. 시청 직원 등 공무원 500명이 에워싸고 있는 친일파 동상으로 몰려가 몸싸움을 하면서 결국 동상을 끌어내렸고 밧줄에 끌려내려온 동상은 땅바닥으로 떨어지면서 부서졌습니다. 해방 50년이 되는 해에 내릴 것은 내리고 세울 것은 세워야 한다는 상징적인 운동이었는데, 친일파 동상이 끌어내려진 이 사건이 주는 충격은 상징적인 것 이상이었습니다.

한편으로 친일파 동상은 서 있는데 독립운동가 동상은 없다는 문제를 제기하며 단재 신채호 선생 동상을 세우기로 했습니다. 단재 신채호 선생의 동상은 1만 명이 1만 원씩 내는 돈을 모아 세우기로 했습니다. 전국의 수많은 단체와 기관을 방문했고, 일반 시민, 교사, 학생, 노동자들에게 호소했습니다. 1년이 넘는 기간에 목표한 1만 명에는 미치지 못하지만 8,000명이 넘는 분이 내준 성금으로 동상을 세우게 되었습니다. 단재의 이름을 내세운 도 교육청 산하 단재교육원에서 근무하는 연구사 중에는 성금에 동참해달라고 부탁하자 "단재는 공산주의자라서 내기 곤란하다"고 말하는 이도 있었습니다. 단재 동상을 세우는 일에도 역시 시 당국은 비협조적이었습니다. 시민들이 가장 많이 다니거나 눈에 잘 띄는 시내 한복판에 땅을 내달라는 요구는 받아들여지지 않았고, 청주 예술의전당 한쪽에 부지를 제공받아 세우게 되었습니다.

다행스럽게도 동상 제작을 맡은 안규철 교수가 동상을 잘 설계하고 제작하여 예술의전당 모퉁이가 뜻깊은 장소로 바뀌었습니다. 촛대 위에 서 있는 촛불과 같은 형상으로 단재 동상을 세웠고, 높게 올려다보는 동상이 아니라 아이들이 편하게 접근할 수 있는 원반형으로 하단 부분을 설계했습니다. 청년 단재의 얼굴은 단아한 느낌으로 형상화했고, 손에는 조국을 떠날 때 들었던 《동사강목》 한 권을 들고 있어서 역사학자의 이미지가 떠오르게 하는 참한 동상이었습니다.

이 동상을 제막하는 날 우리는 모금에 참여한 일반 시민, 어린 학생, 노동자, 교사, 농민, 주부 등 각계각층을 대표하는 분들을 모셨습니다. 그런데 텔레비전으로 생중계되는 이 행사가 시작되려 하자 기념식을 끝내고 예술의전당에서 쏟아져 나온 기관장과 지역 유지들이 몰려가 저마다 하나씩 제막식 끈을 차지하는 바람에 초청한 시민과 학생과 노동자들은 뒷전으로 밀려나고 말았습니다. 모금에는 참여하지 않았지만 얼굴을 내미는 행사에는 앞자리를 차지하고 서 있었습니다. 제막식이 끝나고 검은 양복을 입은 기관장들이 버펄로 떼처럼 몰려가고 난 뒤 텅 빈 단재 동상 앞에 윤 아무개 선생님이 무지개가 떴다고 보라고 했습니다. 어른어른하며 하늘로 휘어지며 뻗어나가는 것이 무지개인 것 같기도 하고 흔적만 보이는 듯도 했지만 윤 선생님은 상서로운 일이라고 했습니다.

쉬운 일이 하나도 없었습니다. 뜻이 좋아서 하는 일도 허리가 휘청거렸고, 옳은 일이지만 단체와 개인들의 의견을 조율하고 조정해가면서 일을 성사시키는 과정은 어렵고 힘들었습니다. 급진적으로 일을 처리해나갈 것을 주장하는 이들과 온건하게 일을 풀어나가고자 하는 사람들 사이에는 항상 의견 충돌이 있었고, 회의와 모임이 거듭될수록 골은 깊어지고 상처도 많았습니다. 처음에는 의기투합한 동지였는데 해가 가면서 정파적인 입장만 남고 나머지는 비난과 야유의 대상이 되어갔습니다. 큰일 하나를 치르고 나면 몸과 마음은 만신창이가 되어 있는 때가 많았습니다. 그래도 가지 않을 수 없는 길이 있었습니다.

가지 않을 수 있는 고난의 길은 없었다

몇몇 길은 거쳐 오지 않았어야 했고

또 어떤 길은 정말 발 디디고 싶지 않았지만

돌이켜보면 그 모든 길을 지나 지금

여기까지 온 것이다

한 번쯤은 꼭 다시 걸어보고픈 길도 있고

아직도 해거름마다 따라와

나를 붙잡고 놓아주지 않는 길도 있다

그 길 때문에 눈시울 젖을 때 많으면서도

내가 걷는 이 길 나서는 새벽이면 남모르게 외롭고

돌아오는 길마다 말하지 않은 쓸쓸한 그늘 짙게 있지만

내가 가지 않을 수 있는 길은 없었다

그 어떤 쓰라린 길도

내게 물어오지 않고 같이 온 길은 없었다

그 길이 내 앞에 운명처럼 파여 있는 길이라면

더욱 가슴 아리고 그것이 내 발길이 데려온 것이라면

발등을 찍고 싶을 때 있지만

내 앞에 있던 모든 길들이 나를 지나

지금 내 속에서 나를 이루고 있는 것이다

오늘 아침엔 안개 무더기로 내려 길을 뭉텅 자르더니

저녁엔 헤쳐 온 길 가득 나를 혼자 버려둔다

오늘 또 가지 않을 수 없던 길

오늘 또 가지 않을 수 없던 길

— 졸시 〈가지 않을 수 없던 길〉 전문

노동자 그대의 이름은 아름답다

1996년 12월 26일 새벽 6시 김영삼 정부와 신한국당은 노동법과 안기부법 개정안을 기습적으로 날치기 처리했습니다. 성탄 캐럴이 아직 귓가에 남아 있는 새벽, 거룩한 밤을 찬미하는 기도와 성가의 여운이 가시지 않은 새벽이었습니다. 날치기로 통과된 노동법은 복수노조 전면 유예와 쟁의 기간 임금 지급 금지 등의 단결권이나 단체행동권을 심각히 제약하는 것과 정리해고 도입, 변형 근로제 도입 같은 독소 조항으로 가득했습니다. 또 안기부법은 국가보안법상의 고무 찬양죄와 불고지죄에 대한 수사권까지 부여하고 있는 반민주적인 악법이었습니다. 노동운동뿐 아니라 전체 민중운동 진영의 활동을 위축시키기 위한 것으로밖에 볼 수 없었습니다.

서울 시내 각 호텔에 분산해 있다가 새벽에 동원된 154명의 의원(156명 중에 김윤환 의원은 외유 중, 이신범 의원은 지각)은 "표결을 시작하겠다"는 구호에 맞춰 일사불란하게 총 11번을 일어섰다 앉았다를 반복하며 11건의 노동법과 안기부 관련법을 처리했습니다. 시간은 6분

10초밖에 걸리지 않았습니다. 6분 10초면 라면 한 그릇을 끓이기에도 부족한 시간입니다. 그 시간에 8개월을 끌어온 노동법을 날치기 통과시킨 것입니다. 날치기를 끝낸 일부 의원은 여의도의 식당으로 몰려가 축배를 들었고, 법안 처리 소식을 들은 대통령은 청남대로 휴가를 내려왔습니다. 민주노총은 바로 노동법 개악 저지 총파업 투쟁을 선언했고, 시민 단체와 야당은 장외투쟁에 나섰습니다.

김영삼 대통령이 노동법·안기부법 날치기가 끝난 걸 보고 청남대 별장으로 휴가를 내려왔다는 소식을 들은 우리는 청남대로 찾아가기로 했습니다. 법이 발효되기 전에 대통령이 거부권을 행사해줄 것을 촉구하기 위해서였습니다. 대청댐 안쪽에 있는 청남대는 청주 시내에서 30분 거리에 있습니다. 민주노총과 대책위는 가다가 문의로 들어가는 삼거리에서 경찰에 막혀 몸싸움을 했고 일부는 경찰에 연행되었습니다. 김인국 신부와 시내로 돌아오다가 수배가 떨어졌다는 소식을 들었습니다. 청와대의 지시라고 했습니다. 어쩔 수 없이 서울로 도망쳐야 했는데 연말에서 신정으로 이어지는 시기라 여관을 전전하기가 쉽지 않았습니다. 1월 1일 아침에는 문을 연 식당도 없었습니다. 할수 없이 청주로 내려와 성당으로 들어갔습니다. 서울에서는 총파업 지도부가 명동성당에 천막을 치고 농성 본부를 차렸는데, 우리 지역도 내덕동 성당에 천막을 치고 민주노총충북본부 배창호 의장, 김재수 사무처장 등 총파업 지도부를 그리로 옮겼습니다. 신순근 신부님이 성당 한쪽에 천막을 치게 양해해주셔서 얼마나 고마웠는지 모릅니다. 어떤 날은 살을 얼리는 바람이 밤새 천막을 가린 비닐을 흔들고, 어떤 날은 눈보라가 진종일 몰아쳤습니다. 한겨울에 천막 안 날바닥에서 새우잠을 자고 나면 얼굴이 부석부석해져 있었습니다. 그러나 다시 이마에 머리띠를 묶으며 거리로 나갔습니다. 경찰이 내게 보내는 출두요구서는 파업 투쟁이 끝날 때까지 여덟 번이나 날아왔지만 응하지 않았습니다. 경찰도 내가 낮에는 노동자들의 한가운데에 있고 밤이면 성당 천막에 있는 걸 모르진 않았지만 체포하지 못하고 있었습니다. 주위를 항상 노동자들이 둘러싸고 있어서 경찰도 사태의 추이를 지켜보며 어찌해야 할지를 저울질하고 있었을 것입니다.

거의 매일 거리에서 노동법 날치기 통과 규탄과 총파업 결의 대회를 열었습니다. 대기업 사업장 노동자들부터 시작하여 병원 노동자, 언론 노동자, 교사들이 차례차례 가세하면서 시위 대열은 나날이 늘어갔습니다. 안기부 건물 앞까지 몰려가 바리케이드 앞에서 투석 시위를 하는 날도 있었습니다. 1월 중순께에는 학생들과 사회단체뿐 아니라 일반 시민까지 참여했습니다. 곽동철 신부님을 비롯한 신부님들은 기도회를 열었고, 대학교수들은 항의 성명을 발표했습니다.

교육 운동을 처음 시작할 때는 거리에서 서명받는 것도 겸연쩍고 불편했습니다. 항의 방문을 다니며 정당의 당사 사무실에 앉아 있는 것도 어색했고, 대중 집회에서 연설하는 건 여간 힘든 게 아니었습니다. 그런데 그때 연일 계속되는 집회를 이끌면서 매일 거리에서 대중 연설을 하는 일은 피할 수 없는 일과 중 하나가 되었습니다. "김영삼 정권 날치기면 노동자는 박치기다", "총파업 투쟁 동참하여 아내에게 사랑받자", "나는 03당이 싫어요" 같은 구호들이 터져나와 힘든 시위에 웃음과 힘을 주는 날이 많았습니다. 2단계 총파업에서는 민주노총과 한국노총이 연대하면서 전국적으로 사상 최대 규모인 75만 명이 참가한 총파업이 전개되기도 했습니다.

강경 방침을 유지하던 김영삼 정부도 결국 개정 노동법안이 시행되는 3월 1일 이전에 국회에서 재개정하는 것이 가능하다는 입장을 밝히게 되었습니다. 1월 23일 한보 비리 사건이 터지면서 국민의 분노는 절정에 달했습니다. 그동안 노동자의 임금 인상이나 노동운동이 경제를 침체시키는 요인이라고 강변해왔는데 정부와 부패한 재벌이야말로 국가 경제를 망치는 장본인이라는 사실이 만천하에 드러나게 된 것입니다. 연이어 김영삼 대통령 아들의 비리가 함께 딸려 나왔고, 신한국당과 김영삼 정권은 수세에 몰리게 되었습니다. 노동자들의 투쟁은 범국민운동으로 확산되어 2월 초까지 이어졌습니다. 그리하여 우리가 원하던 만큼은 아니었지만 날치기 통과된 법들을 재개정하고 오만한 권력을 국민 앞에 무릎 꿇게 만들었습니다.

3월 초 여야가 다시 논의한 노동법이 국회에서 통과되기로 예정되어 있는 2월 하순, 나는 충북민예총과 함께 그동안의 싸움을 집체극을 통해 마무리하는 〈악법 철폐 위해 싸우는 노동자가 자랑스러워요〉라는 제목의 문화 공연을 열었습니다. 내가 대본의 초안을 쓰고 박종관이 연출을 했습니다. 그 공연에서 나는 〈노동자 그대의 이름은 아름답다〉라는 시를 낭송했습니다.

세기말의 우울한 나팔소리 저녁하늘에 번져갈 때도
그들은 나른한 선율에 빠져들지 않았다
아직 해가 지려면 멀었는데도 서둘러 보따리를 챙기며
이 시대를 파장 분위기로 몰아갈 때도

그들은 노동판을 떠나지 않았다.

변혁의 꺼지지 않는 열망을

노동의 화로에 불씨처럼 묻었다 건네주며

싸움은 끝나지 않았다고

싸움은 아직도 계속되고 있다고 나직하게 말해왔다.

새 세상은 미리 준비하는 자의 것이라고

희망은 포기하지 않는 자에게만 주어지는 선물이라고

단결만이 우리를 지키는 유일한 무기라고

싸워서 얻는 것만이 가장 값진 성과물이라고

파업을 준비하며 동료들 손잡으며 그렇게 말했다.

척박한 천민자본주의 담 밑에

분배의 정의와 민주주의가 다시 살아나길 바라는

뜨거운 소망을, 소망의 씨앗을 뿌리고 심었다

그토록 힘겨운 파업 투쟁의 대오가 거리 거리 넘치고

물결을 이룬 저항의 행렬이 온 나라를 덮었을 때

많은 이들은 이 시대에 노동자가 누구인가를

비로소 알 수 있었다

성당 한 모퉁이 쫓기던 이들이 모여 앉은 천막 위로

어떤 날은 살을 얼리는 바람이 밤새 비닐을 흔들고

어떤 날은 눈보라가 진종일 몰아쳐도

눈보라보다 더 큰 함성으로 따뜻할 수 있었다.

천막 날바닥에 웅크리고 새우잠을 자고 나선

얼어붙은 이마에 다시 머리띠를 묶으며

투쟁으로 해가 뜨고 투쟁으로 별이 빛나는 거리로 몰려나가
마침내 오만한 권력을 무릎 꿇릴 수 있었다
썩을 대로 썩은 재벌과 그 찌꺼기를 나눠 가지며 공생하는
더러운 권력을 향해 가장 앞장서서 싸우며
아직 다 잠들지 않은 양심들을 하나의 깃발 아래
불러 모으는 이들이 누구인지 당신들은 확인할 수 있으리라
노동자는 위대하다
멈추지 않고 깨어 흘러 저 자신을 살리고
온 천지를 살려내는 강줄기처럼 노동자의 물결은 위대하다
이 시대 희망의 날들은 저물었다고 돌아서던 사람들을
보란 듯이 질타하는 노동자의 몸짓은 눈물겹다.
이 나라 이 역사에 당당하게 싸워 얻어낸
승리의 기억을 남기기 위해
살아 움직이며 밀고 가는 노동의 수레바퀴는 힘차다
투쟁으로 밤이 가고 투쟁으로 새벽이 오는 거리에서
노동자 그대의 이름은 아름답다

— 졸시 〈노동자 그대의 이름은 아름답다〉 전문

시인과 투사

아직 봄은 오지 않았지만 겨울이 가고 있는 게 보였습니다. 이른 봄이었습니다. 노동법·안기부법 반대 투쟁이 마무리 단계로 접어드는 어느 날, 천막을 나와 근처 목욕탕에 갔습니다. 겨우내 성당 천막 안 날바닥에서 지내며 목욕도 제대로 하지 못했기 때문입니다. 혼자 천천히 걸어서 목욕탕을 가는 시간이 좋았습니다. 몇 달간 혼자 다닐 수 없었기 때문에 혼자 걷는 시간이 찾아온 게 그렇게 고마울 수 없었습니다. 따뜻한 물에 몸을 담그고 있는 시간도 좋았고, 몸을 씻고 나와 산뜻해진 마음으로 길을 걷다가 길가에 봄나물을 팔러 나온 할머니 앞에 쪼그려 앉아 이것저것 물어보는 것도 좋았습니다. 우리의 싸움이란 결국 이런 평화로운 일상으로 돌아가기 위한 것인지도 모릅니다.

싸움, 투쟁, 한동안 이런 말을 입에 달고 살았습니다. 그러나 나는 거센 바람 몰아치는 태백산 정상에서 '살아서 천년, 죽어서도 천년'을 바람과 맞서는 주목(朱木)과 같은 자세로 싸우지 못했습니다. 그저 혹한 속에서 자신을 지키는 들꽃처럼 싸웠을 뿐입니다. 나는 성격상 투사가 되기는 어려운 사람입니다. 다만 비겁해지지 말자고 생각하며 있는 힘을 다해 싸웠을 뿐입니다. 나같이 여리고 허약한 사람도 앞장서서 싸우지 않으면 안 되는 시대를 살았던 것입니다.

> 아무도 들꽃들이 겨우내 비겁하였다고 말하지 않는다
> 나 같은 사람도 있는 힘을 다해 싸웠다
> 나 같은 사람도 앞장서서 싸우지 않으면 안 되는
> 시대를 살았다 우리들은
> (…)
> 나같이 허약한 사람도 쫓기며 끌려가며
> 두려워하지 않고 싸웠다고
> 끝까지 포기하지 않고 희망을 위해 싸웠다고
> 그 생각을 하며 이 저녁 자신을 위로한다
> 꽃샘바람에도 순이 터 올라오는 나뭇가지가 보인다
> 산천에 봄소식이 오고 강물이 풀려도
> 내가 아직 불법이란 딱지에 묶여 있는 게 가슴 아프다
> 젊은 날을 다 바쳐 싸우고 돌아보는 이 저녁에
>
> — 졸시 〈이른 봄〉 중에서

두려워하지 않고, 포기하지 않고 싸웠다고 말했지만 두려울 때가 왜 없었겠습니까. 포기하고 싶을 때가 왜 없었겠습니까. 두렵지만 두려움을 이기려고 애를 쓴 거지요. 두려움을 이기려고 노력하는 과정

자체가 참 소중한 것이었습니다. 그 과정을 통해 많은 것을 배울 수 있었습니다. 고난과 어려움이 사람을 정말 새롭게 바꾸기도 한다는 걸 경험했습니다. 두려움을 극복하는 과정을 통해 인간의 정신이 도약하는 것이구나 하는 걸 알게 되었습니다. 그래서 포기하지 않아야 한다는 걸 알았고, 청춘을 다 바쳐 불의에 맞설 수 있었고, 연대가 무엇인지 알았으며, 희망이 왜 소중한 것인지 알게 되었습니다. 봄이 얼마나 고마운지 겨울을 혹독하게 겪고 난 뒤에 알게 되는 것과 같습니다. 개나리꽃이 핀 봄날, 전교조 사무실 근처 어린이 놀이터를 지나다 생각해보니 학교로 돌아가지 못한 지가 여덟 해가 되어가고 있었습니다.

어린이 놀이터에 개나리꽃이 진하게 피었다
동네 아이들은 모두 학교 가고 없고
아이들이 금그어놓고 놀다 간
사방치기 그림만 땅 위에 덩그러니 남아 있다
그 앞에 서서 폴짝 뛰어보려다
멈칫 주위를 둘러본다
그러다 폴짝 폴폴짝 뛰어 건넜다
개나리꽃이 머리를 흔들며
깔깔대고 웃다가 꽃잎 몇 개를 놓친다
햇살이 윗 꽃잎에서 아래 꽃잎 더미 위로
주르르 미끄러져 내린다
여기서 오 분만 걸어가면

쫓겨난 학교가 있다

이 봄이 지나면 못 돌아간 지 꼭 여덟 해가 된다

걸어서 오 분이면 가는 학교를

— 졸시 〈어린이 놀이터〉 전문

　사람들은 내게 시인의 이미지와 투사의 이미지가 함께 있는 게 잘
이해가 안 된다고 말합니다. 서정적인 시인의 이미지로만 나를 보는
분이 대부분입니다. 그런가 하면 운동권 후배 중에는 "아직도 시를 쓰
세요?" 하고 묻는 이가 있어서 내가 더 놀라기도 했습니다. 후배들에
게는 내가 전혀 시인처럼 보이지 않았나 보다 하는 생각에 적지 않게
놀랐습니다. 이런 크고 거창한(?) 일을 하며 아직도 시 같은 것에 매
달려 있느냐고 묻는 것 같았습니다.

　이렇게 맑은 시를 쓰는 시인이 어떻게 전교조 지부장을
하고 감옥에 끌려가고 거리에서 집회를 이끌고 민주화
운동을 하는지 혼란스럽다고 말하는 소리도 듣습니다.
반대로 그렇게 조직적이고 투쟁적인 일을 도모하면서
어떻게 이런 여리고 부드러운 시를 쓸 수 있느냐며 의문
을 제기하기도 합니다. 그들의 생각이 맞습니다. 그 두
가지를 아우르며 양쪽 일을 잘 해내기란 쉽지 않습니다.
두 가지는 서로 모순됩니다. 둘 중 하나는 진정성이 결여
되었거나 가짜일 수도 있습니다.

　나도 그분들이 납득하고 이해할 만한 대답을 잘 찾지
못합니다. 나는 그저 "나같이 여리고 약한 사람도 앞에

나서서 무언가를 하지 않으면 안 되는 시대를 살았던 거지요." 이렇게
대답합니다. 그러면 그 말에 수긍하기는 하지만 그렇다고 제대로 된
대답을 들었다는 표정을 보이지는 않습니다.

투사로 살았다면 적어도 김남주 시인처럼 살면서 시도 확실하게 쓰
거나, 여린 시인으로 살았다면 박용래·천상병·이성선 시인처럼 살았
거나, 아니면 더는 시를 쓰지 말거나 했어야 독자들이 혼란스럽지 않
았을 겁니다. 그런데 일급수에 살던 물고기도 아니고, 오염에 저항하
다 죽은 물고기도 아닌 채, 5급수 탁류 속에서 허리가 휜 채 살아 있
는 물고기처럼 기형으로 살아 있는 건지도 모릅니다. 나도 그 물 속에

서 몸을 보전하고 시를 놓지 않고 살아오는 동안 참으로 힘들었던 게 사실입니다. 그래서 두 가지 길 중 어느 것도 제대로 해내지 못했습니다. 충실하지 못했다는 것이 더 맞겠지요. 시인의 길과 민주화 운동을 하는 삶, 두 길 모두 어느 것 하나 제대로 수행하지 못했습니다.

운동하는 삶에서 문학이 우러나도 그 문학이 거칠거나 속되지 않고, 시를 쓰면서 민주화 운동을 해도 그 운동이 나약하거나 비겁하지 않으면서 두 길이 잘 조화를 이루는 일은 여간 어려운 게 아닙니다. 의로운 길을 가면서 문학으로서의 품격도 갖추고, 시를 시답게 쓰면서도 현실을 직시하고, 동시에 심성이 모나거나 거칠어지지 않게 지켜나가는 일은 참으로 힘든 일이었습니다.

시심의 바탕에는 선한 마음이 있습니다. 마음의 바탕이 깨끗하고 선하면 그 마음은 의로운 마음과 자연스럽게 통합니다. 선하기 때문에 자연히 의로운 마음을 갖게 되는 겁니다. 그 의로운 마음이 옳은 일에 나서게 하는 겁니다. 아이들과 여성과 소외된 이들이 겪는 아픔, 노동자들이 겪는 고통에 동참하는 일도 옳은 일이라고 생각하여 나서게 됩니다. 정의감이나 의로운 분노는 선하고 지순한 마음이 아니면 생기지 않습니다. 권력에 대한 탐심이나 명예욕, 자리에 대한 계산된 욕심을 가졌다면 그건 의로운 분노가 아닙니다. 의로움보다 이익에 치중한 마음이나 이해관계와 타산을 따지면서 무슨 일을 한다면 좋은 시가 쓰여질 리 없습니다. 여린 마음과 곧은 마음은 마음 밑바닥 깊은 곳에서 서로 통하는 데가 있는 것입니다. 겉으로 드러난 행동의 외연만 보면 이해가 가지 않을 수도 있지만 그 마음이 서로 통하는 데가 없다면 우리의 자아는 분열되고 말 것입니다.

교사로서도 부끄럽지 않고 한 인간으로서도 반듯하게 사는 일은 쉽지 않습니다. 더구나 사회운동과 민주화 운동을 하면서 시인의 심성을 유지하며 사는 일은 더욱 어렵습니다. 그래서 인격이란 바위와 낭떠러지와 계곡과 모래언덕을 지나가는 물줄기처럼 길고도 먼 길을 한평생 유장하게 흘러가는 동안 형성되는 것인지도 모르겠습니다. 문학의 길 역시 그렇게 한 생애를 다 던져서 완성해가는 길인지도 모릅니다.

이렇게 말해도 사람들은 아직도 시인의 이미지와 교육 운동, 민주화 운동을 한 사람의 이미지가 뒤섞여 혼란스럽다고 말합니다. 두 얼굴이 서로 잘 어울리지 않는다고 말합니다. 나 역시 그렇습니다. 나 역시 그게 하나가 되는 얼굴을 찾아가는 중입니다.

부드러운 직선

한보 사태가 터지고 외환 위기가 몰아닥치면서 나라는 거덜 나기 시작했습니다. 김영삼 정부가 나라를 망하게 했다는 걸 안 국민들은 1997년 선거에서 국민의 정부를 선택했습니다. 김대중 대통령이 당선되었고 정권은 교체되었습니다. 그러나 구제금융 사태는 이제까지 찾아온 어떤 위기보다도 충격파가 큰 시련의 시작이었습니다. 수많은 개인의 삶을 부도냈을 뿐 아니라 87년 체제의 근간을 흔드는 새로운 시련이었습니다. 사회를 민주화하는 일에만 전력투구해온 민주화 운동 세력은 경제를 민주화하는 일에는 전문성이 부족했습니다. 경제를 자유화하는 시장주의자들에게 맡겨놓고 쳐다보고만 있었습니다. 하이에크만을 신봉하는 경제 관료들이 나라 경제를 신자유주의로 끌고 가기 좋은 세월이 온 것입니다. 산 너머에는 더 큰 산맥이 길을 막고 있었고, 겨우 강을 빠져나오니 더 큰 파도가 기다리고 있었습니다.

해직 생활 9년을 넘겼을 때 교원들의 노조가 법적으로 인정받고 합법화되었습니다. 고난 속에서 교육 운동을 해온 교사들은 감격스러워 했고, 10만 명 조합원 시대를 열자고 소리쳤습니다. 그러나 나는 겸손 해져야 한다는 생각이 들었습니다. 9년 유배 생활을 했던 추사 김정 희가 생각났습니다.

추사는 젊어서 탄탄대로의 삶을 살았습니다. 아버지가 호조 참판이 되고 자신도 사마 시험에 합격하면서 부친을 따라 연경에 가서 중국 학자들과 교류하며 국제적인 학자로 성장했습니다. 청나라 석학 옹방 강으로부터 '경술문장 해동제일'이라는 칭찬을 들었고, 과거시험 대 과에 합격하며 출셋길을 달렸습니다. 그러나 동지 부사로서 꿈에 그 리던 연경길에 오르기 직전 제주도로 귀양을 갑니다. 부친이 정치적 격변에 휘말리게 되었기 때문입니다. 제주도로 귀양을 가는 길에 추 사는 해남 대흥사에 들렀습니다. 그때 대흥사 대웅보전의 현판 글씨 를 보고는 "어찌 저런 글씨를 버젓이 걸어놓을 수 있느냐"며 글씨를 직접 써주고는 바꿔 달게 했습니다. 그 현판 글씨는 동국진체의 대가 이광사가 쓴 것이었습니다.

제주도에서 추사는 햇수로 9년의 귀양살이를 했습니다. 그동안 부 인이 죽고 귀양지에서 회갑을 맞았습니다. 외로움과 억울함과 쓸쓸함 을 추사는 글씨를 쓰며 달랬습니다. 예순셋의 나이로 귀양지에서 풀 려나 차가운 겨울바람을 맞으며 돌아오는 길에 추사는 다시 대흥사에 들렀습니다. 그리고 대웅보전의 자기 글씨를 떼어내고 이광사의 현판 을 달게 했습니다. "그때는 내가 잘못 보았어." 추사는 그렇게 말했다고 합니다. 그렇게 겸손해지면서 추사의 글씨는 더욱 깊어진 것이지요.

소년기의 시련을 딛고 청·장년기에 승승장구하다 생의 후반기에 몰락하여 사람들의 기억에서 지워진 존재가 되고 말았는데 거기서 비로소 깊어지고 겸손해져 자기 예술의 완성을 이룩해낸 것이지요. 나는 혹시 내가 그동안 오만하여 겁 없이 떼어낸 것에는 무엇이 있을까 생각했습니다. 내가 다시 걸어야 할 길은 무엇일까 생각했습니다. 한 계단 내려서서 낮은 자세로 살아야 하고 겸허해져야 한다고 생각했습니다.

세상은 문인에게 참 많은 걸 요구합니다. 잘나갈 때 겸손해야 한다고 하고 좋은 일이 생길 때 자세를 낮추라고 합니다. 문학의 외길에 빠져 있으면 문학주의자라고 하고, 사회 현실에 적극적으로 동참하면 문학이 사회운동의 도구가 되어서는 안 된다고 말합니다. 문학성과 운동성, 예술성과 역사성이 조화를 이루어야 한다고 주문합니다. 진정성, 치열성을 지니고 있으면서도 문학의 품격과 위의를 잃지 않아야 한다고 말합니다.

잘못된 정치 현실에 분노하지 않으면 역사 의식이 부족하다고 하고, 분노하는 목소리가 너무 크면 거칠다고 질타합니다. 진지한 이야기를 하면 시가 너무 무겁다고 하고, 경쾌한 이야기를 다루면 가벼워졌다는 소리를 듣기 십상입니다. 저항하면 또 그 소리냐 하고, 야유하고 풍자하면 경박해졌다고 합니다. 시가 슬퍼 보이면 애이불비(哀而不悲)해야 한다고 하고, 외롭게 있으면 화이부동(和而不同)해야 한다고 요구합니다.

문학도 삶도 희이불경(喜而不輕), 노이불분(怒而不憤), 애이불음(愛而不淫), 낙이불천(樂而不淺)해야 한다고 말합니다. 기쁘되 가볍지 않고, 분노하되 흥분하고 날뛰지 않으며, 사랑에 대해 이야기하되 음란하지 않고, 즐거움을 주되 천박하지 않아야 한다고 요구합니다. 모순되고 상반된 요구들이 얼마나 많은지 모릅니다. 어느 한쪽도 제대로 그려내지 못할 때도 많은데 상반된 요구들을 다 녹여내기란 여간 어려운 게 아닙니다. 시인들은 그 상반된 요구를 끌어안고 뒹굴고 충돌합니다. 그러다 그 충돌하는 것들의 길항 속에서 시를 만나기도 합니다.

높은 구름이 지나가는 쪽빛 하늘 아래
사뿐히 추켜세운 추녀를 보라 한다
뒷산의 너그러운 능선과 조화를 이룬
지붕의 부드러운 선을 보라 한다
어깨를 두드리며 그는 내게
이제 다시 부드러워지라 한다
몇 발짝 물러서서 흐르듯 이어지는 처마를 보며
나도 웃음으로 답하며 고개를 끄덕인다
그러나 저 유려한 곡선의 집 한 채가
곧게 다듬은 나무들로 이루어진 것을 본다
휘어지지 않는 정신들이
있어야 할 곳마다 자리 잡아
지붕을 받치고 있는 걸 본다
사철 푸른 홍송숲에 묻혀 모나지 않게
담백하게 뒷산 품에 들어 있는 절집이
굽은 나무로 지어져 있지 않음을 본다

한 생애를 곧게 산 나무의 직선이 모여

가장 부드러운 자태로 앉아 있는

— 졸시 〈부드러운 직선〉 전문

　나 자신도 유연해지려고 생각하고 있는데 사람들은 내게 원칙만 고
집하지 말고 부드러워지라고 말합니다. 그러나 부드러워져서 쉽게 타
협하면 바로 질타합니다. 부드러운 자세를 지니면서도 원칙을 잃지
않는 일은 쉬운 게 아닙니다. 유연한 태도로 살면서 쉽게 타협하지 않
는 곧은 마음을 갖는 것도 말처럼 쉽지 않습니다. '부드러운 직선'이
란 말도 모순된 말입니다. 부드러운 선은 곡선이요, 직선은 곧은 선이
기 때문입니다. '부드러운 직선'이란 말은 우리나라 고건축의 추녀를
표현한 말입니다. 우리나라 고건축의 백미는 멋들어지게 휘어져 올라
간 추녀에 있습니다. 그런데 추녀의 절묘한 곡선은 직선의 목재로 만
들어낸 것입니다. 휘어진 나무로 지은 것이 아니라 곧은 나무들이 촘
촘하게 어깨를 맞대고 이어져 이루어진 것입니다. 굽은 나무로는 그
런 선을 만들어내지 못합니다.

　부석사 무량수전도 그렇습니다. 건물 귀퉁이 쪽 기둥을 가운데보다
높게 처리했고, 건물의 앞면을 마치 오목거울처럼 휘어져 보이게 한
곡선의 율동이 건축 미학의 백미를 만들어냅니다. 직선의 목재로 빚
은 곡선의 건축 미학은 모순된 요구가 만들어낸 아름다움입니다.

　우리 주위에는 자기 삶의 원칙을 지켜가면서도 유연하고 부드러운
인격을 지닌 분들이 있습니다. 그런 분들의 인격도 '부드러운 직선'이
라 할 수 있습니다. 잘 지은 집이 뒷산의 능선과도 조화를 이루듯 그

런 분들도 그분을 둘러싼 주위 환경과 잘 어울립니다. 잘 지은 집은 자연 속에 들어 있으면서 자연에 멋스러움을 더합니다. 자연과 하나 되어 있기 때문입니다. '부드러운 직선'의 인격을 지닌 분도 그분의 배경과 잘 어울리는 걸 봅니다.

유연하다는 것은 변화의 실체를 바로 알고 슬기롭게 대처한다는 것 입니다. 국가의 부도와 민주적 정권 교체와 전교조의 합법화와 10년 만의 복직을 앞에 놓고 나는 어떻게 원칙을 저버리지 않으면서 유연 하고 슬기롭게 대처해야 할 것인지를 생각했습니다. 유연하다는 것이 비굴한 모습으로 허리를 굽히는 일이거나 지조도 버리고 이리저리 양 지를 찾아 몸을 옮기는 행동을 정당화하는 말이어서는 안 되기 때문 입니다.

연암 박지원은 '법고창신(法古創新)'해야 한다고 했습니다. 지금까지 지켜온 삶의 원칙을 지키되 구태의연하지 말고, 새로이 거듭나되 도에 어긋나서는 안 된다는 것입니다. 삶도 문학도 그럴 수 있으면 얼마나 좋겠습니까.

5

세 시에서 다섯 시 사이

우리가 있는 곳을 하루의 시간에 견주어본다면

우리는 지금 몇 시쯤을 지나가고 있는 걸까요?

내 인생의 시계는 오후 3시를 지나 5시를 향해

가고 있는 건 아닐까 생각합니다. 12시 전후한 시간은

치열했습니다. 그러나 그 뒤에는 지쳐 있었으며,

의기소침한 채 오후 시간이 지나갔습니다.

저무는 시간만이 기다리고 있다는 생각이 들 때도 있습니다.

그러나 밤이 오기 전 찬란한 노을이 하늘을 가득 물들이는

황홀한 시간이 한 번쯤 오리라는 믿음도 가지고 있습니다.

도종환의
나의 삶,
나의 시

부족한 나무

　　일찍이 함석헌 선생은 《수평선 너머》라는 시집
머리말에서 이렇게 말씀하신 적이 있습니다.

　　의사를 배우려다 그만두고, 미술을 뜻하다가 말고, 교육을 하려다가 교
육자가 못 되고, 농사를 하려다가 농부가 못 되고, 역사를 연구했으면 하다
가 역사책을 내던지고, 성경을 연구하자 하면서 성경을 들고만 있으면서,
집에선 아비 노릇을 못하고, 나가선 국민 노릇을 못하고, 학자도 못 되고,
기술자도 못 되고, 사상가도 못 되고, 어부라면서 고기를 한 마리도 잡지
못하는 사람이 시를 써서 시가 될 리가 없다.

　　　　　　　　　　　　　　　　　　　　　— 함석헌, 《수평선 너머》 중에서

해직 생활 10년 만에 학교로 돌아가는 길이 열렸을 때 지나간 10년
을 돌아보는 내 심정도 이런 것이었습니다. 교육 운동, 노동운동을 하
며 10년을 보냈는데 운동가가 되었는가. 운동가, 혁명가의 길로 갈 만

한 사람인가. 생각해보니 나는 체질상 그렇지 못하다는 생각이 들었습니다. 정치의 길로 가자는 제안도 있었습니다. 대통령 선거 때마다 야당 대통령 후보를 지지하는 텔레비전 연설을 해달라는 제안이 있었습니다. 그 제안을 받아들인 사람은 전국구 국회의원이 되곤 했지만 나는 끝내 그 제안을 받아들이지 못하고 말았습니다. 낙선한 대통령 후보를 돕는 후원회 부회장 자리가 내게 주어진 적도 있습니다. 매달 한 번씩 조찬 모임이 있었는데, 참석하지 못했습니다. 지방에서 조찬 모임에 가려면 그 전날 올라가야 하는데 밤늦게까지 해야 할 일들이 늘 기다리고 있었기 때문입니다. 그 일을 제쳐놓고라도 권력 교체를 준비하는 사람들과 자리를 같이할 줄 아는 정치적 감각이 있어야 하는데, 나는 그러지 못했습니다. 그 모임에 빠지지 않고 참석했던 사람들은 나중에 청와대와 권력의 핵심 요직에 들어가 나라를 이끌어가는 책임을 맡았습니다.

공부를 하고 싶었지만 학자가 되는 길로 가지 못했습니다. 박사과정을 수료하던 해에 감옥에 끌려가는 바람에 공부를 중단하고 말았습니다. 몇 해만 참고 운동에 거리를 두었거나, 주위 사람들에게 양해를 구하고 공부하는 기회로 삼았다면 10년간 공부를 많이 했을 텐데 그러지 못했습니다. 비굴해도 조금만 참고 학교에 남았다면 10년간 수천 명의 제자를 길러냈을 텐데 그만 제자 없는 거리의 교사로 떠돌고 말았습니다. 어려서는 화가가 되려다 그 길로 가지 못하고, 학자의 꿈도 중도에 그만두고, 혁명가도 아니고, 선생 노릇도 제대로 못하고, 가정에서는 자식 노릇 아비 노릇 못하고, 그렇다고 훌륭한 시인이 되지도 못했습니다.

이틀이 멀다 하고 강연을 다니며 나를 필요로 하는 사람이 부르는 곳이면 달려가 그들의 모임이 활성화될 수 있는 자리를 만들고자 했습니다. 그렇게 10년 동안 내가 한 말들은 지금 어디에 있는지를 생각해봅니다.

그 기간에 작품을 갈고닦았다면 빼어난 작품 몇 편을 썼을 텐데 그런 작품을 쓰지도 못했습니다. 열심히 살면 그렇게 산 만큼 좋은 글이 써진다고 믿었습니다. 그러나 꼭 그런 것만도 아닙니다. 열심히 사는 것도 중요하지만 글도 그렇게 쓰고 갈고닦는 피나는 노력이 뒷받침되어야 합니다. 두 가지를 다 잘하고 그걸 조화시키는 일은 쉽지 않습니다.

한번은 평론가 김상욱 교수와 술을 마시다 "나는 본래 로맨티스트였는데 어찌어찌하다 보니 리얼리스트가 되었어" 했더니 김 교수가 바로 받아서 "형은 지금 리얼리스트가 아니라 계몽주의자야. 그것도 애국적 계몽주의자!"라고 말하며 웃는 것이었습니다. 그 자리에 있는 사람들과 같이 웃었지만 속으로는 뜨끔했습니다. 열심히 최선을 다해 10년을 살고, 글을 쓰고 했는데, 나는 계몽주의자가 되어 있었습니다. 그것도 '애국적 계몽주의자!' 그 말이 딱 맞는 것 같았습니다. "계몽이 뭐가 나빠?" "시인이 결국 계몽주의자가 되고 만다면 문제 아니야?" "무슨 소리야, 지금도 여전히 계몽이 필요한 시대야." 이런 이야기를 열띠게 주고받는 이들 속에서 솔직히 마음이 아팠습니다.

전교조 교사라는 이름을 걸고 살아가고자 했고, 그렇게 살아왔기 때문에 잃어버린 것도 참 많았지만 그게 서운하다고 말하는 건 아닙니다. 해보지 않았던 일을 해오면서 나는 내가 가진 능력과 내가 할 수 있는 일의 한계, 이런 것들을 자세히 알 수 있었고 그래서 겸손해야겠구나 하는 생각을 하게 되었습니다. 내가 얼마나 부족한 점이 많고 남들이 모르는 결점이 많은지를 깨닫게 되었습니다.

그 대신 세상을 바로 보는 눈을 갖게 되었고, 역사는 진보한다는 믿음을 가질 수 있었으며, 세상은 우리가 달라진 정도만큼 변하는 것임을 경험하게 되었습니다. 도저히 이루어지지 않을 것 같은 일에 청춘의 가장 빛나는 시절을 바쳐서 작은 것 하나를 이룬 경험 또한 얼마나 값진 걸 얻은 것입니까. 마하트마 간디는 이렇게 말했습니다.

중요한 것은 행위의 결실이 아니라 행위 그 자체다. 그대는 옳은 일을 해야 한다. 지금 당장 그 결실을 얻는 것은 당신의 능력 밖일지도 모른다. 더 나중의 시대에 돌아갈 몫일지도 모른다. 하지만 그렇다고 해서 당신이 그 옳은 일을 중단해선 안 된다. 당신의 행동으로 어떤 결과를 얻을지 당신은 모를 수도 있다. 그러나 당신이 아무것도 하지 않는다면 아무런 결과도 없을 것이다.

그렇습니다. 중요한 것은 행위의 결실이 아니라 행위 그 자체라는 간디의 말을 나는 믿습니다. 옳다고 믿는 일을 향해 온몸을 던져 실천하는 일은 그 자체로서 값진 일입니다. 행위의 결과가 우리에게 미칠 이해득실을 따지며 앉아 있는 일보다 옳다고 믿는 일을 행동으로 옮기는 일이 중요합니다. 10년간 열심히 살았지만 좋은 시 한 편 제대로 못 썼다고 서운해하지 말고 열심히 살려 했던 사실 자체에 감사하면 되는 것입니다.

나는 그 무렵 지역에 새로 생긴 대학의 문예창작학과 겸임 교수를 하며 시를 가르치고 있었는데 시골 중학교로 복직 발령을 받았습니다. 어떻게 할까 고민을 했습니다. 이제 이만큼 애를 썼으니 그만 봉사하고 대학으로 가는 것도 괜찮지 않을까 하는 생각도 했습니다. 그당시는 문예창작학과가 여기저기서 생기던 때라 전라도 어디에 자리가 있는데 가볼 생각이 있느냐고 제안하는 원로 시인도 계셨습니다. 그러나 나는 대학교에 사표를 내고 시골 학교로 가기로 했습니다. 다시 나를 현장으로 하방할 필요가 있다고 생각했습니다. 거기서 그동안 내가 입으로 떠들던 교육 운동에 대한 새로운 방식과 제안을 검증받을 필요가 있다고 생각했습니다. 그리고 10년간 학교로 돌아가겠다고 싸웠으니 일관성 있게 처신하는 게 맞다고 생각했습니다. 아니 무엇보다 나는 내가 부족한 데가 많은 사람이란 걸 잘 알고 있었습니다.

나는 내가 부족한 나무라는 걸 안다
내딴에는 곧게 자란다 생각했지만
어떤 가지는 구부러졌고
어떤 줄기는 비비 꼬여 있는 걸 안다
그래서 대들보로 쓰일 수도 없고
좋은 재목이 될 수 없다는 걸 안다
다만 보잘것없는 꽃이 피어도
그 꽃 보며 기뻐하는 사람 있으면 나도 기쁘고
내 그늘에 날개를 쉬러 오는 새 한 마리 있으면
편안한 자리를 내주는 것만으로도 족하다
내게 너무 많은 걸 요구하는 사람에게

그들의 요구를 다 채워줄 수 없어

기대에 못 미치는 나무라고

돌아서서 비웃는 소리 들려도 조용히 웃는다

이 숲의 다른 나무들에 비해 볼품이 없는 나무라는 걸

내가 오래전부터 알고 있기 때문이다

하늘 한가운데를 두 팔로 헤치며

우렁차게 가지를 뻗는 나무들과 다른 게 있다면

내가 본래 부족한 나무라는 걸 안다는 것뿐이다

그러나 누군가 내 몸의 가지 하나라도

필요로 하는 이 있으면 기꺼이 팔 한 짝을

잘라 줄 마음 자세는 언제나 가지고 산다

부족한 내게 그것도 기쁨이겠기 때문이다

— 졸시 〈가죽나무〉 전문

《장자》〈소요유〉 편에 나오는 가죽나무 이야기에서 제목을 가져온
시입니다. 그렇다고 장자의 '무하유지향'의 무위자연을 지향한다고
말하려는 건 아닙니다. 혜자가 "줄기는 울퉁불퉁하여 먹줄을 칠 수가
없고, 가지는 비비 꼬여서 자를 댈 수가 없고, 길에 서 있지만 거들떠
보지도 않습니다"라고 말한 그 가죽나무처럼 나도 효용성만으로 보
면 크게 쓸모가 없는 나무에 불과하다는 생각을 할 때가 있습니다. 내
가 부족한 나무라는 걸 알고 내가 있어야 할 곳을 찾아야 한다는 것입
니다. 부족한 나무라도 그 그늘이 필요한 사람이 있고, 그 아래서 잠
시 쉬어가고 싶은 사람이 있다면 그를 위해 할 일이 있을 테니까요.

무너지는 학교, 무너지는 가슴

　　　　의병장 곽재우는 계략이 뛰어나고 지형지물을
이용해 지지 않는 싸움을 하는 장군이었습니다. 싸워 이긴 공으로 소
소한 벼슬도 몇 번 하사받았으나, 벼슬길에 나가지 않았고 현풍 비슬
산의 누옥으로 돌아갔습니다. 공을 이루면 몸을 물리는 것(功成而身
退)이 천지의 도라고 생각했을 것입니다.

　　이마에 매었던 붉은 머리띠 풀어 내려놓고
　　홍의장군이란 이름도 함께 벗어놓고
　　내 안에서 자랄 수 있는 헛된 자만과
　　자칫 커질 수 있는 여러분의 기대도 내려놓고
　　후학을 기르는 일로 남은 생을 보내려 합니다
　　그게 제가 가야 할 길 아닌가 합니다
　　그게 제가 사는 길 아닌가 합니다

　　　　　　　　　　　　　　　— 졸시 〈홍의장군 곽재우〉 중에서

284

곽재우 장군은 고향에 돌아가 후학을 가르치거나 거문고와 배 한 척에 의지하여 남은 생을 보냈습니다. 그래서 그나마 조정 난신들 손에 죽지 않고 살아남은 의병장이 되었습니다.

나도 조용히 시골로 가자고 생각했습니다. 그러나 그런 내 생각은 참 순진한 것이었습니다. 학교는 10년 전의 그 학교가 아니었습니다.

"여러분 곁에 돌아오는 데 10년이 걸렸습니다." 나는 그렇게 인사말을 시작했습니다. "여러분 곁으로 돌아오고 싶었습니다. 여러분 곁으로 돌아오기 위해 많이도 힘들었고, 많은 것을 잃었으며, 많은 것을 버려야 했습니다. 학생 여러분을 위해, 여러분과 함께, 여러분 편에 서서 일하겠습니다." 그렇게 인사했습니다.

그러나 내가 만난 아이들은 10년 전의 그 아이들이 아니었습니다. 좋게 이야기하면 자유분방하고 개성이 강하며 자기 표현에 서슴 없는 아이들이고, 다른 측면에서 보면 산만하고 거칠고 충동적이며 어려워할 줄을 모르는 아이들이었습니다. 수업 시간이고 저희끼리 모인 자리고 할 것 없이 예사로 욕설이 쏟아져 나왔고 골마루나 교실 바닥에 침을 뱉어댔습니다. 수업 중에 왔다 갔다 하거나 멀리 떨어져 있는 친구와 큰소리로 말을 주고받거나, 펜팔장 편지를 쓰는 등 아예 딴짓을 하거나, 잠을 자거나, 수업을 계속할 수 없게 하는 말이나 행동이 튀어나왔습니다. 점심 시간에 술을 먹고 들어와 비틀거리는 녀석도 있고, 교실 양동이에 오줌을 누고 간 녀석도 있고, 빈 교실에 들어가 과자 봉지에다 똥을 누어서 그걸 멜로디언 케이스에 담아놓고 나간 녀석들도 있었습니다.

겨울방학 중에 학교로 몰려와 학교 건물 유리창을 다 깨부수고 학교 손수레 판자를 뜯어 고기를 구워 먹고 술에 취해 짐승처럼 울부짖으며 밤의 빈 교정을 몰려다니는 놈들도 있었습니다.

　　지난겨울 이 녀석들 몰려와
　　학교 뒷건물 유리창 다 깨부수던 날 밤을
　　나는 잊지 못한다
　　속을 다 드러내 보여준 유리 같은 가슴
　　한 장 한 장 비명 소리를 지르며 깨지던 날
　　창호지같이 얇은 내 마음 갈기갈기 찢어지던 날
　　(…)
　　이 녀석들 어둠 속에서 학교 손수레를 부수고
　　불 질러 그 불에 고기를 구워 먹던 날 밤을
　　나는 잊지 못한다

캄캄한 폐허의 가슴에 시뻘건 불길이 솟고

겨울바람 불어 매섭던 그 밤

밑도 끝도 없는 분노와 미움으로

이 녀석들 눈발 속에서 술 취해 짐승처럼 울부짖던 밤

아기예수 태어나신 날 경배하던 밤

내리던 눈발도 불길에 쫓겨 흔적 없던 밤

— 졸시 〈그날 밤〉 중에서

하루 종일 깨진 유리 파편들이 온몸에 박힌 것처럼 마음이 아팠습니다. 술에 취해 짐승처럼 울부짖던 놈도 술이 깬 뒤 데려다 교실에 들여보내야 하고, 쉬는 시간에 계단에 앉아 왜 그랬는지 물어보고, 농담도 하고, 머리도 쓰다듬으며 관계를 지속해나가야 했습니다.

한번은 수업 중에 이런 일도 있었습니다. 시를 가르치고 있는 시간이었는데, 다 같이 시를 암송하는 동안 정혜 혼자 국어 공책이 아닌

곳에 무언가를 쓰고 있었습니다. 두 번인가 주의를 주다가 공책을 가지고 나오라고 했습니다. "방금 걸렸어. 뭐 하냐고 지랄하더라." 방금 볼펜을 놓은 곳에는 그렇게 씌어 있었습니다.

"지금 5교시 ×× 시간! 수업하기 시져. 졸려 죽겠어 아까 수학시간에 잤어. 넘 졸려서⋯ 2시 다 되어간다. 선생님이 공부하라고 그래. 짜증나게 시리—. 지 혼자 씨부렁거려. 방금 걸려서 점수 깎았어. 재수 없는 년."

"하이—. 나다. 정혜.
지금 도덕 섬 보고 나서 쓰는 겨. 졸려 죽겠어. 다 찍었어. 씨발 기분 존나 더러워. 넌 잘 봤는지 모르겠당. 섬 공부 안 해. 이번 시험 망칠 겨. 지금 존나 열받어. 이윤 말 안 할래⋯ 어휴 열 받아 —. 개 족 같어—."

이 공책은 정혜와 연이가 주고받은 이른바 펜팔장이란 공책이었는데, 공책 한 권이 거의 이런 편지로 가득 차 있었습니다. 내용은 지금 동시에 사귀고 있는 2명의 남자 친구와의 사소한 문제, 재미없는 학교 생활에 대한 불평, 친구들에 대한 불만, 서로에 대한 기대, 이런 것들이 주를 이루었습니다. 그런데 한 줄이 멀다 하고 욕이 튀어나오고 두 줄이 멀다 하고 짜증을 내고 있었습니다. 선생님이 공부하라는 건 물론이고, 엄마가 일찍 오래도 짜증이 나고, 심지어 아버지가 교통사고로 다쳐 입원해 있는 것도 짜증이 난다고 합니다. 사람이 죽은 것보다 남자 친구 생일 선물을 사줄 수 없던 것을 더 속상해합니다. 그리고 수업 시간마다 그 선생에 대한 욕을 마구 공책에 휘갈기고 있었습니다. 학교가 무너지고 있었습니다.

학교 붕괴. 일본에서는 이걸 학급 붕괴라고 했습니다. 도쿄대 사토 마나부 교수는 "40명의 학급을 교사 혼자서 칠판과 분필만으로 밀실 통제하던 시대는 지났다는 점을 빨리 인정해야 한다"고 말했습니다.

가정이 무너지고, 사회가 무너지고, 가치관이 무너지는데 학교만 어떻게 무너지지 않을 수 있겠느냐고 말하는 사람도 있습니다. 학교가 붕괴되는 것을 바로잡기 위해 교사가 매를 들고, 일사불란하게 통제하며, 처벌을 강화하고, 교사를 무서워하게 해야 한다고 주장하는 사람들도 있습니다. 그러나 학교 붕괴란 근대식 교육제도를 유지하려는 학교와 탈근대화되면서 정보화 시대로 진입한 사회와의 괴리에서 발생하는 현상 중 하나입니다.

근대식 교육 방법인 권위적이고 통제적이며 경쟁, 긴장, 위기 의식의 강조를 통해 끌고 가는 방법으로는 정보화 시대에 맞는 학생들을 길러낼 수 없습니다. 변화하는 사회, 변화하는 현실을 직시하고, 변해야 할 부분과 지켜나가야 할 부분을 지혜롭게 구별하면서 교육이 중심을 잡아야 합니다. 정말로 무너져야 할 것이 있고 무너져서는 안 되는 것이 있기 때문입니다.

그날 나는 정혜와 연이 두 아이를 불러다가 엄하게 꾸짖었습니다. 매를 들어 아주 아프게 손바닥도 때려주었습니다. 재미 삼아 사고를 치고 정학을 맞아보자는 생각에 제동을 걸어야겠다는 마음도 있었지만, 모든 것을 다 짜증스러워하고 아무에게나 욕을 하고, 자기는 아무것도 하기 싫고, 그 대신 다른 사람들은 다 자기에게 잘해야 한다는 식의 삶의 태도를 고쳐주어야 할 책임도 있다는 생각 때문이었습니다. 속이 많이 상했고, 학교를 그만두어야 하는 게 아닌가 하는 고민을 심각하게 했습니다.

그러다가 위에 인용된 부분과 같은 내용을 교실에서 공개적으로 읽고 아이들과 이야기해보기로 했습니다. 해결책도 아이들과 함께 찾아야 한다고 생각했습니다. 아이들도 충격을 받은 듯했습니다. 그리고 시간이 흐른 뒤 방학을 하는 날 한 아이가 공책 한 권을 내미는 것입니다. 무슨 공책인가 하고 펴 보았더니 한 장 한 장 아이들이 쓴 편지로 채워져 있는 공책이었습니다.

"선생님 저희들이 왜 이걸 썼는지 아세요? 가끔은 선생님이 미워서 나쁘게 말할 때도 있지만… 선생님을 존경하고 선생님을 사랑하는 마음이 있다는 것 아세요? 선생님을 저희가 사랑한다구요… 장난이 심해서 윤재가 미우실 텐데두 선생님은 항상 웃어주시는 모습이 얼마나 고마웠고 그리고 보기에도 좋았는데요… 그런데 선생님이 너무 편해서 아무런 표현조차 하지 못하는 저희 자신들이 얼마나 미운데요…."

"전 왜 이렇게 못났죠?… 선생님이 저한테 많은 실망을 하셨다는 거 알아요. 정말루 죄송합니다. 그런데…요? 선생님이 교직 생활을 그만두고 싶다고 하셨을 때 제가 선생님께 얼마나 죄송했는지 아세요? 다신 그런 말하지 마세요. 그럼 저 펑펑 울 거예요."

연이 편지도 그 공책 속에 들어 있었습니다.

교육은 떨어지는 바위를 끝없이 밀어올리는 일

동완이를 처음 만난 것은 입학식 날 아침이었습니다.

"선생님, 얘 교복 없대요."

낡고 찢어져 꾀죄죄한 파카를 입은 채 동완이는 현관에 서 있었습니다. 중학교에 첫 입학을 하는 날, 터부룩한 머리에 집에서 입던 해진 옷을 그냥 입혀 학교로 보낸 부모는 누굴까 생각하며 졸업생 교복한 벌을 구해다 입혔습니다. 동완이는 교복만 안 입고 온 게 아니었습니다. 공책도 없고 학용품도 없었습니다. 데리고 나가 공책과 연필 등필요한 학용품을 사 주었습니다. 동완이는 학습 부진아입니다.

그해 5월 초, 동완이 담임 교사가 가정 사정으로 휴직을 하게 되었습니다. 내가 담임을 맡겠다고 자원해서 동완이 담임이 되었습니다. 동완이는 집에서 학교까지 50분 정도 걸리는 거리를 걸어서 옵니다. 아침밥도 못 먹고 오는 날이 많습니다. 그래서 급식 지원 대상자로 선정하고 학교에서 밥을 먹였는데 어떤 날은 세 그릇씩 먹기도 합니다.

왜 버스를 타지 않고 걸어오느냐고 물었더니 버스표 살 돈을 주지 않는다는 것입니다. 자전거를 한 대 사 주는 게 낫겠다 싶어 자전거 가게에 들렀다가 동완이 어머니가 농약을 먹고 돌아가신 뒤부터 점점 뒤떨어지는 아이가 되었다는 말을 들었습니다.

그러던 어느 날이었습니다. 체육 시간에 벗어놓고 간 옷에 들어 있던 돈이 다 없어진 일이 생겼습니다. 바로 짚이는 게 있었습니다. 동완이 짓이었습니다. 지금까지 불쌍하게 생각하고 돌보아준 것에 대한 실망과 돈을 숨기고 내놓지 않는 것에 대한 화를 삭이지 못하고 나는 매를 들었습니다. 매 한 대를 맞을 때마다 이 녀석은 돈을 꺼내놓았습니다. 그러나 마음이 안 좋았습니다. 형사처럼 다그치고 때려서 훔쳐 간 돈을 찾아낸 것도 그렇고, 지금까지 이 녀석한테 들인 공이 모두 다 헛수고였다는 생각 때문에 마음이 무거웠습니다.

그동안 양말 없이 다니면 양말을 사주고, 팬티와 러닝셔츠와 실내화를 사주고, 운동화를 사 신기고, 머리를 못 깎고 오면 이발소에 데려가 머리를 깎아주었습니다. 다시는 그러지 않겠다고 약속했지만 점점 안 좋은 소리가 들려오기 시작했습니다. 초등학생들과 새벽에 구멍가게에 들어가 먹을 것과 돈을 훔치기도 하고, 거기서 훔친 담배를 피우다가 나중에 들통이 나기도 했습니다. 가출이 잦았고 그때마다 동네의 돈이나 패물이 없어졌습니다. 초등학생인 동생과 함께 다녔는데 훔친 돈으로 먹는 걸 해결하고 잠은 마을회관 옥상이나 공설 운동장 구석, 상가 건물 지하, 아파트 보일러실 등에서 자면서 밖으로 떠돌았습니다. 일주일이고 열흘이고 밖으로 떠돌던 녀석을 데리고 오면 냄새가 심해서 목욕을 시키고 겉옷을 벗겨 세탁소에 갖다주곤 했는

데, 세탁소에서도 이 녀석 빨래는 달가워하지 않았습니다.

나도 차츰 지치기 시작했습니다. 사랑과 관심을 퍼부어도 퍼부어도 밑 빠진 독에 물을 붓고 있는 것일 뿐 하나도 달라지는 것은 없었습니다. 나는 동완이를 가르치는 일에 실패하고 있었습니다. 그러다가 선생이지만 어쩔 수 없이 청소년 상담소를 찾아가 상담을 했습니다. 거기서 나는 동완이가 병적 도벽이라는 걸 알게 되었습니다.

프로이트에 따르면 상실한 사랑에 대한 대치 또는 잃어버린 모자 관계의 회복이 도벽의 원인 중 하나라는 것입니다. 어려서 어머니가 농약을 먹고 자살한 충격적인 경험과 아버지의 알코올 의존, 무관심, 무질서한 가정 환경, 자신의 처지에 대한 절망, 이런 데에서 오는 스트레스를 공격적으로 해소하기 위한 방편으로 남의 물건에 손을 대기 시작했던 게 아닌가 하는 생각이 들었습니다. 그리고 아버지에 대한 해소할 길 없는 미움, 아버지로부터 받는 학대, 이런 일들이 벌어질 때마다 동완이는 도둑질을 하고 가출을 했던 것입니다. 병적 도벽은 불안이 극단적인 상태로까지 갔다가 도둑질을 끝내면서 해소된다고 합니다.

무엇보다 중요한 것은 가족 사이의 관계 회복과 유지인데, 이게 해결되지 않으면 모든 건 공염불이 되고 맙니다. 부모가 풀어주지 못하는 박탈감과 소외감을 풀어주고 누군가 자신을 아끼고 돌보고자 한다는 신뢰를 갖게 하는 일을 끝없이 해야 한다는 걸 알았습니다. 한 가지 다행스러운 일이 있었습니다. 옷이 찢어지면 꿰매어주고 더러우면 빨래도 해주고 몰래 도와주는 여선생님이 있었습니다. 동완이는 그렇게 다정하게 제 말을 들어주고 정성스레 옷을 꿰매주는 엄마 같은 선생님이 그리웠을 것입니다.

시시포스의 신화에 나오는 형벌받은 사람처럼 끝없이 바위를 정상을 향해 밀어올리는 일, 동완이를 가르치는 일은 그와 같았습니다. 다 올려놓았다 싶으면 또 아래로 굴러떨어지곤 하는 바위를 바라보며 절망하지 않고 걸어 내려가 바위를 밀기 시작하는 일, 교육은 매일 그런 일을 되풀이하는 것인지도 모릅니다.

교사들이 1만 원씩을 거두어 수학여행비를 마련해서 수학여행도 데려가고 옷도 사주고 나도 이 녀석을 포기하지 않고 졸업할 때까지 3년간 담임을 맡으며 아침저녁으로 차에 태워 꽃재를 넘어 다니며 등하교를 시켰습니다. 한번은 집에 가자고 하니까 가게에 들러 채소를 사야 한다는 겁니다. "얼마 있니" 하고 물으니 2,000원이 있답니다. 부족하면 어떡하느냐고 했더니 엄마가 모자라면 선생님한테 달래서 사오라고 했다는 겁니다. "야, 이놈아 너희 집 시금치랑 당근 사는데, 왜 내가 돈을 내!" 하고 소리치면서 웃었습니다. 가정방문을 갔을 때 마당의 비닐하우스 안에 앉아 내다보지도 않던 새엄마였습니다. 그 엄마가 그렇게 이야기했다는 게 고마웠습니다.

옛날에는 무슨 꽃이 피었을까
여름엔 키가 훌쩍 큰 수수가 자라고
가을에는 구절초 듬성듬성 피어 있는
이 고개에는 무슨 꽃이 가득했을까
다섯 살 때 농약 먹고 죽은 엄마 이 고갤 넘어간 뒤
바람만 건듯 불면 읍내로 나가

얻어먹기도 하고 훔쳐 먹기도 하면서

마을 회관 옥상에서도 자고 아파트 보일러실에서

자기도 하면서 제 자신을 팽개쳐야

바람이 잦아들던 동완이

아침저녁으로 데려오고 데려가며 삼 년을 넘던 고개

읍내에서 자장면 배달을 한다는 웅이와

먼 도시로 가 술병을 나르기도 하고

미용 기술을 배우기도 한다는 가영이 남매

고개 넘어 사라질 때

얼굴이 노랗게 질린 채 지켜보던

은행나무 한 그루 아직도 서 있는데

조선족 새엄마 들어와 동생 둘을 낳는 동안

이 남자 저 남자 품에서 자며 자라는 열다섯 성화

제 아버지한테 잡혀와 머리를 홀랑 깎이기도 하고

죽도록 얻어맞기도 하다가 밤을 틈타 넘어간 고개

오늘은 억새풀만 하얗게 우거졌는데

옛날엔 무슨 꽃이 피어 있었을까

공장 부지로 헐려나가고 까뭉개지기 전에는

무슨 꽃이 예쁘게 피어 꽃재였을까

― 졸시 〈꽃재〉 전문

그렇게 졸업시킨 동완이를 읍내 농업고등학교로 보내며 담임 교사
에게 잘 부탁한다고 전화했더니 그 선생님이 "우리 반에 그런 애들 많

아요" 합니다. 애만 특별히 신경 써 줄 수 없는 처지란 걸 압니다. 결국 동완이는 몇 년 뒤 다시 구멍가게에 들어가 빵을 훔치다 소년원으로 갔습니다. 졸업한 뒤에도 동완이는 잊을 만하면 전화했습니다. 학교를 못 나가고 있다고, 아버지가 교도소에 들어가고, 여동생은 쉼터로 가고, 저희끼리 남아서 밥을 끓여 먹고 있다고, 일시보호실에 와 있다고, 한밤중에 빗속에서 시설을 탈출해 나왔는데 갈 데가 없다고, 면회를 와달라고 전화했습니다. 그때마다 달려갔습니다. 먹을 걸 싸들고 일시보호실로 갔고, 소년원을 찾아갔고, 부모 대신 법정에 서서 같이 재판을 받기도 했습니다. 동완이는 소년원에서 형기를 마치고도 로뎀청소년학교로 옮겨 6개월 동안을 더 생활해야 했습니다. 거기 있던 어느 날 나는 학교로부터 연주회를 보러 오라는 연락을 받았습니다. 제천시 야외 음악당에서 열리는 푸른 음악회였습니다.

음악회 마지막 순서에 로뎀청소년학교 학생들이 나왔습니다. 동완이가 첼로를 들고 맨 가장자리에 앉아서 〈사랑으로〉를 연주하는 모습을 지켜보면서 울었습니다. 물론 남들보다 굼뜨고 서툴러 보였지만 그것은 내게 중요하지 않았습니다. 밤에 잠긴 가게 문 자물쇠를 몰래 따기 위해 드라이버와 연장을 들었던 손으로 악기를 들고 있다는 사실이 고맙기 그지없었습니다. 그동안 수없이 남의 집 담을 넘고, 경찰서를 들락거리며 아무 데나 팽개치던 몸으로 첼로를 끌어안고 있는 모습이 고마웠습니다. 이제껏 남에게 손가락질만 받아왔는데 박수를 받고 있다는 사실이 감사했습니다. 동완이에게 첼로를 가르쳐주신 선생님이 고마웠습니다. 손이 뜨겁도록 박수를 쳤습니다. 손에 들었던 첼로를 놓고 동완이가 다시 경찰서를 들락거리는 날이 오지 않을 거

라고 장담할 수 없습니다. 그러나 나는 객석에 앉아 눈물을 흘리면서
박수를 치지 않을 수 없었습니다.

개나리꽃 같은 아이들

천장이 낡아 떨어져 나간 사이로 건물의 빗장뼈가 허옇게 드러나 보이던 그 교실이 그래도 나는 좋았다 (…)

수업이 없는 시간이면 나는 그곳에 혼자 앉아 있곤 하였는데 비가 내리다 그친 유월이면 뻐꾹새는 건너편 숲에서 녹녹한 소리들만 골라 교실 앞에까지 던지고 가고 (…) 산 너머 흘러가는 구름 몇 장을 한참씩 바라보며 서 있는 날도 있었다

아이들도 내가 그곳에 혼자 있는 걸 아는지 간혹 생글거리며 찾아와 묻지도 않은 이야기를 들려주기도 하고 (…) 칠판 가득 열다섯 가슴에 찰랑거리는 소망을 적어 놓기도 했다 간혹 누구 글씨인지 알 것 같은 필체로 선생님 바보라고 쓰여 있는 걸 보며 혼자 웃을 때도 있었다

날이 추워져도 손가방만한 스토브 그것도 고장이 나 잘 켜지지 않는 것 하나밖에는 의지할 데가 없는 싸늘한 교탁 옆에서 미사를 위한 아다지오를 듣거나 아직도 뜻을 버리지 않은 옛 친구들의 시집을 읽으며 가슴이 녹아내릴 때도 있고 시린 등 곱은 손을 다른 한 손으로 비벼가며 시를 쓰기도 했다 달포가 넘도록 운동장 가득 눈은 녹지 않는데 지나온 세월 속에 잃어버린 것들을 생각하면 마음 아플 때도 있지만 나는 왜 찬바람 부는 오지의 교실을 혼자 지키고 있는가 묻지 않았다 그저 다시는 못 만날지 모르는 고적한 시간 시간이 좋았다

— 졸시 〈빈 교실〉 중에서

내가 있는 학교, 내가 있는 교실이 최전선이라고 생각했습니다. 거기서 싸우기도 하고, 눈물 흘리기도 하고, 승리하기도 하고, 패배하기도 하면서 생을 던져야 한다고 생각했습니다. 복직 직후에는 아이들과 전쟁을 하다시피 했습니다. 교실이 무너지고 있는 모습을 보면서 너무 충격을 받았고 그래서 나도 흥분한 채로 교실을 드나들었습니다. 그러나 보기 좋게 깨지고 있었습니다. 10년간 준비한 창의적인 수업 방식이라는 실탄과 무기를 쌓아놓고 있었지만 수업도 먹혀들지 않았고, 아이들과 만나는 방식도 겉돌고 있었습니다. 나는 실패하고 있었습니다.

한 학기가 끝나고 새 학년이 시작되면서 나는 이제 아이들과 전쟁을 하지 말고 연애를 하자고 생각했습니다. 1학년을 맡았고 새로 시작했습니다. 다시 아이들 편에 서자, 아이들을 진정으로 사랑하자고

마음먹었습니다. '교사 십계명'을 책상 유리판 밑에 놓아두고 쉴 때나 일할 때나 아이들 때문에 갈등하고 고민할 때면 읽었습니다.

첫째, 하루에 몇 번이든 학생들과 인사하라. 둘째, 학생들에게 미소를 지으라. 셋째, 학생들의 이름을 부르라. 이름 부르는 소리는 누구에게나 가장 감미로운 음악이다. 넷째, 칭찬을 아끼지 마라. 다섯째, 친절하고 돕는 교사가 되어라. 학생들과 우호적 관계를 원한다면 무엇보다도 친절하라. 여섯째, 학생들을 성의껏 대하라. 일곱째, 항상 내 앞의 학생의 입장을 고려하라. 여덟째, 학생들에게 진심으로 관심을 가지라. 아홉째, 봉사를 머뭇거리지 마라. 교사의 삶에서 가장 가치로운 것은 학생을 위해 사는 것이다. 열째, 깊고 넓은 실력과 멋있는 유머와 인내, 겸손을 더하라.

몰라서 교사 십계명을 보는 게 아니라 실패하고 있는 나 자신을 다시 일으켜 세우기 위해서였는지도 모릅니다. 다시 아이들이 개나리꽃처럼 보이기 시작했습니다.

새 학기 시작한 지 아직 한 달이 안 됐는데
아이들과 정이 들어
와락 껴안아 주고 싶어진다
아침을 거르고 오기 일쑤인
개나리꽃 같은 아이들
바람 불어도 비가 와도 걸어서 집까지 가는 아이들
모래먼지 속에서도 장난치며 크는 아이들

(…) 돌담 옆에서도 철조망 안에서도 공장 가는 길에도

개나리꽃은 피어 세상을 환하게 바꾼다

메마른 땅에서도 그늘에서도 하루가 다르게 자라는

개나리꽃 같은 우리 아이들

응달에서 커도 저마다 작은 꽃을 피우는

낭창낭창한 개나리꽃 우리 아이들

— 졸시 〈개나리꽃〉 중에서

방학을 하던 날 아이들과 떨어져 있어야 한다는 생각에 "개학할 때까지 너희 보고 싶으면 어떻게 하니? 전화해도 될까?" 그랬더니 이 녀석들이 책상을 치고 깔깔대고 웃습니다. "보고 싶기는 뭐가 보고 싶어요. 빨리 끝내주세요. 딴 반은 다 가잖아요!" 하며 소리를 지릅니다. 아니나 다를까 아이들이 몰려나간 뒤 삐뚤어진 책상을 정리하며, 유리창을 닫으며, 신발장에 붙어 있는 이름표를 보며 아이들이 보고 싶어집니다.

며칠을 못 넘기고 애들 집 여기저기에 전화를 했더니 "왜 전화하셨어요? 엄마 바꿔 드릴까요?" 그럽니다. 소설을 읽고 만화로 그려오기 숙제를 도저히 못하겠다고 엄살을 떠는 녀석도 있고, 좋아하는 시로 달력 만들기를 하기 위해 시 12편을 다 골라 놓았다는 아이도 있습니다. 두레별로 자기 동네의 쓰레기를 줍고 분리수거하여 어떤 종류의 쓰레기가 많은지 알아보고 원인과 해결책을 제시하는 과제와 농공 단지 하천 지역의 오염 실태 조사, 두레별 환경 신문 만들기 등을 과제로 주었습니다. 석탑, 미륵불 등을 답사하며 문화재가 잘 보존되지 않

은 곳이 있으면 사진을 찍고 느낌을 써보자는 과제도 있습니다. 아이들을 불러내 직접 필드워크를 다니다가 수백 년 동안 전해 내려오는 우물 제사를 찾아내 학교 축제 때 재현하기도 했습니다.

한 달에 한 번씩 학교 밖에서 하는 수업을 진행했습니다. 1년에 34시간 실시하게 되어 있는 재량 활동 시간을 5주 단위로 묶어 5주에 한 번씩 하루 종일 학교 밖에 나가 수업할 수 있도록 시간표를 짰습니다.

교사들이 사전에 수업할 장소를 답사해서 학습 지도안을 짜고 과제를 만들었습니다. 학교에서 차로 30분 정도 가면 농다리라는 다리가 있습니다. 우리나라에서 가장 오래된 돌다리입니다. 거기 가서 수업할 때면, 사회과에서는 다리가 놓인 고려시대 진천의 역사와 우리나라 옛 다리의 종류에 대해 공부합니다. 국어과에서는 다리에 얽힌 전설과 다리를 놓은 인물에 대해 공부하고, 과학과에서는 다리가 어떤 암석으로 만들어졌는지 알아보기 위해 실험하고 관찰합니다. 교사들은 강의식 수업이 아닌 팀별로 수업하고 학생들은 혼자 하는 공부가 아니라 협력 학습으로 과제를 해결하며, 분과형 수업이 아닌 통합 교과형 체험 학습으로 공부를 합니다. 이 결과는 그대로 교과별 평가에 반영합니다.

고려의 재통일에 관해 배울 때는 〈태조 왕건〉 촬영장을 찾아갔습니다. 점심 시간에 배우들이 쉬고 있을 때 자료집과 질문지를 들고 다가가서 견훤과 궁예가 통일을 하지 못한 이유를 묻고 사진도 찍습니다. TV에서 보던 탤런트와 사진을 찍은 걸 자랑하고 싶어서 고려의 통일에 대해서는 확실하게 기억합니다. 그곳에서 〈들풀 신문〉을 만들고 인근의 박물관을 찾아가 과제를 해결하는 수업을 했습니다.

3년 정도 이렇게 수업을 하면 두레별로 한번에 A4 용지 25장에서 30장 정도의 두툼한 보고서를 만들어냅니다. 교실에서 교사 혼자 설명하고 과제를 내면 A4 용지 반 장도 써내기 힘들어하는 아이들인데 말입니다.

　경주로 수학여행을 갈 때도 두레장 모임을 통해 사전에 가야 할 코스와 답사지에 대한 자료를 찾아 학생들이 직접 수학여행 자료집을 만들었습니다. 표지에 '경주 도굴 사건―경주의 문화재를 파헤친다', '문화재 습격 사건', 이런 이름들을 지어 붙인 자료집이 반마다 다르게 나왔습니다. 공통으로 가는 곳도 있고 반별로 다르게 답사를 가는 날도 있습니다. 1반은 '국가의 중심―신라의 궁궐'이란 주제를, 2반은 '불멸의 몸―탑과 불상'을, 3반은 '신라의 흥망과 남산'이란 주제를 택해 다른 코스를 잡아 답사를 다녔습니다.

　문화재를 배경 삼아 단체 사진이나 찍고 가는 여행, 맨손으로 다니며 뒤통수로 문화재를 보고 오는 수학여행이 아니었습니다. 저녁 시간에는 탁본 실습과 문화재에 관한 슬라이드를 감상하거나 부모님과 선생님께 드릴 도자기를 만들기도 했습니다. 수학여행지에서 사는 선물은 쓸모없는 게 대부분인데, 이 도자기는 오래 보관할 수 있는 선물이었습니다. 잠은 여관이 아니라 도자기 교실에서 잤습니다.

　그런 게 불만인 애들도 여럿 있었습니다. 술, 담배를 포함한 일탈 행동을 할 수 있는 절호의 기회가 사라지는 수학여행, 놀 시간이 줄어든 수학여행은 여행도 아니라는 거였습니다. 신문에 보도된 수학여행 관련 기사를 보고 교육청마다 실시해보려고 자료를 보내달라고 연락이 오곤 했는데, 나중에 일탈의 즐거움이 없는 수학여행이라 실시하기 힘들다는 말을 하는 걸 들었습니다. 실제로는 교사들부터 힘들어했습니다. 교사인 내 친구들도 사전 답사를 다니며 학습 지도안을 짜고 과제를 만든다는 말을 듣더니 "미쳤냐? 너나 해!" 하고 소리를 지릅니다.

진천 덕산중학교에 근무하는 동안 매달 이렇게 학교 밖에서 하는 수업을 했고 그것들을 모아 교육부 교과교육 연구 활동에 응모하여 최우수 연구팀으로 뽑혀 함께 참여한 교사 전체가 교육부 장관 표창을 받았습니다. 나로서는 처음 받아보는 상이었습니다. 그동안은 경고 · 견책에서 해임에 이르기까지 각종 벌이란 벌은 다 받았는데, 상벌란에 채울 게 한 줄 생긴 것입니다. 그리고 다음 해에는 교육방송(EBS)에서 주는 제1회 '신나는 학교상'을 받았고, 학생들의 학교생활이 TV에 한 시간짜리 다큐멘터리로 소개되기도 했습니다.

낮에는 외롭고 밤에는 무서운 숲 속 생활

　　내가 복직하게 되었을 때 도 교육청에서는 나를 충북 진천군으로 발령했습니다. 진천읍에 있는 진천중학교에 국어 교사 자리가 비어 있었습니다. 그런데 어떻게 된 일인지 9월 1일자 발령이 이유 없이 두 주, 세 주 지연되고 있었습니다. 진천중학교 교장이 나를 절대 받을 수 없다고 해서 미루어지고 있는 것이었습니다. 그는 내가 1989년 청주 중앙중학교에서 해직되고 감옥에 갇힐 때 그 학교 교감이었습니다. 그 교장이 관내 국어 교사들에게 일일이 전화해서 덕산중학교에 근무하는 원로 교사 한 분을 진천중학교로 데리고 가고 내가 덕산중학교로 가게 된 것입니다.

　　덕산면에 있는 덕산중학교에 처음 부임하던 날은 화요일이었는데 운동장 조회가 열렸습니다. 설렘 반 두려움 반으로 서 있는데 교장이 조회단에 서자 "대대장, 교장 선생님께 경례!"라는 목소리가 마이크를 타고 들렸습니다. 그 말과 함께 "교장 선생님께 경례!" 하는 학생의 목소리가 들렸고, 곧이어 전교생이 "충효!" 하는 구호를 외치며 거수경례를 하는 것이었습니다. 나는 순간적으로 당황했습니다. 그때 나는 "충성!" 하고 외치는 걸로 들었습니다. 치마를 입은 어린 여학생들이 단발머리에 거수경례를 하고 서 있었습니다. 지금이 어느 시대인데 학교에 이런 군사 문화가 남아 있는지 혼돈스러웠습니다.

내가 조회단에 올라 인사받을 차례가 되었을 때 나는 교무부장이 "대대장"(학생을 보고 대대장이라니요?) 하고 부르기 전에 학생들에게 "여러분 내가 먼저 안녕하세요? 할 테니까 여러분도 그렇게 하세요, 자 같이 해봅시다" 하고 말했습니다. 학생들은 익숙하지 않은 방법의 인사라서 그런지 별 대답이 없었습니다. 두세 번 같은 말을 되풀이하자 겨우 일부 학생만 따라 했습니다. 그렇게 부임해서 3, 4년이 지나는 동안 여학생들에게 거수경례를 시키던 학교를 교육방송에서 주는 '신나는 학교상'을 받는 학교로 바꿀 수 있었습니다. 나 혼자의 힘으로는 불가능한 일입니다. 선생님들이 함께 동참해주어서 가능했습니다. 내가 해보자고 하는 방식이 힘들고 시간과 노력을 많이 들여야 하는 일인데도 기꺼이 함께해주어서 시골 중학교지만 최우수 연구팀으로 선정되고 표창을 받게 되었습니다. 나에게 거리를 두고자 하는 교사, 선입견을 가진 교사, 못마땅해하는 교사도 있지만 대부분의 교사가 동참해주어서 정말 고마웠습니다.

함께 참여한 10명의 교사 중에는 자기 교과내용을 중심으로 논문을 써서 석사 학위를 받은 분들이 있었습니다. 이런 학교 운영 사례를 바탕으로 따로 상을 받은 교사도 있었고, 일정한 거리를 두고 지켜보던 교장도 학교 활동 우수 사례를 발표하러 불려 다녔습니다. 그리고 교장은 청주 시내 원하는 학교로 발령받아 나갈 수 있었습니다.

그런데 나는 몸에 이상이 왔습니다. 연수에 참여하여 앉아서 강의를 듣다가 몸에 이상이 오는 게 느껴졌고, 왜 이러지 하면서 "어어어" 하는 사이에 그만 바닥으로 쓰러지고 말았습니다. 병원에서는 자율신경의 균형이 깨져서 생긴 병이라고 했습니다. 생전 처음 들어보는 병명이었습니다. 영양실조라는 말은 들어보았어도 신경실조라는 말은 처음 들어보았습니다. 문제는 몸의 균형이 깨지고 면역력이 떨어지면서 사소한 병에 걸려도 낫지 않는 것이었습니다. 별것 아닌 감기가 한번 걸리면 1년이 지나도 낫지 않았습니다. 아무리 병원을 다니고 약을 먹고 주사를 맞아도 병은 커지기만 할 뿐이었습니다. 늘 감기약과 이런 저런 약을 먹으며 지내다 보니 몽롱한 상태로 지낼 때가 많았습니다.

서울의 큰 병원을 찾아갔더니 30센티미터도 더 되어 보이는 큰 주사를 목에다 직접 놓곤 했습니다. 한번 주사를 맞으면 한 시간씩은 누워 있다가 일어나야 했습니다. 어느 고마운 분이 용한 한의원이 있는데 가보자고 해서 간 적이 있습니다. 진맥을 하다 말고 실습 나온 한의대생들을 전부 불러모아 한 번씩 맥을 짚어보라고 하더니 자기들끼리 무슨 이야기를 합니다. 이른바 기진맥진의 상태가 되어 있는 맥이라고 했습니다. 이 몸으로 병원에 가면 바로 입원하라고 할 거라고 했습니다. 그리고 6개월 이상은 병원 신세를 지게 될 거라고 하면서 약을 지어주었습니다.

앉아서 수업을 했습니다. 목소리가 잘 나오지 않을 때면 아이들에게 내가 몸이 아파서 작은 소리로 수업을 할 테니 조용히 들어달라고 했습니다. 아이들이 조용히 해주어서 고마웠지만 활기가 없는 수업이어서 미안했습니다. 결국 학교를 휴직할 수밖에 없었습니다.

친구의 권유로 마음수련원에도 가보았습니다. 아프다는 소문을 들은 은사께서 소개해줄 곳이 있다고 해서 기수련을 하는 곳을 가보기도 했습니다. 아무래도 혼자 조용히 요양하며 지내는 게 좋을 것 같다는 의사 친구의 권유로 거처할 만한 곳을 찾아 나서게 되었습니다. 사찰로 들어가라고 소개해주는 후배도 있었고, 조용한 요양원을 알려주는 이도 있었습니다.

그러던 어느 날 후배인 김이동 선생이 집으로 찾아왔습니다. 잠깐 같이 갈 데가 있는데 나와 보라고 해서 그를 따라나섰습니다. 그는 나를 태우더니 청주 시내 외곽으로 차를 몰았습니다. 그리고 피반령 고개를 넘어 깊은 산골 외딴 황톳집으로 나를 데리고 갔습니다. "여기서 지내세요." 그는 그렇게 이야기했습니다. 그 집은 자기 동생이 암에 걸렸을 때 요양하기 위해 지은 집이었습니다. 똑똑하고 성실하고 일을 좋아했으며, 참 좋은 사람이었던 동생이 거기서 몇 해 살다 세상을 뜨고 난 뒤에 비어 있는 집이었습니다. 김 선생은 나를 거기 데려다놓은 뒤 땔나무를 해다 뒤뜰에 쌓아놓고, 텃밭을 일구어 먹을 것을 마련해주고, 며칠에 한 번씩 드나들면서 나를 돌보아주었습니다.

휴직을 거듭하다 결국 학교를 퇴직하고 말았습니다. 6개월에 한 번씩 기간제 교사에게 수업을 맡기는 동안 아이들이 받을 교육적 손실을 생각하니 미안했습니다. 내가 퇴직하고 젊고 새로운 교사가 맡아서 가르치게 하는 게 도리에 맞는 일이었습니다. 1977년에 교사가 되었으니까 27년간 교직에 있었던 셈입니다. 그런데 퇴직할 때 연금 없이 퇴직금 1,860만 원을 받았습니다. 그게 내가 받은 전부였습니다. 교직 생활 20년이 넘으면 연금을 받을 수 있습니다. 그러나 나는 해직 기간이 10년입니다. 복직을 했고 민주화 관련 유공자이니까 국가가 입힌 피해를 보상해주도록 민주화 운동 관련 유공자 피해 보상에 관한 법률에 나와 있습니다. 그러나 교육 민주화 운동과 관련해 해직되고 투옥되었던 교사들은 아직도 보상을 받은 적이 없습니다. 아니 해직 기간에 대한 호봉도 인정해주지 않아서 해직 10년은 그냥 '잃어버린 10년'이 되었습니다. 따라서 나는 연금을 받을 수 없었습니다. 몸에 병이 들어 아무 일도 할 수 없었으므로 그 돈으로 몇 년을 살았습니다. 어떤 해는 한 해에 지출한 의상비 총액이 1만 원인 때도 있었습니다. 그것도 농협에 갔다가 농협 앞에 바지 몇 개 펼쳐놓고 팔고 있는 걸 보고 1만 원짜리 작업복 바지 하나를 충동구매로 산 것이 전부였습니다.

하루 종일 새소리와 물소리 외에는 아무 소리도 들리지 않는 산속에서 혼자 지냈습니다. 동네에서도 많이 떨어져 있어서 오고 가는 사람도 없었고 사람 소리를 들을 수 없었습니다. 낮에는 외롭고 적막했습니다. 밤에는 무서웠습니다. 혼자 끓여 먹고, 혼자 치우고, 혼자 누워 있으면서, 유배 생활을 하고 있다고 생각했습니다. 내가 무슨 잘못을 저질러 유배를 온 것일까 하고 생각했습니다.

적막하고 낯선 산중에 유폐된 내 삶이 측은하기도 했습니다. 사방이 고요하여 혼자 소리치고 있을 수도 없어 나는 자연히 고요할 수밖에 없었습니다. 그러다 나만 혼자 있는 게 아니라는 생각이 들었습니다. 낙엽송도 혼자 서 있고, 두충나무도 혼자 있었습니다. 나리꽃도 저 혼자 피어 있고, 고라니도 산비탈을 혼자 건너다니고 있었습니다. 그러나 다르게 생각해보면, 그것들도 다 함께 있는 것이었습니다. 낙엽송도 숲의 다른 나무들과 같이 섞여 있고, 냉이꽃도 꽃다지와 함께 있으며, 고라니도 멧비둘기와 같이 있는 것이었습니다. 숲이 내 폐의 바깥이고 내가 숲의 뱃속에 들어와 있는 것이었습니다. 그리고 이 산속에서 그래도 내가 형편이 가장 나았습니다. 비를 맞지 않고 잠자리에 들 수 있고, 겁내지 않고 물을 마실 수 있으며, 다른 짐승에게 잡혀먹힐 위험도 없었습니다.

처음 이 산에 들어올 때
나 혼자 있다는 생각을 했다
그러나 내가 흔들릴 때
같이 흔들리며 안타까워하는 나무들을 보며

혼자 있다는 말 하지 않기로 했다

아침저녁으로 맑은 숨결을 길어 올려 끼얹어주고

조릿대 참대소리로 마음을 정결하게

빗질해주는 이는 누구일까

숲과 나무가 내 폐의 바깥인 걸 알았다

더러운 내 몸과 탄식을 고스란히 받아주는 걸 보며

숲도 날 제 식구처럼 여기는 걸 알았다

나리꽃 보리수 오리나무와 같이 있는 거지

혼자 있는 게 아니다

내가 숲의 뱃속에 있고

숲이 내 정신의 일부가 되어 들어오고

그렇게 함께 숨 쉬며 살아 있는 것이다

— 졸시 〈숲의 식구〉 중에서

내게 오는 건 고통도 아픔도 다 축복이다

산속에서 내가 처음 만난 것은 삭막함이었습니다. 처음 산에 들어올 때가 3월 초였는데 겨울의 끝자락이 산 전체를 덮고 있는 데다, 아직 어떤 나무도 푸른 잎을 낼 엄두를 못 내고 있어 사방은 잿빛이었습니다. 그리고 적막했습니다. 아무것도 할 수 없는 무기력한 몸을 벽에 기대고 앉아 있는 나를 삭막함과 적막이 먼발치서 멀뚱히 쳐다보고 있었습니다. 나는 천천히 추락하고 있었습니다. 많은 것으로부터 떠나야 했습니다. 그리고 관계하던 모든 일에서 손을 놓아야 했습니다.

힘과 활기를 주시던 하느님은 병과 쇠락을 주셨고, 수많은 일과 크고 무거운 과제와 그걸 헤쳐나갈 수 있는 용기를 주시던 하느님은 무기력과 나약함과 세상과의 단절을 가져다주셨습니다. 영광과 박수와 찬란함을 주시던 분이 그늘과 적막과 잊히는 시간을 주셨습니다. 만개하던 꽃은 흔적도 없이 지고, 빛의 시간은 어둠의 공간으로 바뀌었으며, 몸은 말을 듣지 않았습니다.

'무엇 때문일까?' 하고 생각했습니다. 내 딴에는 열심히 살았다고 생각했습니다. 어려운 일도 많았고 고난의 시간도 수없이 겪어야 했습니다. 그때마다 다시 일어설 수 있고 앞으로 나갈 수 있는 위안과 지혜와 용기를 주시던 분이 '왜 나를 이렇게 만드신 걸까?', '왜 이렇게 버리시는 걸까?' 하고 생각했습니다. '내가 무얼 잘못한 것일까?', '무슨 이유로 이런 벌을 받아야 하는 걸까?' 그런 생각도 해보았습니다.

그러다 욥의 이야기를 만났습니다. 성서에 나오는 욥은 하느님이 사탄의 도전을 받고 의로운 사람의 믿음을 시험하기로 결정했을 때 불운하게도 가까이 있었던 사람입니다. 아이들이 죽고 재산을 다 잃습니다. 그러자 욥은 옷을 갈기갈기 찢고, 머리를 박박 밀어버리고, 땅바닥에 엎드려 이렇게 말합니다. "주신 분도 주님이시요 가져가신 분도 주님이시니, 주의 이름을 찬양할 뿐입니다." 하느님은 욥을 더 시험하기 위해 욥의 발바닥부터 정수리까지 역겨운 종기로 뒤덮이도록 합니다. 그러자 욥은 잿더미에 앉아서 깨진 옹기 조각으로 종기를 긁으며 자기가 태어난 날을 저주합니다. 욥의 아내도 욥에게 하느님을 저주하고 죽으라고 재촉합니다. 그때 욥은 "우리가 누리는 복도 하느님한테 받았는데, 어찌 재앙이라고 해서 못 받는다 하겠소?" 하고 대답합니다.

필립 시먼스는 이 대답에 대해 "깊은 신앙심을 갖고 있지만 하느님을 선과 사랑의 하느님으로만 생각하고 싶어 하는 사람들, 기도를 하면 항상 밝은 광명 쪽으로 돌아서는 사람들, 영적 경험 속에서 오로지 달콤함과 조화만 찾는 사람들에게 욥은 더욱 준엄하고 포괄적인 견해를 제시한" 것이라고 말합니다. 즉 "욥은 하느님이 선과 악의 하느님,

빛과 어둠의 하느님, 상냥하고 냉혹한 하느님, 조화와 불화의 하느님 이라는 것을 알고 있었다"는 것입니다. 《코란》에 나오는 '라 일라하 일 알라후'라는 구절이 탄생과 죽음, 기쁨과 고통, 젊음의 활기찬 분출과 노년의 느린 쇠퇴, 밥과 똥, 가장 감미로운 노래와 고통의 비명도 모두 신에게서 나온다는 말인 것처럼 '신에게서 나오지 않는 것은 아무것도 없다'는 것입니다.

'내가 무엇을 잘못해서 이런 벌을 받는 것일까?' 이런 생각도 부질없는 생각인 것입니다. '나는 정말 최선을 다해 살았습니다. 하느님, 당신도 보셨지 않습니까?' 이런 항변도 무의미한 것입니다. 그저 가만히 고통의 시간 앞에 입을 다물고 있어야 한다는 것입니다. 시비지심(是非之心)도 분별지(分別智)도 소용이 없습니다. 내가 소중하다고 생각했던 일, 내가 싸우며 지키려고 했던 가치, 쓰러뜨리지 않으면 안 된다고 벼르던 모순, 제도, 집단, 올해 안으로 써야 할 책, 마감일을 지켜야 하는 원고, 관계를 지속해나가야 하는 사람들, 오랫동안 함께해온 모임, 나를 지켜보고 있을 사람들, 명예와 사랑, 모두가 하느님이 보시기엔 하찮은 것임을 받아들여야 합니다.

우리는 언제든지 그 모든 것으로부터 한순간에 내팽개쳐질 수 있고, 단절될 수 있으며, 그 모든 것을 두고 떠날 수도 있는 것입니다. 내 의지와 상관없이 받아들여야 하는 순간이 찾아올 수 있습니다. 내 인생을 내 것이라고 믿는 것은 오만한 행동입니다. 내 명성, 내 재산, 내 시, 내가 사랑하는 사람도 내 것이 아닙니다. 그것들을 무한정 쓸 수 있을 것처럼 생각해서도 안 됩니다. 언제든지 주신 분이 가져가겠다고 하면 돌려드려야 하는 것입니다. 내 목숨도 내 것이 아닙니다.

그만 거두어가야겠다고 결정하시면 드려야 하는 것입니다. 도리가 없는 것입니다.

그걸 받아들일 때 "쓰러뜨리신 분도 그분이시니 일으켜 세워주실 분도 그분이시다"라는 믿음을 갖게 되는 것입니다. 아니 맡길 수밖에 없게 되는 것입니다. 우리 앞에 어떤 생이 기다리고 있을지 우리는 알 수 없습니다. 어떤 질병, 어떤 재난, 어떤 사고, 어떤 실패, 어떤 죽음이 기다리고 있을지 우리는 예측할 수 없습니다. 우리의 생은 갑자기 전복될 수 있고 느닷없는 추락을 경험할 수 있습니다. 우리가 선택할 수도 없습니다. 그것들은 언제든 찾아올 수 있습니다.

필립 시먼스의 말대로 "우리는 모두 나름대로의 추락(falling)을 경험했으며, 앞으로도 경험하게 될 것입니다. 젊은 꿈의 상실, 체력의 저하, 희망의 좌절, 가깝거나 사랑하는 사람의 상실, 부상이나 질병, 그리고 언젠가는 닥쳐올 종말, 우리는 추락을 선택할 수도 없고, 그게 언제 어떻게 닥쳐올지도 알 수 없습니다." 그때 우리는 무엇을 버려야 할까요? 그는 이렇게 말합니다.

우리는 에고(ego)를 버리고, 애써 쌓아올린 정체성과 평판과 소중한 자아를 내버립니다. 야망을 내버리고, 탐욕을 내버리고, 적어도 일시적으로는 이성을 내버립니다. 그러면 우리는 어디로 추락할까요? 열정 속으로, 공포 속으로, 터무니없는 기쁨 속으로 떨어집니다. 겸손 속으로, 연민 속으로, 공허 속으로, 우리 자신보다 훨씬 큰 힘과의 조화 속으로, 우리처럼 떨어지고 있는 다른 사람들과의 조화 속으로 떨어집니다. 그리고 마침내 성스러운 존재와 직면하게 됩니다. 신성, 신비, 더 훌륭하고 더 거룩한 우리 자신의 본성과 마주하게 됩니다.

느닷없는 추락을 경험하면서 우리가 겸손과 연민과 공허를 지나 어떤 큰 힘과의 조화를 통과하여 마침내 신성과 마주하게 된다는 것입니다. 그때 만난 것이 결국 우리 자신의 본성, 진여자성(眞如自性)이라면 고통과 추락은 참으로 소중한 것이 아닐 수 없습니다. 그리하여 고통과 질병을 만난 시간들을 감사하게 받아들일 수 있다면 고통의 시간, 추락의 시간이야말로 하느님의 배려인 것입니다.

나는 40대 후반에 이름도 처음 들어보는 병을 만나 주저앉아야 했습니다. 10년 만에 복직하면서 앞으로는 좋은 일, 기쁘고 희망차고 보람 있는 시간이 기다리고 있겠구나 하고 생각했는데 그것도 착각이었습니다. 어떤 시간이 기다리고 있을지 우리는 알 수 없습니다. 그러나 돌이켜 생각해보면 병이 찾아오지 않았다면 어떻게 몇 년씩 산속에 들어앉아 혼자 고요히 보내는 시간을 만날 수 있었겠습니까? 아프지 않았다면 어떻게 읽고 사유하고 쓰는 시간을 3년씩, 5년씩 가질 수 있었겠습니까? 몸에 병이 찾아온 것이야말로 복 받은 것이구나 하고 바꾸어 생각하기로 했습니다. 그렇게 축복받은 시간이라고 생각하니까 지금까지 살아오면서 내가 겪었던 가난, 외로움, 좌절, 절망, 방황, 해직, 투옥, 시련, 고난, 질병, 이 모든 것이 다 고마운 것이구나 하고 생각하게 되었습니다. 그런 시간이 내게 오지 않았다면 나는 다른 길을 갔을 것입니다. 시를 쓰는 사람으로 살지 않았을 것입니다. 〈축복〉이란 시를 쓰게 된 까닭이 거기 있습니다.

이른 봄에 내 곁에 와 피는

봄꽃만 축복이 아니다

내게 오는 건 다 축복이었다

고통도 아픔도 축복이었다

뼈저리게 외롭고 가난하던 어린 날도

내 발을 붙들고 떨어지지 않던

스무 살 무렵의 진흙덩이 같던 절망도

생각해보니 축복이었다

그 절망 아니었으면 내 뼈가 튼튼하지 않았으리라

세상이 내 멱살을 잡고 다리를 걸어

길바닥에 팽개치고 어두운 굴속에 가둔 것도

생각해보니 영혼의 담금질이었다

한 시대가 다 참혹하였거늘

거인 같은, 바위 같은 편견과 어리석음과 탐욕의

방파제에 맞서다 목숨을 잃은 이가 헤아릴 수 없거늘

이렇게 작게라도 물결치며 살아 있는 게

복 아니고 무엇이랴

육신에 병이 조금 들었다고 어이 불행이라 말하랴

내게 오는 건 통증조차도 축복이다

죽음도 통곡도 축복으로 바꾸며 오지 않았는가

이 봄 어이 매화꽃만 축복이랴

내게 오는 건 시련도 비명도 다 축복이다

— 졸시 〈축복〉 전문

동시가 찾아오던 날

아침에 일어나 창문을 여는데 아기 다람쥐 한 마리가 화들짝 놀라 달아납니다. 달아나다가는 몇 발짝 안 가 뒤를 돌아다보더니 그 자리에 서서 두 손으로 무얼 쥐고 먹습니다. "깜짝 놀랐잖아요. 난 누군가 했네⋯⋯." 그런 표정입니다. 나도 눈인사를 나눕니다. 아침부터 실비가 뿌리는데 몇 시간째 연못가에 있는 바위로 앵두나무, 뜰보리수나무 밑으로 돌아다니며 놉니다. 집에 돌아가면 엄마한테 혼날 게 틀림없습니다. "비 오는데 어딜 쏘다니다 오는 거야! 이것 봐. 다 젖었잖아!" 하면서 등짝을 한 대 얻어맞을 겁니다.

산방에서 생활하는 동안 다람쥐들하고 친하게 지냈습니다. 툇마루에 놀러온 다람쥐와 밤 몇 톨을 나누어 먹은 게 인연이 되어 가깝게 지냈습니다. 내가 옆에서 보고 있건 말건 내 앞에서 두 손으로 밤을 쥐고 까먹습니다. 양손으로 밤을 굴리며 까는 속도가 기계로 밤을 까는 것처럼 빠릅니다.

다람쥐 식구들하고 친해지기 전에 산토끼와 방에서 같이 지냈습니다. 산고양이한테 잡아먹힐 뻔하다 겨우 살아남은 어린 산토끼를 아내가 데려왔는데, 낮에는 산토끼와 둘이서 같이 지냈습니다. 젖병에 물을 담아 먹이기도 하고, 알팔파 사료를 구해다 먹여가며 키웠습니다. 자라면서 질경이와 씀바귀를 좋아하는 걸 알고 매일 들에 나가 뜯어다 주었습니다. 내가 책을 읽고 있으면 저도 내 무릎 위에 앉아서 놀았습니다. 놀다가 심심하면 내가 읽는 책을 북 찢어놓기도 하고, 여기저기 쌓인 책 사이에 들어가 놀다가 책을 갉아놓거나 오줌을 갈기며 심술을 부리기도 했습니다. 밖에 나갔다 돌아오는 발소리를 알아듣고는 달려 나오기도 하고, 내가 이 방 저 방 돌아다니면 강아지처럼 졸졸 따라다니기도 했습니다.

그런데 이 녀석이 점점 몸집이 커지고 청소년기가 되자 문제가 생겼습니다. 한번은 책을 읽고 있는데 내 맨발을 네 발로 끌어안고 요동을 치는 것입니다. '얘가 왜 이러나?' 하고 놀라서 쳐다보았더니 발정이 난 것입니다. 엄지발가락과 둘째 발가락 사이에 아랫도리를 집어넣고 부들부들 떨며 몸부림을 치는 겁니다. 기가 막혔습니다. 내가 지금 암토끼 대용이 되어 있는 꼴이 된 것입니다. 아무리 내 신세가 처량해졌다 해도 이건 너무하다 싶었습니다. 그리고 이 녀석을 귀엽다고 끌어안고만 있을 게 아니라 무슨 대책을 마련해주어야겠구나 하는 생각이 들었습니다. 결국 암토끼 한 마리를 구해왔습니다. 그리고 마당으로 나가서 살게 했습니다. 처음에는 서로 어색해하고 냄새를 맡으며 탐색하더니 결국 눈이 맞아 창고 옆 굴속에 둥지를 틀었습니다. 아침이면 방문 앞에 와 문을 두 발로 긁습니다. 문을 열어주면 방 안에 들어와 놀곤 했습니다. 암토끼 토실이는 들어올 생각을 안 하더니 수토끼 토돌이란 녀석이 잘 노는 걸 보고 나선 경계심을 풀고 들어와 놀았습니다.

그런데 한번은 굴 앞을 지나가는데 토돌이가 낮은 소리로 으르렁거리는 겁니다. 토끼는 약하고 겁 많은 짐승이라 여간해선 입으로 무슨 소리를 내는 법이 없습니다. 토실이가 제 털을 자꾸 뽑는 걸 보고 새끼 낳을 자리를 마련하려는가 보다 생각했는데, 아마 그사이에 새끼를 낳은 것 같습니다. 그래서 접근하지 못하게 경계하는 소리를 내는 것 같았습니다. 그래도 서 있었더니 내 발을 콱 깨무는 것입니다. 순간적으로 달려와 날카로운 앞 이빨로 무는 바람에 악 소리가 날 정도로 아팠고 피가 났습니다. '이런 나쁜 녀석이 있나! 어려서부터 안고 끼고 키웠는데 제 식구 생기고 새끼 낳았다고 부모 같은 나를 깨물다니' 하는 괘씸한 생각이 들었습니다. 그 얘길 놀러온 사람한테 했더니 "그게 아니라 맨발을 끌어안고 몸부림치던 생각이 나서 그런 거 아냐?" 합니다. "그게 무슨 이야기야?" 했더니 "암토끼 만나고 나서 맨발한테 속은 걸 알고 깨문 거지." 그럽니다. 그래서 같이 웃었습니다.

후배 한 명이 키우던 중병아리 두 마리를 가져다주는 바람에 닭도 기르게 되었습니다. 병아리 두 마리가 커서 알을 낳고 그걸 까서 다시 열두 마리로 늘어났습니다. 암탉이 하는 짓을 보면 경탄하게 됩니다. 알을 품으면 20여 일간 아무것도 먹지 않습니다. 제 체온으로 알을 부화해야 하기 때문입니다. 닭이 하루 종일 하는 일이 먹이를 쪼는 일인데, 일단 알을 품으면 먹지 않습니다. 얼마나 배가 고프겠습니까? 그걸 말없이 견디는 모습을 지켜본 뒤부터는 닭을 비하해서 닭 뒤에 '대가리'라는 말을 붙여 쓰지 않기로 했습니다. 태어나서 겨우 1년 정도 산 닭에게 누가 모성에 대해 가르쳐주었겠습니까? 그걸 몸으로 아는 거지요. 병아리들을 몰고 다니면서 먹을 수 있는 것들을 가르쳐주거나 보리수나무 낮은 가지에 올라가 나뭇가지를 흔들어 열매를 떨어뜨린 뒤 그걸 먹게 하는 걸 보았습니다. 새끼를 지키기 위해 몸을 던져 다른 짐승과 싸우기도 합니다. 하는 일 없이 빈둥거리며 암탉 뒤나 쫓아다니는 수탉과는 너무 달랐습니다.

토끼가 방에 들어와 놀면 닭들도 방으로 들어오려고 합니다. 닭은 아무 데나 똥을 싸놓기 때문에 못 들어오게 막으면 기를 쓰고 들어옵니다. '토끼는 되고 우리는 왜 안 되느냐'는 듯 막무가내입니다. 그 모습을 툇마루에서 다람쥐도 빤히 쳐다보고 있습니다. 방이 동물들 놀이터가 될 판입니다. 벌들은 추녀 밑에 항아리만 한 집을 짓고, 딱새는 지붕 밑에서 새끼를 키우고, 귀뚜라미는 선반 뒤에 팥알만 한 새끼들을 고물고물 낳아놓고, 개미도 문설주 밑에 바글바글 모여 살고 벌레들도 여기저기 거처를 마련해서 살고 있습니다. 저마다 제집이라고 여기며 살고 있습니다. 그냥 살게 둘 수밖에 없었습니다. 그것들은 예전부터 거기 살던 것들입니다. 내가 그것들보다 늦게 산속에 들어와 사는 것이지요. 그러니 내쫓을 수도 없습니다.

한번은 방에 뱀이 들어온 적이 있습니다. 안방에서 나오다 거실에서 뱀과 마주쳤습니다. 순간 얼마나 놀랐는지 모릅니다. 기겁을 하고 놀라며 서로 몇 초를 바라보다 정신을 차리고 나니 '뱀은 얼마나 놀랐을까?' 하는 생각이 드는 겁니다. 뱀이 나를 해치려고 일부러 방에 들어왔겠습니까? 어떻게 하다 보니 길을 잘못 들어온 거겠죠. 밭에서 풀을 뽑다 지렁이가 딸려 나오면 소리를 지릅니다. 배춧잎을 솎아

주다 벌레를 만나면 "엄마야!" 하고 외칩니다. 그런데 누가 더 놀랐을까요? 고갱이 속에 가만히 자고 있던 배추벌레가 더 놀랐을까요? 우리가 더 놀랐을까요? 우리는 "나를 놀라게 하다니 가만두지 않을 거야" 하고 말합니다. 그리고 해코지를 합니다. 나를 중심으로 생각합니다. 인간 위주로만 생각합니다. 다른 생명의 처지에서 생각해보지 않습니다.

해월 최시형 선생은 물물천(物物天)이라 했습니다. 사물 하나하나마다 그 안에 한울님이 계신다고 했습니다. 한울님의 존재론적 가치가 내재해 있다는 것이지요. 그것들도 다 작은 우주라는 겁니다. 그래서 존중해주고 소중하게 여겨야 한다는 것이지요. 경물(敬物)하라고 하셨습니다. 그러면 자연히 경인(敬人)하게 된다는 겁니다. 하찮은 사물도 소중하게 대하는데 사람이야 더 말할 나위가 있겠습니까. 다른 사람과 내가 한 몸이요, 사물과 나도 똑같은 생명으로 여겨야 한다고 가르치십니다. 인오동포(人吾同胞)요, 물오동포(物吾同胞)라 하십니다.

해월 선생은 천지부모(天地父母)라 하셨습니다. 대지와 하늘이 우리를 부모처럼 먹여 살리신다는 겁니다. 오행의 원기(元氣)인 곡식들로 오행의 수기(秀氣)인 사람을 먹여 살리는 게 자연이라는 겁니다. 그래서 부모를 대하듯 고맙게 대하라는 겁니다. 이천식천(以天食天)하는 뜻, 하늘로 하늘을 먹여 살리시는 뜻을 생각하며 늘 고맙게 대하라는 것입니다. 노자에서도 생이불유(生而不有)라 합니다. 자연은 우리를 거기 깃들어 살게 할 뿐 내 것, 내 소유라 생각하지 않는다는 것입니다. 우리는 내 것인가 아닌가, 돈으로 바꿀 수 있는 것인가 아닌가의 관점으로 보는 일에 익숙해 있는데 자연에서 그런 걸 배워야 하지요. 자연은 우리에게 우주적 대가족주의에 대해 가르쳐 줍니다.

《누가 더 놀랐을까》, 산방에서 지내면서 쓴 동시들을 모아 펴낸 동시집 제목입니다. 산방에서 짐승들, 풀과 나무와 벌레들과 지내는 동안 동시가 찾아왔습니다. 작은 것이 눈에 들어오고 낮은 자리에 있는 것들, 어린 목숨들에 눈이 가는 날 동시가 찾아오곤 했습니다.

> 해바라기는 키가 커서
> 멀리서도 보이지만
> 키 작아도 채송화
> 얼마나 예쁜데요
>
> (…) 키 작아도 예쁜 꽃
> 얼마나 많은데요
> 채송화는 작은 꽃
> 작아서 더 고운 꽃
>
> — 동시 〈채송화〉 중에서

이런 동시를 만났습니다.

마당에 있는 바위에 앉아 있으면 잠자리가 날아와 어깨에 앉아 있곤 합니다. 속기(俗氣)가 빠져나가면 잠자리도 사람의 몸에 와 앉는다고 합니다. 그렇게 나를 대해주는 잠자리가 고마웠습니다.

국화 잎에 앉았다
내 어깨로 날아와

발에 묻은 향기를
톡톡 터는 잠자리

날개마다 가을볕을
사금처럼 매달고서

바람 불어 신이 난
단풍빛 잠자리

— 동시 〈아기 잠자리〉 전문

　사람이 하늘로부터 처음 받은 마음을 동심이라고 합니다. 천심이라
고도 합니다. 그 마음을 나이 들어서까지 지니고 있는 사람을 시인이
라 한다고 중국의 사상가 이지(李贄)는 말합니다. 동시가 찾아오는 날
이면 고맙고 고마웠습니다.

치유의 힘을 가진 숲

연극 연출을 하는 친구가 병문안을 오면서 장미 꽃다발을 가지고 온 적이 있습니다. 꽃병이 없어서 그냥 작은 질항아리에 물을 담아 거기 놓아두었습니다. '한 열흘 지나면 시들겠지' 생각하고 그냥 창가에 두었습니다. 그런데 20일이 지나도 꽃은 그냥 있었습니다. 한 달이 지나며 잎이 시들기 시작하더니 두 달이 넘으면서 새끼손톱만 한 새잎이 나는 게 보였습니다. 그리고 조금 더 지나자 꽃봉오리가 맺히기 시작했습니다. 밖에는 눈이 한 자 넘게 쌓이는 한겨울인데 장미는 빨갛게 꽃을 피웠습니다.

이상하다 싶어 바닥에 시들어 떨어진 마른 잎과 새로 잎이 나고 꽃이 핀 모습을 그대로 사진으로 담아두었습니다. 또 다른 꽃병의 국화는 두어 달쯤 지나면서 하얗게 실뿌리가 자라났습니다. 꽃을 살리기 위한 특별한 처방을 할 줄 모르는 나는 무엇이 꽃을 살리고 있는 건지 궁금했습니다. 벽도 바닥도 지붕도 황토로 지었으니 황토에서 나온다는 원적외선의 힘일까? 아니면 벽 한쪽이 통유리로 되어 있어 햇볕이 방 안 가득 들어오니 그 햇볕의 힘이 꽃을 살리는 걸까? 숲에서 나오는 바람의 기운이 다른 곳보다 청량하니 바람의 힘일까? 바위틈에서 솟는 석간수의 기운을 받은 것일까? 아니면 그 모든 것이 합쳐서 꽃을 살리고 있는 것일까 하고 생각했습니다.

어떤 힘이 꽃을 살리는지 알 수는 없었지만 밑동을 가위로 뚝 잘라서 신문지에 말아 가지고 온 꽃이 한겨울에도 녹색의 잎을 내밀고 붉게 꽃을 피우는 모습을 여러 달 지켜보며 왠지 기분이 좋았습니다. 이 꽃을 살린 흙의 기운, 햇볕의 기운, 바람의 기운, 물의 기운이 방 안 가득 움직이고 있다고 생각하면 힘이 났습니다. 그 꽃 옆에 나도 나란히 앉아 있었습니다. 그러니 꽃만 좋은 게 아니라 나도 좋았을 게 아닙니까. 아침에는 한 시간씩 꽃 옆에 앉아 명상을 했고 낮에는 책을 읽었습니다. 그러니 꽃만 새잎이 나는 게 아니라 내 몸 어딘가에도 새 잎이 돋고 있을 게 아닙니까. 그렇게 생각하니 기분이 좋아졌습니다. 기분이 좋아지니 몸도 좋아지는 것 같은 생각이 들었습니다.

숲은 분명 치유의 힘을 지니고 있습니다. 나무들이 피톤치드를 뿜어내고 계곡물에서 음이온이 솟아나오고 햇볕이 세로토닌 분비를 원활하게 하는 곳이 숲입니다. 그런 과학적인 설명을 모르고서도 숲에 들면 마음이 청안(淸安)해집니다. 자신도 모르게 마음이 열려 산길에서 만난 사람과 편안하게 이야기를 나누게 되고 긴장을 풀고 여유를 되찾게 됩니다.

모토야마 히로시 박사는 숲에서 생긴 종교와 사막에서 생긴 종교를 비교하면서 숲에서 생긴 종교는 자연과의 일체감, 동질성에 바탕을 두고 있다고 합니다. "자연과 인간뿐 아니라 동물이나 벌레, 나무나

풀조차도 그 본질(영혼)은 신과 동일하며, 따라서 그들은 모두 신에게 돌아갈 수 있거나 신과의 합일을 이룰 수 있다고 생각합니다." "우주의 보편적인 신인 브라흐만과 인간의 개인아(個人我)인 아트만이 동질이라고 하는 힌두교의 사상"이나 "일체 존재는 그 본질에서 부처와 같은 불성을 지니고 있다고 가르치는 불교"가 모두 풍부한 물과 숲이 있는 자연에서 생긴 종교입니다. 물이 적은 사막 지대에서 태어난 종교는 신과 인간, 인간과 동식물, 몸과 마음의 엄격한 구별이 있다고 모토야마 박사는 말합니다. 물이 부족하기 때문에 살기 위해 항상 물을 어떻게 확보할 것인지에 관심을 기울이게 되고, 물을 찾아가기 위해 A인지 B인지 결정해야 하며, 공동체를 만들어 유지해야 하고, 강력한 리더 밑에서 일사불란하게 행동할 필요가 있다는 겁니다. 따라서 엄격한 구별, 계율, 복종이 요구될 수밖에 없다는 것입니다.

사막의 자연은 인간에게 시련을 안겨주고 내치는 데 비해, 삼림 지대의 자연은 인간뿐 아니라 동물이나 하찮은 벌레에 이르기까지 모든 것을 품에 안고 길러주는 존재입니다. 그동안 우리는 사막에서 살아왔는지 모릅니다. 늘 지치고 목이 마르고 불안하며 길을 잃을까봐 두렵고 힘 있는 이들 밑에서 그와 함께 일사불란하게 움직이고 있어야 비로소 안심이 되는 걸 보면 아무래도 사막에서 살고 있는 것 같습니다. 시련도 많고 위험도 많으며 빨리 이곳을 벗어나고 싶은 마음이 가득하고, 한 손엔 경전, 한 손엔 칼을 들고 있으면서도 아침마다 "오늘도 무사히" 하고 기도하는 걸 보면 아무래도 우리가 살고 있는 이곳은 사막과 크게 다르지 않은 것 같습니다. 그런 곳에서 살기 때문에 몸과 마음이 병들지 않을 수 없는 것이지요.

《나무의 치유력》이란 책을 낸 파트리스 부샤르동은 질병과 고통은 "삶의 여정에 놓인 장애물이 아니라 우리의 위치를 알리는 지표"라고 합니다. "육체적인 증상은 삶의 과정에서 우리가 처한 단계를 알려준다"는 것입니다. 몸이 아프다는 건 우리가 지금 위험한 곳을 지나가고 있다는 것이지요. 더 이상 이런 길로 계속 가면 정말 돌아올 수 없는 곳에 이르게 될지도 모른다는 경고의 신호라는 거지요. 사막 같은 세상에서 벗어나 숲으로 들어가면 약을 먹지 않아도 저절로 병이 낫는다고 하는 이가 많습니다. 그것을 일컬어 자연 치유라고 하는데, 병이 내는 경고의 소리를 알아듣고 삶의 위치를 바꾼 것에 불과하지만 그렇게만 해도 병에서 벗어날 수 있다는 걸 말해주는 것입니다.

숲에서 참으로 의미 있고 행복한 삶을 살았던 스콧 니어링은 숲에 들어가 사는 삶을 선택했기 때문에 경쟁적이고 공업화한 사회 양식에

필연적으로 따라다니던 네 가지 해악에서 벗어날 수 있었다고 말합니다. "그 네 가지 해악이란 물질에 대한 탐욕에 물든 인간들을 괴롭히는 권력, 다른 사람보다 출세하고 싶은 충동과 관련한 조급함과 시끄러움, 부와 권력을 차지하기 위한 투쟁에 반드시 수반되는 근심과 두려움, 많은 사람이 좁은 지역으로 몰려드는 데서 생기는 복잡함과 혼란"을 말합니다.

말년에 그가 수많은 사람에게 존경받은 까닭은 젊은 시절의 화려한 활동 때문이 아니라 아내 헬렌 니어링과 숲에서 살아가는 독특하고 절제된 생활방식 때문이었습니다. 나도 숲에 들어가 지내다 그의 이름을 알게 되어 좋았습니다. 그의 좌우명도 참 좋아합니다. "…간소하고 질서 있는 생활을 할 것. 미리 계획을 세울 것. 일관성을 유지할 것. 꼭 필요하지 않은 일은 멀리할 것. 되도록 마음이 흐트러지지 않도록 할 것. 그날그날 자연과 사람 사이의 가치 있는 만남을 이루어가고, 노동으로 생계를 삼을 것. 원초적이고 우주적인 힘에 대한 이해를 넓힐 것. 계속해서 배우고 익혀 점차 통일되고 원만하며 균형 잡힌 인격체를 완성할 것……."

〈저녁숲〉이란 시는 그런 스콧 니어링을 생각하며 쓴 시입니다.

　　모란꽃도 천천히 몸을 닫는 저녁입니다
　　같은 소리로 우는 새들이 서로 부르며
　　나뭇가지에 깃드는 걸 보며 도끼질을 멈춥니다
　　숲도 오늘은 여기쯤에서
　　마지막 향기를 거두어들이는 시간엔

나무 쪼개지는 소리가 어제 심은 강낭콩과 감자에게도

다람쥐와 고라니에게도 편하지 않을 듯싶습니다

(…)

흐르는 물에 이마를 씻고

바위 위에 앉아 생각해보니

당신처럼 오늘 하루 노동하고 읽고 쓰고

자연과 사람의 좋은 만남을 가지진 못했습니다

그러나 흩어진 나무토막과 잔가지들을

차곡차곡 쌓듯 내 삶도 이제는

흐트러지지 않고 질서가 잡힐 것이며

옷에 묻은 먼지를 툭툭 털며

천천히 그리고 간소하게 저녁을 맞이할 것입니다

어둠이 숲과 계곡을 덮어오자

땅 위에 있는 풀과 나무들이 일제히 별을 향해

손을 모읍니다

(…)

오늘 밤은 아직 구름에 가린 별들이 많고

내 마음에도 밤안개 다 걷히지 않았지만

점차 간결한 삶의 단순성에 익숙해지고

일관성을 잃지 않으며

내 눈동자가 우주의 빛을 되찾으면

별들이 이 골짜기에 가득가득 몰려올 것임을 믿습니다

내 안에 가득 차 있던 것들 중에

빠져나갈 것은 빠져나가고

제자리로 돌아올 것은 돌아와

자리를 잡아가는 동안

얼굴도 웃음도 제 본래 모습을 되찾고

의로움도 선함도 몸속에서 원융하여

당신처럼 균형 잡힌 인격이 되어간다면

얼마나 좋겠습니까 그러면

여름 산도 가을 숲도 다 기뻐할 것입니다

생의 후반에 당신을 알게 되어서 기쁩니다

생사의 바다를 건넌 곳에서도 편안하시길 빕니다

숲 속에서도 별 밭에서도 늘

완성을 향해 가고 있을 당신을 그리며

— 졸시 〈저녁숲-스콧 니어링을 그리며〉 중에서

평화롭게 살기

스콧 니어링을 좋아했지만 그처럼 살 수는 없었습니다. 하루 4시간은 노동하고, 4시간은 좋은 사람들과 친교를 하며 보내고, 4시간은 지적인 활동을 하며 사는 삶. 그런 삶을 부러워했습니다. 그러나 그렇게 하는 일은 쉽지 않았습니다. 평화주의자이며 채식주의자인 그의 모습을 흉내 내보고 싶었지만 철저한 베지테리언이 되지는 못했습니다. 더구나 사회주의자로 살기는 더욱 힘들었습니다. 그는 미국 사회의 주류 우파로부터도 쫓겨났지만, 나중에 미국 공산당으로부터도 제명당한 사람입니다.

그럼에도 그는 "착취를 차단하고, 부와 권력을 차지하기 위한 광적인 경쟁을 줄여가며, 착취와 경쟁 대신 협력을 바탕으로 소박하고 창조적이며 유익하고 아름답게 살겠다"는 굳은 결심을 세웠습니다. 그는 폭정과 전제정치와 족벌주의와 소수 지배를 끝내고 국민의 주권을 옹호·확대하며, 냉혹한 생존 투쟁과 전쟁을 멈추고 평화롭고 인도적인 세상을 건설하는 일이 우리의 과제라고 했습니다. 그러면서 인간의 모든 행위를 고귀하고 아름답게 여기며, 분별력과 지혜를 추구하고 진실되게 보고 느끼며 당당하게 행동하고자 하는 진지한 노력을 계속하는 한편 자비를 베풀고 정의를 확립하는 데 힘쓰고자 했습니다. 그는 재력가가 그에게 남긴 유산을 정중히 거절했고, 800달러를 주고 산 공채가 6만 달러까지 올라가자 공채 증서를 난로 속에 넣었습니다. 전쟁으로 얻은 비정상적인 이득이라고 생각했기 때문입니다.

끝까지 진보에 대한 믿음을 내려놓지 않았고, 100세까지 살다가 평화롭게 눈을 감았습니다. 그는 진정으로 의미 있고 가치 있으며 충만한 삶이란 어떤 것인지를 실천적으로 보여준 사람입니다.

숲에 들어가 산 지 세 해째 되는 2006년 《해인으로 가는 길》이란 시집을 내게 되었습니다. 고마웠습니다. 다시 시를 쓸 수 있게 되었고, 시집을 낼 수 있게 된 것만으로도 감사했습니다. 그리고 몇 해 만에 처음으로 인세 수입이 생겼습니다. 나는 이 인세를 어떻게 쓸까 하고 고민했습니다. 그때 마침 충북민예총이 베트남과 문화 교류를 하고 있었는데 그쪽에서 학생들이 교실이 없어 공부를 하지 못한다면서 학교 건물을 지어주면 좋겠다고 제안해왔습니다. 그래서 화가, 서예가들이 나서서 전시회를 열고, 음악인들이 공연해서 학교 건립 기금을 모으고 있었는데 1년 동안 모은 돈이 1,200만 원이었습니다. 학교를 짓기에는 턱없이 부족하지만 그래도 가난한 예술가들이 애써 마련한 돈이었습니다. 그러나 그 이상 진척이 되지 않았습니다. 나는 인세를 학교 짓는 데 쓰기로 했습니다. 아이들은 몇 해 만에 생긴 목돈을 다 주어버리면 어떻게 생활하려 하느냐고 볼멘소리를 했지만 아내는 말없이 지켜보아주었습니다. 나는 가난할 때 내게 가장 중요했던 걸 주는 것이 진짜 남을 돕는 일이라고 생각했습니다. 박원순 변호사가 책임을 맡아 운영하는 아름다운 가게에 시집 《해인으로 가는 길》로 생길 인세 전액을 기증해서 돈이 내 통장을 거치지 않고 직접 베트남 학교를 짓는 경비로 들어가게 했습니다.

인세만 가지고는 부족할 것 같아서 출판기념회라는 이름의 모금 행사를 해서 기금을 모았습니다. 그리고 학교 건물이 어느 정도 지어졌는지 확인할 겸 베트남 푸옌 성에 가보았습니다. 그랬더니 건물은 지어졌는데 책걸상과 칠판이 없었습니다. 그곳 관계자들은 책걸상이 없으면 바닥에 앉아서 수업하면 되고 칠판이 없으면 벽에 검은 페인트를 칠하고 칠판으로 쓰면 된다고 했습니다. 아무래도 안 될 것 같아서 돌아와 화가 이철수와 의논하여 책걸상을 마련하기 위한 콘서트를 열었습니다. 유열, 안치환, 범능 스님 같은 분들이 무료로 공연해주었고 많은 분이 표를 사주어 3,000만 원이 넘는 기금을 마련할 수 있었습니다. 고마운 분이 세상에는 참 많습니다. 그런 많은 분의 도움으로 2007년에 호아빈2 초등학교를 준공했습니다. 호아빈은 평화라는 뜻입니다. 그곳은 한국군이 주둔했던 지역인데 전쟁 기간에 한국군에 의해 죽은 양민이 1,800명 정도 된다는 이야기를 들었습니다. 준공식 날 한국에서 간 기자가 교장에게 마이크를 대고 물었습니다. "교실과 운동장 포장과 조경까지 다 마쳤는데 어디가 가장 달라졌다고 생각하십니까?" 그러자 한참을 머뭇거리던 교장이 "우리의 마음이 가장 크게 달라졌습니다" 하고 대답하는 것이었습니다. 그들도 우리가 돈이 많아서 이런 일을 하는 게 아니라, 가난한 예술가들이 힘을 모아 하는 일이라는 걸 알고 있었습니다.

　선배들은 전쟁을 했지만 후배들이 해원(解冤), 상생하는 일을 한다면 좋은 일이 아닌가 싶었습니다. 전쟁을 하는 사람들에겐 전쟁의 논리가 있습니다. 싸움을 하는 사람들에겐 싸울 수밖에 없는 이유가 있습니다. 그러나 싸우는 사람이 있으면 말리는 사람도 있어야 합니다. 문학이나 문화, 예술은 싸움을 말리는 편에 서야 한다고 생각합니다. 원효의 화쟁사상도 말리는 일을 해야 한다는 데 바탕을 두고 있습니다. 푸엔 성의 중심 도시인 뚜이호아 한복판을 흐르는 강이 쏭바입니다. 쏭이 베트남어로 강이니까 바 강이라는 말입니다(우리에게는 박영한의 소설 《머나먼 쏭바강》으로 잘 알려진 강입니다). 그 강가에 앉아서 베트남은 우리에게 무엇인지를 생각했습니다.

　　건기인데도 강물은 도도히 흐르고 있었다
　　아버지와 어린 아들이 소 여러 마리를
　　강으로 끌고 들어가 몸을 씻기고 있었다
　　가슴까지 차는 물속에서 짙은 고동색 몸을 씻으며
　　물을 치받는 쇠등 위로 알몸의 아이가
　　올라탔다 미끄러지며 깔깔대는 소리가
　　강 햇살과 함께 반짝이며 떠내려왔다
　　수십 년 전쟁을 통해 얻은 작은 평화의 한때를
　　사람과 짐승이 함께 누리고 있었다
　　그러나 해방은 완성이 아니고
　　승리는 거대한 난관의 또 다른 시작일 뿐임을

강물은 알고 있었을 것이다

어떤 투쟁이든 값진 것은 과정일 뿐

목숨을 걸었던 전사들은 한산하게 흔들리는

즈아나무 밑에서 강물을 바라보며 담뱃불을 붙일 뿐

물에서 나온 소들이 뿔싸움을 하며

장난치는 모습을 빙긋이 웃으며 바라볼 뿐

목장은 자본을 아는 이들의 손에 쥐어져 있었다

값진 것은 전선에 있던 시절이었다고

피 흘리며 싸우던 날들이었다고

이제는 친구가 된 강물이 말하는 소리를 들으면서

— 졸시 〈쏭바〉 전문

"해방은 완성이 아니고 / 승리는 거대한 난관의 또 다른 시작일 뿐임을" 아는 이들은 도이머이 정책을 채택하여 돌파구를 찾으려 했습니다. 그 와중에 목숨을 걸었던 전사들은 천천히 뒷전으로 밀려나고, 자본의 생리를 아는 이들이 앞에 나서는 역사를 살고 있습니다. 그 나라 전사들도 인생의 가장 값진 시간은 전선에 있던 시절, 목숨을 걸고 싸움에 나섰던 시절이었다고 생각할 겁니다. 어쨌든 이젠 전쟁을 기억하는 일보다 평화를 만들어가는 일이 중요합니다. 우리는 지금도 해마다 그 학교에 컴퓨터 등 교육 기자재를 지원하고 있습니다. 올해부터는 장학 기금을 마련하여 어린 학생들이 대학생이 될 때까지 도우려고 합니다. 동네 이름에서 비롯된 그 학교 이름이 우연히도 호아빈, 즉 평화 학교입니다.

어찌 노론을 한 시대에 이기겠습니까

산방에는 텔레비전이 없습니다. 라디오도 들을 수 없고, 신문도 볼 수 없습니다. 인터넷도 물론 연결되어 있지 않았습니다. 산방에서 지내는 동안 국민들은 노무현을 대통령으로 선출했습니다. 가까이 지내던 이들 중에는 장관이 된 사람이 있고, 국회의원이 되거나 청와대에 들어가 일하는 이도 있었습니다. 그러나 나는 고라니, 다람쥐와 같이 지냈습니다. 함께 민주화 운동을 한 이들이 붉은 카펫이 깔린 만찬장으로 옮겨다닐 때 나는 지게를 지고 나무하러 다녔습니다. 밤 10시 넘어야 들어오는 심야 전기 보일러는 자주 고장 났고 한겨울에 실내 온도는 영상 8도에서 13도까지 오르다가 더 올라가지 않을 때가 많았습니다. 수도가 얼어 터져 눈을 녹여 손 씻을 물을 마련해야 할 때도 있었습니다. 겨울을 힘들게 견디고 봄이 찾아와 진달래가 피는 걸 보면 눈물이 나곤 했습니다.

몇 해가 지나면서 한미 자유무역협정(FTA)을 한다는 소리가 들렸습니다. 미군 기지가 자기 고향으로 오는 걸 반대하던 친구 정태춘이 두

들겨 맞고 끌려가는 걸 보았습니다. 양쪽에서 잡아당기는 펼침막에 목이 졸려 죽을 뻔한 모습을 보았습니다. 그 뒤로 그는 노래를 그만두고 방 안에 틀어박혀 나오지 않았습니다. 이라크로 군대를 파병한다는 소리를 들었습니다. 개혁 세력과 진보 세력이 사안별로 연대하고 힘을 합쳐 쌓여 있는 악법과 제도를 고치고 사회를 변화시킬 것으로 기대했는데, 보수 세력과 대연정을 하자고 제안하는 걸 보았습니다. 실망스러웠습니다.

우리 역사에서 언제 개혁 세력이 정권을 맡았던 적이 있습니까? 개혁 권력과 다산 정약용 선생 같은 창의적인 엘리트들이 나라를 맡았던 때는 정조 임금이 재위한 24년간이었습니다. 정치, 경제, 사회, 문화, 과학, 국방, 산업에 이르기까지 창조적으로 변화하던 시기였습니다. 그러나 정조가 갑자기 세상을 뜨면서 권력은 급속하게 보수 세력에게 넘어갔습니다. 그 뒤로 보수 권력은 다시는 개혁적인 인물을 왕의 자리에 앉히지 않았습니다. 왕 수업을 받지 못한 사람, 권력의 네트워크가 가장 취약한 사람 중에 고르고 골라서 왕의 자리에 앉혔습니다. 강화도에서 농사짓고 있다가 불려온 철종 같은 이가 그렇습니다. 그 뒤로 고종, 순종으로 이어지며 나라가 망하고 말았습니다. 나라가 제국주의의 식민지로 전락해도 집권 보수 세력은 우선 자기 가문, 자기 영토, 자기 세력을 지킬 수 있는지 생각했습니다. 식민지와 분단과 전쟁과 독재의 역사를 이어오면서 언제 개혁 세력이 권력을 잡고 나라를 이끌어간 적이 있습니까? 지난 10년이었습니다. 그때 정말 잘했어야 합니다. 국민들에게 실망을 주지 말고 다시 신뢰와 선택을 받을 수 있도록 했어야 합니다.

국민들에게 선택받지 못하고 권력이 넘어가자 세상은 순식간에 맘몬의 시대로 돌아갔습니다. 당시 제도적으로 민주주의를 정착시켜놓은 것이 있으니 함부로 하지 못할 거라고 말하던 이가 많았습니다. 그러나 그게 얼마나 안이한 생각이었는지 우리는 바로 알게 되었습니다. 민주주의는 정치, 사회, 문화 전 부문에서 후안무치하게 후퇴했고, 평화를 위한 노력은 무위로 돌아갔으며, 살기는 점점 더 어려워졌습니다. 일본처럼 토건 카르텔이 보수의 막강한 정치적 기반이 되는 토대를 마련했고, 그 결과 강과 산천은 회복하기 어려운 상태로 파괴되기에 이르렀습니다. 다시 강자의 논리가 횡행하는 야만의 시대로 돌아갔습니다. 속물에 의한, 속물을 위한, 속물의 정치, 스노보크라시의 시대가 되었습니다. 거기다가 전직 대통령이 바위 벼랑에서 목숨을 던지는 일이 생겼습니다. 그동안 우리는 노무현을 욕하면서 한발 비켜서서 자신을 변명하고 있었습니다. 그러나 노무현 대통령의 죽음을 지켜보면서 비로소 우리는 그의 좌절이 우리의 좌절, 그의 치욕이 우리의 치욕, 그의 수치가 우리의 수치임을 알게 되었습니다.

도정일 교수의 말씀대로 민주주의가 20, 30년 만에 완성된 나라가 어디 있습니까? 전 세계 어디에도 없습니다. 우린 너무 안이했습니다. 반성하고 또 반성해야 합니다. 그리고 다시 시작해야 합니다. 꿈은 이루어지지 않은 것입니다. 다산 선생은 유배 생활보다 새로운 세상을 만들어가고자 하던 꿈이 좌절되는 게 더 가슴 아팠을 겁니다. 그러나 유배지에서도 다시 아침마다 정좌하고 붓을 들게 하던 힘의 바탕은 무엇이었을까요?

초당에 눈이 내립니다

달 없는 산길을 걸어 새벽의 초당에 이르렀습니다

저의 오래된 실의와 편력과 좌절도

저를 따라 밤길을 걸어오느라

지치고 허기진 얼굴로 섬돌 옆에 앉았습니다

선생님, 꿈은 이루어지지 않습니다

무릉의 나라는 없고 지상의 날들만이 있을 뿐입니다

제 깊은 병도 거기서 비롯되었다는 걸 압니다

대왕의 붕어(崩御)도 선생님에겐 그런 충격이었을 겁니다

이제 겨우 작은 성 하나 쌓았는데

새로운 공법도 허공에 매달아둔 채 강진으로 오는 동안

가슴 아픈 건 유배가 아니라 좌초하는 꿈이었을 겁니다

그렇습니다 노론은 현실입니다

어찌 노론을 한 시대에 이기겠습니까

어떻게 그들의 곳간을 열어 굶주린 세월을 먹이겠습니까

하물며 어찌 평등이며 어찌 약분(約分)이겠습니까

그래도 선생님은 다시 붓을 들어 편지를 쓰셨지요

산을 넘어온 바닷바람에

나뭇잎이 몸 씻는 소리를 들으며 잠을 청하고

새벽에 일어나 찬물에 이마를 씻으셨지요

현세는 언제나 노론의 목소리로 회귀하곤 했으나

노론과 맞선 날들만이 역사입니다

목민을 위해 고뇌하고 싸운 시간만이 운동하는 역사입니다

누구도 살아서 완성을 이루는 이는 없습니다

자기 생애를 밀고 쉼 없이 가는 일만이

우리가 할 수 있는 진미진선의 길입니다

선생님도 그걸 아셔서 다시 정좌하고 홀로 먹을 갈았을 겁니다

텅텅 비어버린 꿈의 적소(謫所)에서 다시 시작하는 겁니다

(…)

바람에 눈 녹은 물방울 하나 날아와

눈가에 미끄러집니다

— 졸시 〈새벽초당〉 중에서

　보수가 이 나라 역사의 주류입니다. 그걸 인정해야 합니다. 그들은
권력과 부의 힘으로 촘촘하고 끈끈하게 연결되어 있습니다. 그래서
쉽게 무너지지 않습니다. 그래서 부패할 수밖에 없습니다. 그래서 깨
어 있는 이들이 수없이 반역의 깃발을 들었던 것입니다. 평등한 세상

을 꿈꾸었던 것입니다. 그리고 참혹하게 죽거나 멸문의 화를 입어야 했던 것입니다.

그러나 그런 반역의 깃발과 패배의 정신이 없으면 역사도 없습니다. 반역의 주체는 주류가 될 수 없었습니다. 그러나 그들의 정신은 주류 가치가 되어야 합니다. 패배의 정신 속에 녹아 있는 가치가 주류 가치가 되어야 합니다. 지금까지도 패배의 정신은 불굴의 정신이 되고 불씨가 되어 때가 되면 되살아나는 역사를 살아왔습니다.

살아 있는 동안 꿈이 이루어지지 않을 수도 있습니다. 그래도 꿈을 버릴 수는 없습니다. 우리가 해야 할 일은 내가 살아 있는 동안 원하던 것을 이루는 일이 아니라 "자기 생애를 밀고 쉼 없이 가는 일"입니다. "텅텅 비어버린 꿈의 적소에서 다시 시작하는" 일입니다. 다산 선생이 그러하셨듯 좌초한 그곳에서 찬물에 이마를 씻고 다시 정좌하고 붓을 드는 겁니다.

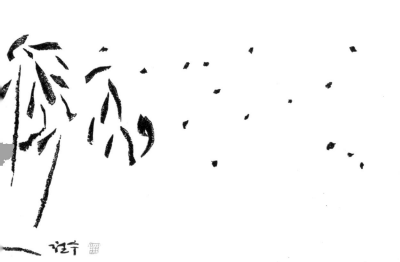

세 시에서 다섯 시 사이

우리는 지금 어디쯤에 와 있는 걸까요? 우주의 계절은 가을을 지나가고 있는데, 우리가 있는 곳을 하루의 시간에 견주어본다면 우리는 지금 몇 시쯤을 지나가고 있는 걸까요? 내 인생의 시계는 오후 3시를 지나 5시를 향해 가고 있는 건 아닐까 생각합니다. 12시 전후한 시간은 치열했습니다. 그러나 그 뒤에는 지쳐 있었으며, 의기소침한 채 오후 시간이 지나갔습니다. 저무는 시간만이 기다리고 있다는 생각이 들 때도 있습니다. 그러나 밤이 오기 전 찬란한 노을이 하늘을 가득 물들이는 황홀한 시간이 한 번쯤 오리라는 믿음도 가지고 있습니다.

우주의 계절이 후천개벽이 열리는 가을로 가는 것이 아니라, 겨울이 일찍 찾아와 북극의 빙하가 녹고 하늘 곳곳이 벌레 먹은 자국처럼 뚫려 바닷가 마을이 물에 잠기고, 대부분의 대지와 숲이 사막으로 변하는 날이 올지도 모릅니다. 아니 어리석은 인간들이 오만함을 버리지 못해 원전이 터지거나 핵무기를 쏘아 올려 곳곳에서 절멸의 징후가 나타나게 될지도 모릅니다. 내가 지금 깃들어 살고 있는 이 숲과 자연이 한순간에 폐허로 변하게 될지도 모릅니다. 제인 구달은 이렇게 말합니다.

우리는 우리의 지구를 파괴하고 있다. 숲들이 사라지고, 토지는 침식되고, 수면은 말라가고, 사막화가 진행되고 있다. 한편으로는 굶주림, 질병, 가난, 무지가 있고, 다른 한편으로는 잔인함, 탐욕, 질시, 복수, 타락이 있다. 세계의 대도시에는 범죄, 약물, 갱, 폭력이 있고, 수천의 집 없는 사람들은 살림을 유모차, 쇼핑 카트, 또는 등에 지고 다니면서 문 앞이나 창틀에서 잠을 자고, 살아가기도 하고, 죽어가기도 한다. 길거리에서 구걸하는 아이들의 수는 늘어만 가고 있다. 종족 갈등과 학살이 일어나고, 평화 협정들이 깨어지고 있다. 수백만 명이 총에, 칼에, 지뢰에 의해 죽음을 당하거나 불구가 되고 있다. 또 다른 수백만 명은 피난민 신세가 되었다. (…) 체르노빌 사고의 심각한 후유증에 시달리는 벨라루스는 히로시마의 90배에 달하는 방사선 피해를 입었고, 전체 토지의 1%만이 오염되지 않은 채로 남을 수 있었다. (…)
세계는 '일순간의 폭발이 아니라 한동안 흐느끼는 사이에' 종말을 맞을 것이다. 지구라는 우주선의 생명체들이 그러한 운명을 맞이하는 모습을 상상하는 것은 그다지 어려운 일이 아니다.

"한동안 흐느끼는 사이에 종말을 맞을 것"이라고 탄식하면서 제인 구달은 그럼에도 미래에 대한 희망을 가지고 있다고 말합니다. 그 희망은 우리가 삶의 방식을 바꿀 때에만 존재한다고 합니다. 변화는 당신과 내가 가져오는 것이며 변화의 책임 또한 나에게 있다고 말합니다. 그리고《희망의 이유》라는 책을 통해 인간의 지혜, 자연의 회복력, 젊은이들에게서 발견하는 에너지와 열정, 불굴의 인간 정신, 이 네 가지가 끝까지 희망을 갖게 하는 이유라고 합니다.

인간이 겨우 이 정도의 세상밖에 만들어놓지 못했지만, 그래도 희망은 결국 인간이 만들어갈 수밖에 없습니다. 인간의 지혜, 불굴의 인간 정신, 그것을 믿을 수밖에 없습니다. 우리가 자연과 우주를 진정으로 사랑하면 자연도 우리를 사랑할 것입니다. 헨리 데이비드 소로는 "자연은, 해와 바람과 비, 그리고 여름과 겨울은 우리 인류에게 무한한 동정심을 가지고 있기 때문에 만약 어떤 사람이 정당한 이유로 슬퍼한다면 온 자연이 함께 슬퍼해줄 것"이라고 말합니다. 내가 서 있는 시간이 그런 오후임을 생각하며 이런 시를 썼습니다.

산벚나무 잎 한쪽이 고추잠자리보다 더 빨갛게 물들고 있다 지금 우주의 계절은 가을을 지나가고 있고, 내 인생의 시간은 오후 세시에서 다섯시 사이에 와 있다 내 생의 열두시에서 한시 사이는 치열하였으나 그 뒤편은 벌레 먹은 자국이 많았다

이미 나는 중심의 시간에서 멀어져 있지만 어두워지기 전까지 아직 몇 시간이 남아 있다는 것이 고맙고, 해가 다 저물기 전 구름을 물들이는 찬란한 노을과 황홀을 한번은 허락하시리라는 생각만으로도 기쁘다

머지않아 겨울이 올 것이다 그때는 지구 북쪽 끝의 얼음이 녹아 가까운 바닷가 마을까지 얼음조각을 흘려보내는 날이 오리라 한다 그때도 숲은 내 저문 육신과 그림자를 내치지 않을 것을 믿는다 지난봄과 여름 내가 굴참나무와 다람쥐와 아이들과 제비꽃을 얼마나 좋아하였는지, 그것들을 지키기 위해 보낸 시간이 얼마나 험했는지 꽃과 나무들이 알고 있으므로 대지가 고요한 손을 들어 증거해줄 것이다

아직도 내게는 몇 시간이 남아 있다
지금은 세시에서 다섯시 사이

— 졸시 〈세시에서 다섯시 사이〉 전문

시간이 얼마 남아 있지 않다고 제인 구달은 말했지만 그래도 여유를 갖고 우리에게 남은 시간을 헤아려보아야 한다고 생각합니다. 그리고 아직도 몇 시간이 남아 있다는 걸 고맙게 생각하기로 합니다. 해월 선생의 말씀을 믿고 따를 것이며, 존 러스킨이 말한 대로 "살아 있는 생물은 어떤 것도 쓸데없이 죽이거나 해치지 않고 아름다운 것을 파괴하지 않겠으며, 하찮은 생명까지도 소중히 지키고 가꾸며 지상의 자연스러운 아름다움과 자연의 질서를 지키고 보호하기 위해 노력"하며 살 것입니다. 사람을 소중히 여기고, 사람이 사람 그 자체로 소중하기 때문에 존중받는 세상, 강자의 논리, 힘의 논리가 아니라 협력의 원리, 상생의 원리로 살아가는 평화로운 세상을 만드는 일에 남은 시간을 쏟고 싶습니다.

이해관계와 이익에 민감하기보다 가치 있는 삶이 어떤 것인지 생각

하는 삶을 살고 싶습니다. 글을 쓰고 문학 이야기를 하는 시간, 그리고 지적인 만남에서 기쁨을 찾고 행복해질 수 있기를 기원합니다. 무엇보다 남은 시간 동안 한 편의 좋은 시를 쓰고자 합니다.

몇 해 전 어느 음악회에서 가수의 노래가 잠시 멈춘 사이 간주의 시간을 채우고 있는 바이올린 소리를 들었습니다. 채 몇 분도 되지 않는 시간을 빨아들이고 있는 바이올린 소리가 가슴을 후벼 파며 들어왔습니다. 나는 내 시가 저렇게 사람의 가슴을 후벼 파고 있는지 물어보았습니다. 내 시, 내 삶이 남의 가슴의 방파제를 뒤흔들어놓으며 파도처럼 부서지고 있는지 물어보았습니다. 물결도 없이 파도도 없이 시를 쓰고 있고, 시인이라고 얼굴을 내밀고 살고 있는 건 아닌지 물어보았습니다.

로댕은 "예술은 감동 이외의 아무것도 아니다"라고 말한 바 있습니다. 내 시가 남의 마음을 움직이지 못하는데도 나는 시인입니까? 단 몇 분도 숨을 멈추게 하는 선율로 존재하지 못한다면 우리는 미끄러지는 언어를 붙들고 사기를 치고 있는 건 아닐까요?

문학 아닌 것을 향해 빠져드는 삶, 자꾸만 거창해지는 쪽으로 기웃거리는 삶을 때려 엎고 싶었습니다. 한 편의 좋은 시를 쓸 수 있다면 거덜나고 싶었습니다. 〈바이올린 켜는 여자〉라는 시는 그런 생각을 옮겨 적은 것이었습니다.

> 내 나머지 생이
> 가슴 저미는 노래 한 곡으로 남을 수 있다면
> 내 생이 여기서 거덜나도 좋겠다
>
> ― 졸시 〈바이올린 켜는 여자〉 중에서

치열하되 거칠지 않은 시, 진지하되 너무 엄숙하지 않은 시, 아름답되 허약하지 않은 시, 진정성이 살아 있되 너무 거창하거나 훌륭한 말을 늘어놓지 않는 시를 써야겠다고 생각합니다. 그러나 생각처럼 시가 써지는 게 아니라서 오늘도 한 편의 시 앞에서 두렵고 두렵습니다. 그렇지만 어둠이 오기 전까지 남은 시간 동안 내가 할 일은 그런 시를 쓰겠다는 소망을 버리지 않는 일입니다.

꽃은 젖어도 향기는 젖지 않는다

© 도종환 이철수 2011

초판 1쇄 발행 2011년 10월 31일
초판 9쇄 발행 2016년 7월 25일

지은이 도종환
그린이 이철수
펴낸이 이기섭
편집인 김수영
기획편집 김준섭
마케팅 조재성 정윤성 한성진 정영은 박신영
경영지원 김미란 장혜정

펴낸곳 한겨레출판(주) www.hanibook.co.kr
주소 서울시 마포구 효창목길 6, 4층(공덕동)
전화 02-6383-1602~3 **팩스** 02-6383-1610
대표메일 munhak@hanibook.co.kr

ISBN 978-89-8431-515-0 03810